ЕлеНа КоЛиНа

Редакционно-издательская группа
«Жанровая литература»
представляет книги
ЕЛЕНЫ КОЛИНОЙ

ВОСПИТАНИЕ ЧУВСТВ: БЕТА ВЕРСИЯ
КНИЖНЫЕ ДЕТИ
Все, что мы не хотели знать о сексе
ЛИЧНОЕ ДЕЛО КАТИ К.
ЛЮБОФ И ДРУШБА
МАЛЬЧИКИ ДА ДЕВОЧКИ
НАИВНЫ НАШИ ТАЙНЫ
НЕ БЕЗ ВРАНЬЯ
ПИТЕРСКАЯ ПРИНЦЕССА
ПРОФЕССОРСКАЯ ДОЧКА
САГА О БЕДНЫХ ГОЛЬДМАНАХ
УМНИЦА, КРАСАВИЦА

ТРИЛОГИЯ «ПРЕДПОСЛЕДНЯЯ ПРАВДА»
ПРЕДПОСЛЕДНЯЯ ПРАВДА
ЧЕРЕЗ НЕ ХОЧУ
ПРО ЧТО КИНО?

ЦИКЛ «ДНЕВНИКИ НОВОЙ РУССКОЙ»
ДНЕВНИК НОВОЙ РУССКОЙ
ВЗРОСЛЫЕ ИГРЫ
ДНЕВНИК ИЗМЕНЫ
НАУКА О НЕБЕСНЫХ КРЕНДЕЛЯХ

ЕлеНа КоЛиНа

воспиТаниe
ЧУВСТВ
бета-версия

Издательство АСТ
Москва

УДК 821.161.1-31
ББК 84(2Рос=Рус)6-44
К60

Серия «Нежности и метафизика. Проза Елены Колиной»

Оформление — *Марина Акинина*

Колина, Елена.

К60   Воспитание чувств : бета версия : [роман] / Елена Колина. — Москва : Издательство АСТ, 2015. — 320 с. — (Нежности и метафизика. Проза Елены Колиной).

ISBN 978-5-17-092580-3

Любовный треугольник на Невском, 66:

Алиса, толстая, умная, злая: «Мне не нужно ничего знать! Я хочу уметь говорить обо всем, — чтобы люди думали, что я интеллигентный человек из хорошей семьи, у меня хорошее образование. Зачем мне читать "Войну и мир"? Мне нужна одна фраза, чтобы я ее сказала и все заткнулись и подумали "О-о-о!"».

Петр Ильич, хороший мальчик: «В чем-чем, а в любви я разбираюсь. На чем зиждутся мои знания? На "Яме" Куприна».

NN, питерская интеллигентка: «Я знала всех, кто был кем-то, а все, кто был кем-то, знали меня». Нанята отцом-миллионером Алисы, чтобы за три месяца сделать из девочки интеллигентного человека.

Любовь, воображаемая и действительная в феерической истории современного Пигмалиона. Квартира у Аничкова моста превращается в самое необыкновенное место на свете, где из «ужасного материала» лепят новую личность, где перемешаны добрые и низкие чувства, бизнес и метафизика, где предают и жертвуют собой, а случайная встреча определяет судьбу...

УДК 821.161.1-31
ББК 84(2Рос=Рус)6-44

ISBN 978-5-17-092580-3

И долго я стоял у речки,
И долго думал, сняв очки:
«Какие странные дощечки
И непонятные крючки!»

Д. Хармс

«Я буду любить тебя все лето» —
это звучит куда убедительней, чем «всю жизнь»,
и — главное — куда дольше!

М. Цветаева

Я знаю способ справиться с вашей депрессией, если она у вас есть, увеличить заработки, если вам их недостаточно, и обеспечить вам приключения, если их у вас нет. ...Существует школа. Если вы входите в трудный класс... употребляйте массу трудных слов, не отказывайте себе в удовольствии произнести слова «трансцендентальный», «парономастический» и «окказиональный». Это воспринимается как заклинание. ...Два часа вас будут слушать — с тем же любопытством, с каким глядят на экзотическое насекомое. На третий они заговорят на этом языке. ...Это я люблю. Ради этого я готов вставать в половине восьмого.

Д. Быков

Ну и, конечно, все совпадения случайны,
иначе и быть не может.

ЧТО ЭТО БЫЛО?

Осенью 2014 года, на канале Грибоедова у корпуса Бенуа.

Звонит Ларка. Сейчас скажет: «Ты видел курс доллара?» Ларка, как маньяк, смотрит «доллар — евро — нефть», зажмуривается, как будто, открыв глаза, увидит другой доллар, другой евро, другую нефть, открывает глаза и опять смотрит. Сейчас скажет: «Я так люблю его, что сразу умру, я умру без него...»

Запретить ей, что ли, говорить про курсы валют в радиусе трех метров от меня?

— Тебе-то хорошо, у тебя нет дома. Нет ипотеки.

Трех, у меня нет трех ипотек.

У Ларки *три* ипотеки, Ларка боится потерять дом в Черногории (если она перестанет платить кредит, банк заберет дом, «я так люблю его, я умру без него» — это про дом), квартиры в Питере («в одной из них живет наша мама, если ты забыл» — а это *про меня*), Ларка — хорошая дочь, она думает о старости, о маминой и о своей, черт, почему она в 35 лет думает о *своей* старости?! Потому что Ларка — средний класс, средний класс в любом возрасте думает о старости?.. Я никог-

7

да не слышал от Ларки «я так люблю его, я умру без него» — про человека, только про дом.

Из неприятностей кроме курса доллара у Ларки конфликт с мамой: мама будто копила в себе все эти годы недоброжелательство к Ларкиным успехам, теперь она говорит: «Тебя волнуют только пармезан и курс доллара!», Ларка срывается на визг, и все становится как двадцать лет назад, когда они сражались насмерть из-за голой полоски на Ларкином животе: точно ли она означает, что Ларке грозит стать проституткой, или нет.

— Если я не смогу платить ипотеку, банк отнимет квартиру, и где ты будешь жить?

— Где-нибудь буду, с тобой. Девяностые пережили, и это переживем.

Переходим на личное, визжим:

— Да вы именно что пережили, вам чем хуже, тем лучше, это мазохизм, — вам нравится терпеть, наконец-то у вас нашелся смысл жизни... Ты опять найдешь себя в очередях!..

Переходим на очень личное, обижаем:

— А твой смысл жизни — потребление. У меня по крайней мере есть ребенок и ты.

Это я *ребенок своей мамы*, а Ларка ее взрослая дочь, но это давняя история.

— А я кому ребенок?! ...Между прочим, благодаря мне твой адрес опять Невский, 66...

Обычный диалог, — как видите, здесь перемешано все, и общественное, и личное, и очень личное. Повод для истерики: Ларка вызвала маме врача, впервые не платного, а участкового, из экономии.

И что оказалось:

— что жизнь не остановилась: бесплатная медицинская помощь существует;

— участковый врач — *тот же* врач, который приходил к нам двадцать лет назад: жив-здоров и так же нетрезв. У него все так же плещется спирт во фляжке в заднем кармане брюк, я сначала узнал звук, а потом его самого. Ларка говорит: «Ужасно, как будто за двадцать лет ничего не изменилось», а по-моему, прекрасно, что наш участковый врач все двадцать лет мужественно небрит и всегда слегка на взводе, как герои Хемингуэя.

КАК ЭТО БЫЛО

27 августа 1992 года

Ни слова о мокрых пятнах на простыне. Вообще никаких упоминаний о сексе.

О чем еще я не буду писать? О том, что эти люди охренели.

Тем более они охренели не только что, а с момента моего рождения. Только подумайте, я — Петр Чайковский, а им на это чихать.

Нет! Мой Дневник — не обычная подростковая смесь секса и жалобного воя про родителей! Мой Дневник — летопись становления П. Чайковского как человека.

Программа становления меня как человека
1. Список для чтения: «Война и мир» (читать, а не смотреть кино!), «Снежная королева» (хочу перечитать это место про Северного Оленя, которое я так люблю в мультике).
2. Стремиться, чтобы у меня было метафорическое мышление.

(Узнать у кого-нибудь, что такое метафорическое мышление.)

3. Научиться употреблять слова «транс» и «трансцендентная интуиция». В нашем доме никто таких слов не знает. А еще говорят: «Ты из интеллигентной семьи». Особенно мама всегда повторяет: «Помни, что у нас интеллигентная семья» — и как бы в доказательство поводит рукой в сторону книжного шкафа. Там стоит полное собрание Джека Лондона. Еще Чехов, Жюль Верн, «Библиотека приключений» и Максим Горький. Получается, я отношусь к интеллигенции за счет книжного шкафа, ну и папиного высшего образования.

4. Не есть курицу. На родственном обеде в честь моего дня рождения будет курица. Звучит, как будто я, к примеру, Кот — и Курица приглашена ко мне на родственный обед. На моем дне рождения будут: мама, папа, Ларка, дядя Сеня с тетей Шурой, курица. Возможно, правильно говорить «кура».

Почему не есть курицу (куру?)? Потому что я не умею красиво пользоваться ножом и вилкой.

5. Научиться красиво пользоваться ножом и вилкой.

Мама с папой при мне поругались, где курица (нужно где-то уточнить, может быть, все же «кура»?) дешевле, на рынке или в магазине. Мама говорила, что в ларьке на оптовом рынке дешевле. Папа говорил, что мамина страсть к грошовой экономии нелепа: бензин на поездку на оптовый рынок как раз составляет разницу в цене между курицей на рынке и в магазине. И что раньше она (мама, не курица) была совсем другая. Мама говорила, что она бы с радостью осталась прежней поэтичной девушкой, если бы папа не стал тем, кем он стал... А кем он стал? Они совсем меня не стесняются!

Близкие люди должны друг друга стесняться, ведь они и так находятся слишком близко. Должны стыдиться показывать друг другу свои совсем уж плохие качества (страсть к грошовой экономии однозначно совсем уж плохое качество, ведь они не стали бы обсуждать с чужими разницу в цене этой несчастной курицы... куры)!.. Папа это понимает и больше молчит, а мама не понимает и по субботам до вечера ходит в бигуди. Но о маминой прическе я писать не буду (ни слова в стиле «предки охренели»).

Мои претензии к маме:

— У нее кудри до плеч, как у Мальвины, а ведь она пожилой человек, тридцать пять лет.

— Она многовато врет для человека, который кричит мне и Ларке: «Как ты можешь врать?!» Она ведь знает КАК. Например, она говорит: «Я преподаю в Институте культуры», а сама просто работает в деканате: следит за расписанием занятий и выдает студентам справки. Она хочет отдать меня в Институт культуры, чтобы присматривать за мной и тем самым лишить меня молодости. На бесплатное отделение, например на «массовые праздники». Если папа найдет нормальную работу, то они поднапрягутся и отдадут меня на платное отделение, на самое модное, «менеджмент». Или все-таки отдадут на «массовые праздники», потому что «это все равно, главное — диплом».

— Она общается со своими подругами по телефону специальным, таким тонким возбужденным голосом. Пытается представить нашу жизнь более красивой. Вчера (я слышал своими ушами) три раза сказала кому-то по телефону: «У нас будет прием по случаю дня рождения Петра». А это просто придут дядя Сеня с тетей Шурой. Могла бы сказать правду: «Придет мой брат-дурак, и мы все вместе будем тупо есть курицу с оптового рынка». О-о, эти жуткие родственные обеды! О чем они разговаривают? Да ни о чем! Собираются, чтобы вместе пережевывать пищу. Дал бог родственничков! Дядя Сеня — мамин троюродный брат. Жаль, что у папы нет родственников, может, его родственники были бы умней? А может, были бы такие же глупые. Может, вообще все люди как дядя Сеня, может, это норма?

— Она обижается на папу за то, что дядя Сеня неожиданно обогатился. Дядя Сеня дал одному бизнесмену деньги в рост, чтобы тот платил ему проценты. И папу уговаривал дать. Папа подумал и отдал все, что у него было. Потом дядя Сеня забрал свои деньги с процентами и папу убеждал забрать (говорил «забирай сейчас, пока он не прогорел»). Папа долго убеждался, говорил, что у него своя голова на плечах, и не решился забрать у бизнесмена деньги, сказал «неудобно, он подумает, что я ему не доверяю». В общем, дядя Сеня забрал свои деньги с процентами, а папа прогорел. То есть бизнесмен прогорел и не вернул папе деньги. Мама не обижается на папу за то, что у него своя голова на плечах, она обижается за то, что дядя Сеня обогатился. Мама теперь намекает, что дядя Сеня проныра. Говорит: «Мог бы и помолчать о своих успехах: он нажился, а твой папа прогорел, а в доме повешенного не говорят о веревке...» При этом считает, что дядя Сеня самый успешный в нашей семье. Где логика?

А дядя Сеня — о-о-о! Дурак. Владелец ларька на оптовом рынке, где курица. В его ларьке продаются сигареты и алкоголь. Папа-то раньше писал стихи, я сам видел его тетрадки, там целая пьеса в стихах. Пьеса в стихах и ларек — это для нее не разница?!

— Позавчера вечером мы с ней и Ларкой сидели на диване под пледом и пели песни. Она обнимала нас с Ларкой крепко, как сумасшедшая мать. А Ларка не обнимала ее как сумасшедшая дочь. Ларка так любит папу, что хочет внедриться между ними даже на свадебной фотографии. Взяла и пририсовала себя между ними. Когда она была маленькая, конечно.

Когда пели «Издалека долго течет река Волга, а мне семнадцать лет», я не сумел сдержать слезы, вскочил и ушел. Она закричала мне вслед: «Как тебе не стыдно, у тебя вообще нет чувств!» Иногда она бывает сумасшедшая мать, а иногда просто сумасшедшая.

— Она не считает, что я самый-самый. Говорит, что многие люди умней и способней меня. А ведь она моя мать, а не этих многих людей! При этом утверждает, что моя самооценка не должна зависеть от того, какое место я занимаю в ее глазах. Лишь от того, насколько я сам доволен своим прогрессом на пути к цели, а какая у меня цель?

— И последнее: прическа.

— Совсем последнее: иногда создается впечатление, что ее собственная жизнь для нее важнее, чем моя.

К папе у меня претензий нет.

Кроме одной.

В прошлом месяце я принес котенка. (Котенок только что родился и сразу остался без мамы, был один.) Папа сморщился и сказал: «Только его нам и не хватало». Я сказал: «Я взял его на руки, он дышал. Если бы я не взял его на руки, я бы... а когда взял...» Папа сказал: «Понимаю. Когда ты кого-то спас, твоя жизнь кажется — для чего-то». Боже, боже, разве папина жизнь ни для чего?!

Это все его работа. Потерял и не может найти. На заводе он получал хорошую зарплату плюс командировочные (ездил в командировки на Украину, в военные части в Полтаву, а у нас бабушка как раз в Полтаве, папа жил у нее, а командировочные экономил). Я говорил: «Мой папа работает на военном заводе», это звучит гордо. Я говорил: «Мой папа делает взрыватели для сухопутной и морской артиллерии», хотя там еще были втулки и электрозапалы, но взрыватели звучат очень гордо.

У него была нормальная жизнь: утром на работу, на Ваську. После работы папа лежал на диване, читал. Или слушал магнитофон, Высоцкого. На его заводе еще делали магнитофоны, у нас дома их пять, папу награждали магнитофонами за хорошую работу.

А год назад на заводе военных заказов не стало. Сначала папе стали задерживать зарплату. Потом папе сделали сокращенную рабочую неделю. Когда он принес зарплату, мама сказала, что это не зарплата, а сдача. Потом папе сказали «бери отпуск за свой счет», потом заставили написать заявление по собственному желанию. Сказали, идите куда хотите. А куда? Папа говорит, он никому не нужен. Но ладно я, а он-то как? Он лежит на диване, и ему плохо.

Мама говорила: «Это раньше было — работай и не думай ни о чем, пришел с работы и читай — не хочу, а теперь как?»

Папа говорил: «Воровать я не буду». Мама говорила: «Почему обязательно воровать, иди, занимайся бизнесом, другие же могут». Моя претензия к папе: он хуже котенка. Даже добрейший котенок кусается, когда его щекочешь, он себя защищает. А папа совершенно себя не защищает. По-моему, не хочешь заниматься бизнесом, так и не занимайся.

Папа стал заниматься бизнесом, возить мясо из Белоруссии. Теперь мама говорит: «Только ради бога, не занимайся бизнесом». Бизнес провалился. Папу обманули. Мама кричала: «Других почему-то не обманывают, почему все хитрей тебя?!» Вот он и пал духом, лежит на диване, ждет работу. Мама говорит: «Ты лежишь как умирающий лебедь, как будто сейчас взлетишь над диваном».

Мама говорит: «Эти демократы говорили, что все народное, а сами все забрали у народа». Мама говорит: «Ты должен держаться молодцом, думать, как кормить семью, это раньше ты был инженер, а теперь никто». Но как держаться молодцом, когда ему все так обидно? Быть «никто» — обидно, когда все забрали — обидно, когда все хитрей тебя — обидно. Обидно, что раньше делал взрыватели для сухопутной и морской артиллерии, ездил в командировки в военные части как уважаемый человек, а теперь что?

Больше к папе претензий нет. Кроме еще одной: когда я думаю, что он думает, что его жизнь ни для чего, мне хочется плакать. Не знаю, сказать ли ему, что его жизнь тоже для чего-то: он помогает мне растить котенка. Я кормлю котенка из пипетки днем, а папа ночью.

Завтра мне исполняется 14 лет. Перед днем рождения всегда подводишь итоги.

Итоги

— У меня официально начался трудный возраст;

— Я давно люблю одного человека, с двенадцати лет. Этот человек не может быть со мной. Мы виделись только на даче в Сиверской, но вот уже два года мы дачу не снимаем, сидим в городе. А я не знаю, где она, прекрасное виденье, живет в городе. Это трагедия и проблема: пока я не разлюблю ее, я мертв для любви;

— Котенок не хочет сидеть в коробке, ползает повсюду и орет, укусил меня в нос;

— Оно было, было, было! (пятно).

Я ШЕЛ ЗИМОЮ ВДОЛЬ БОЛОТА

Ждешь чего-то всю жизнь как самого невероятного счастья, и вдруг невероятное счастье случается, и вот он, подарок от Деда Мороза, — и нет, чтобы тут же начать наслаждаться, откусывать от всех конфет, запихивать в рот мандарины и любоваться шоколадным зайцем, — нет, ты суешь нос в подарок, придирчиво всматриваешься, и оказывается, что конфеты не любимые «Мишка на Севере», а простые карамельки, у мандарина подгнил бочок, у шоколадного зайца отломился кусок уха, в общем, вместо Невероятного Счастья — Не Совсем То.

Когда человек рассказывает, тем более пишет о прошлом, всегда появляется такой немного заунывный тон «тадам-тадам-тада-ам», как будто крутят ручку шарманки. Почему? От осознания значительности своей роли в скрупулезном (и якобы беспристрастном) наклеивании прошлого на настоящее, в создании раз и навсегда зафиксированной картины, где ты и живописец, и зритель, и, хочешь не хочешь, судья? Буду бить себя по рукам, — если замечу эту заунывную интонацию, тут же прервусь и сделаю пометку «Уныло! Веселей давай!», или «Слишком многозначительно! Проще давай!», или еще как-нибудь, чтобы прервать этот монотонный тоскливый звук «тадам-тадам-тада-ам».

В нашей коммунальной кухне было шесть столов, в туалете на гвоздях висело пять сидений, — дядя Игорь не имел своего сиденья и вечно приворовывал сиденье соседей. Мама кричала ему: «У меня дети! А ты неизвестно где шляешься и в дом приносишь! Попробуй только возьми мое сиденье, я тебе его на голову надену!» Но никто не знал, чьим сиденьем воспользуется Игорь, в этом и была интрига.

Слова «своя кухня...» и «свой туалет...» мама произносила как люди произносят «любовь», — мечтательно, а «квартира в сталинском доме» — ласково-безнадежно, так люди говорят о совсем уж несбыточных мечтах. До начала девяностых, в советской жизни, отдельная квартира была Несбыточной Мечтой: тридцатиметровая комната на четверых не давала нашей семье права получить квартиру от государства, а на кооперативную квартиру родители не заработали бы никогда.

С начала девяностых квартиру стало возможным купить. Странное для советского уха выражение — купить квартиру?! как булку или картошку? — для *любого* советского уха, но для моих родителей особенно: если в советской жизни они были обычные, как все, то в новой, постсоветской, стали бедные.

Может быть, это *уже уныло* и нужно сказать себе «Веселей давай!»?

Они были бедные, не считая нескольких месяцев, когда папа «занимался бизнесом», — тогда у мамы возникли кое-какие надежды, например, она купила Каракулевую Шубу. Осенью шубу пришлось продать, чтобы выйти из бизнеса. Тогда мне было очень жаль папу, но теперь мне не меньше жаль маму: она успела пришить к шубе другие пуговицы. Прежние показались ей недостаточно нарядными, счастливыми, — и ей пришлось расстаться с шубой, с пуговицами, — пуговицы можно было бы оставить себе, но мама решила не рубить хвост по частям, а расстаться с надеждами одним махом. Так что об отдельной квартире можно было что? Забыть.

Но все же оставалась одна возможность: а вдруг нашу коммуналку купит какой-нибудь новый русский? Купит нашу огромную квартиру па углу Невского и Фонтанки с видом на Аничков мост и станет там жить-поживать, а нас расселит по городским окраинам. Бедная мама мечтала об этом мифическом новом русском, как Золушка о принце, как запертая Змеем Горынычем в башне принцесса об Иване-дурачке: придет, освободит, расселит по спальным районам.

Расселение коммуналок в центре шло активно: быстро разбогатевшим людям хотелось иметь жилье не просто хорошее, а роскошное, в особняках, — они расселяли коммуналки на Невском и прилегающих к Невскому улицах. Однако в нашу квартиру принц все не приходил (что, учитывая наш вид из окон на Невский и на Аничков мост, наш балкон над Фонтанкой, наши четырехметровые потолки с лепниной и наши камины, было довольно странно) — до зимы девяносто четвертого года.

И вот, как всегда бывает, когда мама сказала папе: «Это не будет больше играть никакой роли в моей жизни, я буду жить, как будто Это никогда не случится», Это — раз, и случилось.

Все произошло молниеносно. Вечером пришла Тетка-риелтор, по-тогдашнему маклер, с неискренней улыбкой и бегающим взглядом (вряд ли она хотела обмануть нас или своего клиента, скорее это была профессиональная деформация — привыкла улыбаться и бегать глазами). Всех, включая *детей* (нас с Ларкой), нервно собрали на кухне, всем велели назавтра быть дома *в приличном виде*. «Оденьтесь прилично», — сказала Тетка плюс уничтожающий взгляд на дядю Петю в кальсонах и остальных в засаленных халатах. Как будто жильцы прилагаются к квартире и Он, новый русский, не захочет, чтобы потом, когда Он купит квартиру, дядя Петя бродил по его квартире в кальсонах. В общем, все должны быть в приличном виде ровно в половине седьмого, потому что после семи придет Он и у Него мало времени. Он — бизнесмен.

«Вот люди!» — сказал бы кто угодно *нормальный*, увидев реакцию соседей, и был бы прав: наши люди самые странные в мире. Вместо того чтобы обрадоваться, разнадеяться, попытаться как-то этому бизнесмену понравиться (ну, хоть в прихожей прибрать, что ли), все как-то насторожились: завтра вечером после семи к нам придет Враг, и ровно в половине седьмого нам нужно сидеть в доспехах с навостренными мечами.

С одной стороны: без сомнения, все (дядя Петя, слесарь, с тетей Катей, продавщицей Елисеевского магазина; баба Сима — бывший врач «ухогорлонос», ныне пенсионерка; баба Циля — бывшая завклубом по прозвищу Циля-два притопа, ныне пенсионерка; тетя Ира — профессор в Политехе, бывшая самая из всех обеспеченная, к тому времени такая же, как все, нищая; дядя Игорь — швейцар в баре «Роза ветров», владелец «девятки» с тонированными стеклами, как шептались, «бандит», но наш, домашний бандит) хотели получить отдельные квартиры на халяву, просто потому, что повезло жить на Невском у Аничкова моста.

С другой стороны: ни за что! Что «ни за что»? А ни за что не сдадимся! Не уступим! Покажем новому русскому, где раки зимуют и кузькину мать. Наша квартира была не пролетарская и не интеллигентная, а такой типичный срез советского общества: тут тебе и профессор, и продавщица; но все соседи, даже отчасти деклассированный, но вписавшийся в новую жизнь дядя Игорь, были удивительно единодушны в своем желании дать отпор новому русскому.

— Чего это я должен прилично одеваться? Лично я у себя дома. А если этот новый русский... если ему не нравятся мои кальсоны, так пусть идет к е... м... — сказал дядя Петя. — ...Лично я буду в кальсонах, и точка.

— А я специально опоздаю, — сказал дядя Игорь с видом «можете на меня рассчитывать».

Зачем? А вот так. Чтобы новый русский не задавался. Чтобы не думал, что может нас купить. Нашу жилплощадь.

— Но ведь именно об этом и шла речь, разве не так? Мы же хотим, чтобы нас расселили, почему же?.. — спросил папа.

— Что ты понимаешь в жизни, котовод... гонора у тебя нет, — сказал Игорь, и все согласно кивнули, и мама тоже.

Что правда, то правда, гонора у папы не было. В словаре «гонор» определяется как «высокомерие, заносчивость, преувеличенное чувство собственного достоинства». Казалось бы, по отношению к кому может возникнуть высокомерие у пьяного Игоря, какой меркой нужно измерять пьяного Игоря, чтобы он оказался выше нового русского, который в силах сделать то, чего не смогло сделать государство, — развести по разным жизням пять унитазных сидений у Аничкова моста? Но дядю Петю и остальных *можно* понять: ведь еще вчера и всю жизнь были «все равны», а теперь что? Попрание всего, на чем росли. И этот новый русский, как он смеет покупать мою квартиру, а значит, и меня самого, — он и спаситель, и ниспровергатель основ, бандит и гад, украл у нас... мы точно не помним, что именно, но что-то важное, возможность самим... самим что?.. Ну, всем все понятно, и этот разговор можно вести бесконечно, но все они, и даже мама, воспринимали нового русского как обидчика и унижателя нашего человеческого достоинства, а завтрашний день не как обычное житейское дело типа переговоры или сделка, а как войну миров, столкновение лоб в лоб в битве за «кто лучше», *личное* единоборство... Ну такие уж они. Все кивнули, и мама.

— Не волнуйтесь, мы интеллигентная семья, и, если что, мы обязательно... — сказала мама.

Она имела в виду: если нужно будет дать отпор новорусскому хамству, мы дадим, — если оно будет, а если нет, так нет.

Забегая вперед, скажу, что дальнейшая история, мамина личная история, — несчастливый роман, череда семейных неудач, попытки вывести меня в люди по своему разумению — сформировала у нее четкую систему ценностей: успешный и богатый всегда аморален, а тот, у кого все не получается, кто лежит на диване, отвернувшись к стене, — морален. Бедная мама, ею двигала не зависть к более удачливым, которые нам, конечно, враждебны и нами презираемы, а чувство самосохранения, нежелание признать, что папа — неудачник. Куда лучше слово «зато»: «зато он честный» или «зато он не суетится». Даже сейчас, через двадцать лет, она так обыденно, без напора, говорит «эта их прихватизация», словно так и написано в словаре — «приХватизация». Создание собственной системы морали с целью морального реванша за свои неудачи — история не новая, термин «ресентимент» придумал еще Ницше.

Назавтра вечером мы сидели на кухне принарядившись (наши люди самые нелогичные на свете), дядя Петя зачем-то надел медали... то есть снизу-то он был в кальсонах (мама просила его надеть штаны, но — нет), а сверху в пиджаке с медалями. С бабой Симой и бабой Цилей у мамы был схожий диалог («Вы бы хоть халат сняли». — «Я у себя дома!»), но обе остались в халатах, одна привычно, другая намеренно, а мама была в своем лучшем пятнисто-леопардовом платье и туфлях на каблуках, чтобы отделить себя от их негламурной фланелевой компании, — так наша квартира приготовилась встретить врага. Все робели в этой непривычной ситуации: хотели понравиться и были уверены, что не понравимся и нас не купят, и заранее гордо вскидывались — а нам и не надо!..

Раздался звонок, и мы высыпали в прихожую: новый русский (занял все пространство, как будто внесли шкаф и поставили поперек, на самом деле Роман был невысокий и худощавый, так что это мне показалось от волнения), за ним Тетка-риелтор с бегающими глазами, маленький мальчик, юная женщина с потрясающей длины и тонкости ногами, которую все приняли за жену, а она оказалась няней.

Роман прошел по квартире, заглянул в каждую комнату, но зашел лишь в нашу, вышел на балкон, посмотрел на Невский, на Аничков мост и вдруг выбросил вперед руку со словами «Здесь будет город заложен!», затем громко произнес: «Я царь, я бог!» И, обернувшись к нам, робкой толпой застывшим в дверях, сказал: «Годится». Все думали, что это будет обстоятельный осмотр с вдумчивым «А как тут у вас кран прикручен?», и мы будем, волнуясь, представлять наш кран в лучшем виде, а он — раз, и «годится».

— Подумайте еще... посмотрите другие квартиры в нашем доме... Как можно так быстро принять решение? — совершенно некоммерчески удивился папа, и Роман ответил:

— Да вот так.

Пришли на кухню. Мама заранее предупредила папу: «Не веди себя как умирающий лебедь, борись за свою семью — хвали квартиру, повышай ее ценность в глазах покупателя», и папа, солидно откашлявшись, приступил к делу.

— Я должен вас предупредить о проблемах квартиры: у нас плохой пол, пол нужно перебирать... а трубы... Ох, больно! — Очевидно, его ущипнула мама или пнул кто-то из соседей.

И тут же раздался громкий шепот дяди Игоря:

— Ты, мудак! Ни слова про трубы!

На самом деле трубы не имели никакого значения. Наша квартира не состояла из труб, стен, пола, потолка, провалился ли пол или рухнул потолок, можно было выйти на наш балкон — и ты над Аничковым мостом, в десяти метрах от первого коня Клодта, — я стоял на балконе тысячи раз, и каждый раз у меня начинал болеть живот от красоты. Не знаю, заболел ли у Романа живот, когда он смотрел на Аничков мост, но было понятно — он *хочет* смотреть на Аничков мост.

Решение было принято мгновенно, а дальше был торг. Все уселись за стол переговоров, покрытый белой от частого вытирания клеенкой, и Роман, тыкая пальцем в каждого, пять раз произнес — «однокомнатная», а в маму — «хорошая двухкомнатная». Тетя Катя сказала: «Нас двое, почему нам однокомнатную?» Тетка-риелтор, быстрей обычного бегая глазами, ответила: «Не хотите, как хотите, мы пойдем в квартиру напротив», но Роман сказал: «Сделай им вместо приличной однокомнатной дешевую "двушку"». Роман не столько был уступчив и добр к тете Кате (я потом часто видел, как он зверски торгуется из-за совершенно незначащей для него суммы), сколько понимал, что в квартире напротив окна во двор, а уже через несколько лет вид на Аничков мост ни за какие деньги не купишь. Нам было — хорошую двухкомнатную. *Хорошую* — нас выделили из массы: мы интеллигентная семья, мама красивая, и в нашей комнате балкон.

Дядя Игорь обиженно сказал: «Давайте еще вести переговоры», так быстро ему было не интересно и не *значительно*.

Обычно люди смотрят на собеседника на уровне рта, а Роман неотрывно смотрел в глаза, не мигая, как смотрят агрессивно настроенные животные, такая у него была привычка звериная.

— Тебе однокомнатная в хрущёвке, район можешь выбрать сам, — сказал Роман и посмотрел на Игоря пару секунд, вот и все переговоры.

— А можно им однокомнатные получше? — спросил папа, указывая на бабу Цилю и бабу Симу. — Они блокадницы.

— А мне по барабану, я не государство, блокадникам льгот не даю, — усмехнулся Роман.

Папа смешался, мама уничтожающе на него посмотрела, улыбнулась Роману, выдохнула «...сталинскую?..», а Роман улыбнулся ей. Мама была красивая, яркая, с кудрями до плеч, такая, что люди сразу понимали, что имеют дело с красотой, а не с чем-то другим. Роман был не таким однозначным: все в его лице было кривоватым, неправильным, но вместе получалось красиво, и люди сразу понимали, что имеют дело не с красотой, а с обаянием.

...Да, а сколько лет было Роману?.. Потом я узнал, что Роману было тридцать шесть, он был младше папы всего на пару лет, но папа всегда был одет по-взрослому — в брюки с наглаженными стрелками, кроме, конечно, синих тренировочных, в которых он лежал на диване, а Роман был одет как я — в отвисшие на коленях джинсы и клетчатую рубашку.

Мальчик (в возрасте детей я тоже не разбирался, просто мальчик, малыш, точная копия Романа, такой же неправильный и обаятельный) противно тонко пищал (Роман раздраженно сказал, как о чужом: «Бывают же такие дети, которых не заткнуть»), длинноногая няня шикала на него: «Не трогай тут ничего, тут одни микробы», но он все время что-то хватал и посреди «переговоров» Романа с дядей Игорем вдруг замахнулся на нее

и начал шлепать по плечам и громко смеяться, а она на-
тянуто улыбалась и говорила как бы ласковым голосом:
«Перестань, ну перестань». Я схватил его за пухлую
лапу и сказал: «Ты что, с ума сошел?! Хочешь, я *тебя*
шлепну?» Малыш так удивился, как будто никогда не
слышал «Ты что, с ума сошел?!», кивнул, я шлепнул, и
он опять стал смеяться. Мне показалось, он неплохой
малыш, просто никто никогда не хватал его за лапу.

Няня пробормотала: «Могу я хотя бы в туалет схо-
дить от этого ребенка?», и я забрал малыша в комнату, и мы начали катать мои старые машинки (стояли в
коробке под кроватью), потом он захотел полетать над
диваном, я показал ему, как растопырить руки, как кры-
лья, и он летал над диваном, потом он смотрел мультик
по телевизору, я до этого никогда не видел, чтобы человек смеялся без перерыва, — хороший малыш, потом за
ним пришла няня. Сказала: «А еще ленинградцы назы-
ваетесь, я хоть из пригорода, но такого не видела, чтобы
в туалете пять сидений, вот смехота».

Ну, и все, нас купили.

Разъезд произошел мгновенно, не считая того, что
вдруг — всё отменяется! Баба Сима и баба Циля *никуда не поедут.*

Мы не сразу поняли, почему все отменяется, но
потом поняли: дело было в том, что мы «ленинградцы
называемся» и наша жизнь была связана с блокадой.
Обыденно, без всякого пафоса: паникой в глазах бабы
Симы, когда на Дворцовой раздавались залпы салюта
в День Победы (у нас было хорошо слышно), и виноватым пожатием плеч «ничего не могу поделать, боюсь
взрывов». Пачками геркулеса пятьдесят восьмого года
на полке бабы Цили в общей холодной кладовке, — она

их не открывала, держала на *мало ли что*. Тем, что мы с Ларкой называли чужую Цилю «бабой» и чужую Симу «бабой», — так велел дед, папин отец, он жил в нашей квартире еще «с до войны». Деда к тому времени, о котором идет речь, уже не было, я помнил кое-какие его рассказы, а Ларка нет.

Баба Циля тоже боялась салюта. Осенью сорок второго, кажется, года, ночью, пятнадцатилетние баба Сима с бабой Цилей пошли с кастрюльками к проруби на Фонтанку за водой. Спустились по ступенькам к воде (я каждый день ходил в школу мимо этих ступенек, по которым они спускались к блокадной полынье), набрали воды, прошли метров сто по набережной до нашего дома. Снег с проезжей части Невского отбрасывали к тротуару, и на углу Невского и Фонтанки были высокие, выше человеческого роста, валы, для прохода в них прорыли тропинки. Чтобы перейти дорогу к нашему дому, нужно было пробраться сквозь снежный вал: и вот, пока они были внутри снежного вала, в переправу на Фонтанке попала бомба, гранитную тумбу и решетку снесло в Фонтанку, — а снежный вал остался стоять. Девочки, баба Сима с бабой Цилей, вернулись домой невредимые и с водой в кастрюльках. Но с тех пор они боятся залпов салюта.

Ни дед, ни наши названые бабки никогда не говорили о голоде, о «подвиге ленинградцев». Наша жизнь была связана с блокадой самым естественным образом, как ночь с утром, но о блокаде никто никогда не говорил *специально*. К примеру, о бомбе и снежном вале баба Сима рассказала не в связи с Днем Победы или днем снятия блокады, а в связи с сосисками: однажды баба Сима встала в очередь за молочными сосисками, и сосиски закончились прямо на ней, но она упорно стояла (в очередях баба Сима стояла как вкопанная), и ей повезло, вдруг выкинули еще, — это было чудо. Баба Сима рассказала маме, как ей достались сосиски, и по аналогии вспомнила о бомбе на Фонтанке: бывают чудеса, не убившая их с бабой Цилей бомба — чудо, судьба, удача, и сосиски — чудо, судьба, удача.

Баба Сима нас лечила (она была «ухогорлонос», но лечила от всех болезней), в начале девяностых, когда баба Сима из врача стала нищей пенсионеркой, мама отдавала бабе Симе мои вещи (она была крупная), а Ларкины бабе Циле (она была мелкая). Баба Циля носила Ларкину розовую шапку из синтетического меха, Ларкину клетчатую юбку, цветные колготки, бывшее модное пальто из красного кожзаменителя. Пальто Ларка ненавидела и отдала его бабс Циле как будто бы от мамы, пришла и сказала: «Мама велела пальто вам отдать». Мама стонала «новое пальто!..», но забрать пальто обратно означало признать перед всей квартирой, что Ларка самовольная вруньа, а мама плохо воспитала дочь и жадина. Это я к тому, что мы были как семья, и отказ бабок продавать квартиру мама восприняла как предательство: «Мы же были как одна семья, а они!..» Но это правда, мы были с бабками как одна семья и, как одна семья, после разъезда навсегда рассыпались в стороны. Баба Сима и баба Циля больше не появятся в моей жизни, они — уходящая натура, и я как будто оглянулся и напоследок щелкнул фотоаппаратом. Можно узнать у мамы, были ли они с отцом на похоронах, но зачем?..

КАК ЭТО БЫЛО

18 февраля 1994 года

А мама-то уже расставила на тетрадных листах мебель в нашей будущей квартире! А я-то уже подержался за копыто своего коня — это моя примета, и загадал, чтобы вернуться. А я-то уже думал, как я буду жить без всех? Без бабы Цили и бабы Симы. Без дяди Пети с тетей Катей я обойдусь, и без тети Иры тоже, а вот без пьяного дяди Игоря как? Он говорит котенку: «Ах ты, мурло пушистое!», а нам с папой: «Ну что, котоводы?»

Но вдруг — все. Всё отменяется.

Новый русский сказал маме: «У вас здесь одно старичье, я буду иметь дело с вами». Мама приосанилась, что с ней можно иметь дело, но не тут-то было.

Баба Сима и баба Циля отказались. Им дали по однокомнатной квартире, а они отказались. Мама сказала: «Если вам в вашем возрасте уже все равно где жить, вы хотя бы моих детей пожалейте», дядя Игорь сказал бабе Симе: «Старая карга, давно могла бы сдохнуть, так ничто тебя не берет, ни блокада, ни советская власть», тетя Катя назвала бабу Цилю жидовкой, а тетя Ира (она слишком интеллигентная для того, чтобы ругаться «жидовкой») высыпала ей в суп полную солонку.

Баба Сима и баба Циля, наверное, не могут с нашей квартирой расстаться. Они тут до войны жили и в блокаду. Нас в школе просили в день снятия блокады привести кто кого знает из блокадников рассказать о подвиге ленинградцев. Но они ни за что не захотели прийти и рассказать о своем подвиге. Баба Циля так и сказала: «Ни за что». Баба Сима сказала просто: «Нет». Вот вредные старухи!

А друг с другом они не разговаривают. Пятьдесят лет не разговаривают, с блокады. Баба Сима проходит мимо бабы Цили, как будто она тень. Баба Циля все время о бабу Симу спотыкается, как будто она бревно посреди комнаты. Когда они отказались переезжать и начались скандалы, баба Сима сказала маме: «Не думай, что я против вашей семьи» и кое-что маме рассказала, мама — папе, а я слышал.

Папа у бабы Симы был начальник, а мама домохозяйка. У бабы Цили отца не было, а мама была экскурсовод в Эрмитаже. Баба Сима с бабой Цилей в одном классе учились и были не разлей вода. Когда война началась, бабы Симин папа-начальник по блату отправил их с бабой Цилей в эвакуацию в Старую Руссу (я знаю Старую Руссу, мои родители там были в санатории). Никто не знал, что детей везут прямо на фронт, что к Старой Руссе уже подходили немцы. Тогда их повезли в детдом в Ярославскую область. В детдоме было очень плохо, голодно. В конце августа бабы Симин папа перед отправкой на фронт чудом вернул их домой, в Ленинград, а 8 сентября разбомбили Бадаевские склады.

В октябре бабы Цилина мама перевезла их в эрмитажные подвалы. Там спасалось очень много людей, кровати стояли вплотную, и на столах, где раньше картины раскатывали, спали люди. А в январе люди уже начали умирать, и хранилище картин стало как морг. Баба Сима с бабой Цилей вернулись домой. Стали там жить вчетвером, с мамами, в маленькой комнате (сейчас у нас там общая кладовка для всей квартиры). Окно забили и стали жить. У них были карточки детские и иждивенческие, 125 граммов хлеба, и все. Бабы Симина мама пошла работать на мясокомбинат. Приносила кости, они варили, так и выжили. Потом бабы Симина мама обвинила бабы Цилину маму, что она украла кости, и они поссорились. И бабы Цилина мама умерла от голода. Бабы Симина мама тоже умерла от голода.

Мама говорила: «Не понимаю, при чем здесь разъезд, почему они не хотят разъехаться. Наоборот, им *нужно* разъехаться и больше никогда не видеть друг друга... Все пропало, это тупик».

И вдруг!

Мама думала, что всё пропало, но всё не пропало! Наоборот, вдруг завертелось колесом! Баба Циля с бабой Симой согласились! Они едут *в одну квартиру*. Странные старухи: не разговаривают друг с другом пятьдесят лет. Ненавидят друг друга. Едут в одну квартиру. Папа сказал: «Они прикованы друг к другу».

Мама смеялась: «Представляю, как они *не разговаривают* в пятиметровой кухне в двухкомнатной квартире». Мама все время смеется. Она очень счастлива.

1 сентября 1994 года

Нашел свой детский Дневник (думал, что он потерялся при переезде, но вот он, мой дневник). Читал, не мог оторваться. Как я был глуп! В день моего четырнадцатилетия, в сущности, меня занимало взросление моего организма и кура.

Мне нравится выражение «в сущности», звучит, как будто тебе есть что сказать кроме того, что ты уже сказал, даже если это не так. В данном случае меня занимало только взросление моего организма и кура. Теперь мне шестнадцать, у меня закончился переходный возраст.

На первом же уроке в новой школе (алгебра) математичка спросила меня: «О чем думали твои родители, называя тебя Петром, если ты уже и так Чайковский?» Мое пояснение, что меня назвали в честь скульптора Клодта, только окончательно запутало бы дело. И так-то все подумали, что я из семьи психов.

На самом деле все просто: игра совпадений. Папа дал мне имя в честь скульптора Клодта. Все знают «кони Клодта», но мало кто знает, что Клодта звали Петром. Мой дед жил в нашей квартире у Аничкова моста еще с до войны, папа родился в нашей квартире у Аничкова моста, потом я. Мы живем на третьем этаже, то есть жили, моя кровать была у окна. От окна до головы моего коня метров десять, не больше. Если привстать с кровати, кажется, что конь заглядывает в окно. Я перед сном всегда смотрел в лицо коню. Папа считает — у коня лицо, а многие из тех, кто говорит, что у коня морда, сами имеют морду.

Я говорил моему коню «спокойной ночи». Я с ним прожил пятнадцать лет, никто на свете не знает его как я, все его выражения лица. Под дождем одно, под снегом другое, под солнцем третье. Под дождем он самый красивый, просто невероятно красивый. Аничков мост — наше родовое гнездо, а кони Клодта — наши кони, кони нашей семьи.

Математичка сказала: «Уверена, что ты со всеми подружишься, ты такой славный мальчик, у тебя на лице написано, какой ты милый и добродушный». Неужели прямо на лице?

В новой школе меня называют Чайка. Пусть будет Чайка. Переходный возраст у меня закончился, и я уже не так критически подхожу к окружающей действительности (к людям, к маме). Бедная мама. Вот какое мне было дело до ее прически?

Бедная мама. Не одно, так другое. Не я, так Ларка.

Слышал (в новой квартире картонные стенки, так что все тайное тут же становится явным), как мама сказала папе: «У Лары начался переходный возраст прямо во время переезда». Сказала: «Теперь все, прощай, хорошая девочка, теперь она будет выпускать на меня пар».

Слышал, как мама говорила Ларке: «Мы не можем себе позволить покупать прокладки, ты должна пользоваться ватой». (О-о-о!!! Ужас!!! Зачем я это услышал! Теперь я никогда не смогу посмотреть ни на одну девчонку!) Но мне удалось стереть это из памяти, так что ничего.

— А я хочу прокладки, — сказала Ларка.

— Я тоже, может быть, хочу прокладки, и что?! — сказала мама.

— Я имею право! На нормальные средства гигиены! А не унижаться ватой!

— Да?! Ты на все имеешь право, а я, я на что имею право? Мне тоже, может быть, унизительно, я тоже... А ты, ты требовательная дрянь! И не смей так на меня смотреть!

— Как хочу разговаривать, так и буду! А что ты сделаешь? Ударишь меня? — кричала Ларка.

Это первый раз, что Ларка кричит на маму. Все-таки странно: Ларка вышла из дома хорошей девочкой, села в грузовик на тюк с постельным бельем, по дороге у нее случилось это (фу!), и она мгновенно стала требовательной дрянью?

Мама-то как раз любит кричать. Любит ссориться. Папа говорит: «Она хочет, чтобы мы были идеальными».

Это точно. Особенно мама хочет, чтобы Ларка была идеальная. Что бы Ларка ни сделала (первое место в школе по прыжкам в длину или еще какое-то достижение), мама говорит ей: «Я жду от тебя большего». Говорит Ларке: «Тебе нужно носить брюки, у тебя кривые ноги, и не обижайся на меня, я говорю тебе правду». Но Ларке не нужна правда про ее ноги, ей нужно, чтобы ее хвалили! Мне тоже нужно, чтобы меня хвалили... Ну, ладно, я-то переживу, у меня-то давно закончился переходный возраст, а Ларка?

Ларка думает, что мама любит меня больше. Говорит: «Она на тебя *смотрит*». Но на Ларку мама тоже смотрит! И на кота.

Мама очень добрая к животным. Любит «В мире животных», потом рассказывает нам: «Тигр хотел задрать антилопу. Антилопу жалко, но, если посмотреть *со стороны тигра*... А взять белых медведей!.. Кака-ая у них тяжелая жизнь...»

А по телефону кому-то рассказывала: «Медведица не подпускает к себе медведя, пока медвежонку не исполнится три года. А медведь-шатун хочет только спариваться... Насколько все же женщины благородней мужчин». Она как ребенок!

Но, если честно, гораздо легче было бы, если бы она попыталась воспринимать всех нас, особенно Ларку, как доброжелательный, приемчивый ко всему взрослый человек (или приемлемый? в общем, который все принимает), на все улыбаться и пожимать плечами. Или что-нибудь не заметить, как будто это не имеет отношения к делу. Но она не такая, хочет, чтобы мы были идеальными, и мучает себя и нас (особенно Ларку) за то, что мы нет, не идеальные.

Записался в районную библиотеку. Взял для мамы книгу «Как воспитывать подростка». Там предлагается во время ссоры с подростком воображать, что на его месте — неодушевленный предмет, животное или посторонний человек. Это мысль. Пусть мама воображает, что Ларка — слон. Или что она сама слон. Или что Ларка — чужая взрослая тетя. И еще пусть радуется, что Ларка выпускает пар дома, а не в обществе.

Когда я вырасту и начну зарабатывать, я, наверное, уже не буду стесняться сказать в аптеке «дайте мне прокладки». Куплю ей сразу много прокладок (маме). Чтобы ей не было унизительно.

В ГАЛОШАХ

Родители были ошарашены своим новым счастьем, чувствовали себя обязанными быть счастливыми, и сильно раздражены. Источник раздражения у каждого был свой, у мамы — привольное поведение вещей, которые не сразу расположились в новых стенах, у папы — сами новые стены. Есть люди, умеющие мгновенно смириться с пятнами на солнце и простодушно радоваться солнцу, а папа, как говорила баба Циля, «чтоб сказать да, так нет», — папа подробно и печально рассматривал *пятна*. Говорил: «Ну, не могу я, *не могу* привыкнуть к этому адресу!»

Наш старый адрес — Невский, 66, наш новый адрес — проспект Большевиков, дом 20, корпус 5... В нашем доме на Невском — Книжная лавка писателей, в нашем доме на проспекте Большевиков — ЖЭК. В нашем доме на Невском жил Куприн, туда *заезжал* Чайковский, на проспекте Большевиков Куприн и Чайковский не бывали.

— Разве Чайковский мог бы заехать на проспект Большевиков, дом двадцать, корпус пять? — говорил папа.

— *Ты* же заехал, — рассеянно отвечала мама.

Мама не хотела лелеять папино недовольство, у нее имелись и собственные разочарования: она мечтала о квартире в сталинском доме (думаю, сталинская архитектура была для нее не столько формой, сколько содержанием, образцом патриархальных традиций, надежности, устойчивости, которых у нее не было в прошлом и не приходилось ждать в будущем). Не получилось: она была согласна на сталинскую двухкомнатную в любом районе, хоть на Луне, но Тетка-риелтор торопила, пугала, что Роман от нас откажется, нужно было срочно решать, — и мы оказались на проспекте Большевиков, в квартире-распашонке (из центральной комнаты выходили две семиметровые спаленки, как рукава распашонки). Мама решила, что нам нужна гостиная, одна спаленка им, другая нам, так мы с Ларкой опять стали жить в одной комнате.

Дома, у Аничкова моста, в нашей единственной на всех комнате могла бы поместиться вся эта новая трехкомнатная квартира, — плюс огромные окна, в окнах Фонтанка. Плюс кладовка, где гостила бабушка из Полтавы. Плюс мраморная печь с табличкой «Охраняется государством» (печь никогда не топили, там был мой тайник — мой тайник охранялся государством). Человек никогда не ценит то, что имеет: просыпаясь, видит в окне коня на Аничковом мосту и не ценит всю красоту своего положения... Дома, у Аничкова моста, папа чувствовал себя более значительным, история бросала отсвет и на него, а здесь, в потолках два двадцать, ощутил себя зернышком в ячейке. Он не мог сказать это вслух, люди обычно не высказываются так пафосно перед женой и детьми, он говорил: «Здесь нет антресолей, куда мне положить мои лыжи?» — «Выброси, ты ведь давно не катаешься», — весело предлагала мама.

Мама хотела радоваться и не соглашалась с папой ни в чем печальном. Она старалась построить вокруг себя правильно организованный мир. Родители оставили на Фонтанке совсем уж негодный скарб (папа хотел захватить с собой все дырявые алюминиевые кастрюли, все старые байковые халаты и фланелевые штаны «на тряпки», старый проигрыватель, но мама брезгливо сказала «я начинаю *новую* жизнь», и ему пришлось кое-что оставить), но все же они увезли с Невского жизнь нескольких поколений (не архивы, у нас их не было, — немного старых открыток, немного фотографий, и все): дедовы книги, чемоданы с белыми покрывалами и скатертями, связанными прабабушкой, дедову лопату — лопату папа наотрез отказался оставить, дед разгребал ею снег в блокаду... Ларка кричала, что не хочет жить среди *чужого* старья, и правда, дома, на Фонтанке, это было — память, а в квартире-распашонке почему-то стало глупой старой лопатой. В общем, жизнь поколений вылезала из квартиры-распашонки, как каша из горшка, да еще пустые трехлитровые банки (папа был опытный огурцезасольщик) и коробки, коробки... Каждая коробка была подписана мамой с настроением и оценкой, к примеру «молнии и голенища от зимних сапог и др. Илюшин хлам», в чем просматривалась мирная семейная ирония и любовь. Коробка «...и др. Илюшин хлам» долго стояла под столом в гостиной, как будто нам каждую минуту могли понадобиться голенища от старых зимних сапог.

Не знаю, почему они, еще молодые, потянули все это добро за собой, — из предчувствия бедности? Многое из «хлама» действительно нашло свое место в *переделанных* вещах: из старой вещи делали что-то полезное, не нарушив ее сущность (облезлой зубной щеткой чистили ботинки, из старых голенищ вырезали стельки, из байкового халата шили мешок для обуви), вещи получались оскорбительно некрасивые, но честно выполняющие свои функции (щетка чистила, стельки грели, тряпка терла). Папа мог приспособить «хлам» для перехода любого предмета в новое качество (к примеру, непарная галоша с Ларкиного детского валенка использовалась для хранения гвоздей), на Ларкино едкое «а ведь где-то есть эстетика быта» отвечал непонимающим взглядом. Но и в двусмысленности, нелепости переделанной вещи есть своя эстетика.

«В трехкомнатной квартире *не может быть* мало места... — как мантру, повторяла мама. — ...Вот только куда мне девать эти чертовы лыжи?! Под кровать?..»

Мама жизнерадостно справлялась с вещами (папа печально замечал: «Ну, вынеси на помойку, отдай кому-нибудь, в общем, как-то избавься»), папа свыкался с новым положением дел, и самое незавидное положение было у Ларки: Ларку раздражал хлам, раздражала мама, к тому времени, как мы окончательно обосновались в нашей новой квартире, ей хотелось вынести маму на помойку, отдать кому-нибудь, в общем, как-то избавиться.

Ларка была — отдельная история.

Дома, на Невском, Ларка была Нежная Прелесть. На проспекте Большевиков Ларка, как выразился папа, стала *немного трудной, немного недоброжелательной.*

— Можно я в субботу поеду с ночевкой к Машке? Можно, да, нет?.. Если нет, я умру.

Ларку прежде никогда не отпускали с ночевкой, отпустить переночевать у Машки, школьной подруги, жившей на Фонтанке, означало завести новый порядок.

— Ну, Ларочка, ты же сама понимаешь, что нельзя.

— *Почему* нельзя? — с угрозой говорит Ларка.

Мама не может объяснить, почему. Это противно ее натуре, и все. Она любое явление разбивает на бинарные оппозиции: правое — левое, черное — белое, хорошее — плохое, старое — новое, Машка — не Машка. Машка осталась в старой школе на Фонтанке, в старой жизни, нам не нужно старое на Фонтанке, нам нужно новое на проспекте Большевиков. Ларку отдали в единственную в районе гимназию (помогли дипломы, которые она получила на районных и городских олимпиадах по математике и английскому), а меня — в обычную районную школу за углом.

— Я не знаю, кто там будет... вы там можете выпить... И вообще, ты *девочка*... — заговорщицки шепчет мама. Это уловка, на самом деле ей и в голову не приходит, что ее Нежная Прелесть может быть объектом сексуального интереса. Ларка внешне оставалась такой же хрупкой, как раньше, и (не знаю, прилично ли говорить так о сестре) все еще никакой попы, никаких коленок, никакой груди, так, цыпленок...

Но Ларка не хочет общих с мамой заговоров, мамина любовь заставляет ее считать себя маленькой. Ларка не с мамой, она против всех.

— Ага, вот чего ты боишься! Что я с кем-нибудь?.. Это тупость! Ты несешь бред! Если у тебя все мысли только про это, я тут ни при чем! Если я захочу, я и так это сделаю! Почему ты хочешь разрушить мою жизнь! Ты хочешь, чтобы я расплачивалась за то, что ты сама никуда не ходила, никому не нравилась, всегда была неудачницей!

— Лара! Всё, Лара, закончили, — говорит мама.

У нее дрожат губы. Она делает вид, что невозмутима. Ларкино оружие — сила голоса и страшные слова,

41

мамино оружие... У мамы нет оружия (дрожащие губы и библиотечная книжка «Как воспитывать подростка» не оружие, если, конечно, не хлопнуть этой книжкой Ларку по лицу).

— Твоя жизнь не станет хуже, если ты посидишь дома, — говорит мама, из последних сил цитируя книжку.

О-о, что тут начинается!.. Гнев. Ярость. Если бы вы видели Ларку в ярости!.. Ларка, как гоночная машина, разгоняется за секунду. Орет:

— Я буду пить, курить и спать с мужчинами! Тебе назло! Где угодно! Хоть в подъезде!

Мама наконец взрывается:

— Господи, за что мне это, что я сделала не так?! Страшно сказать, кем ты станешь! Как мне это пережить? Все мои усилия напрасны, вся моя жизнь была напрасна...

— Ты мне больше не мать! — орет Ларка.

Если Ларка *немного трудная*, кто тогда трудный подросток?

— Я никогда тебя не прощу! Я никогда с тобой не заговорю! — орет Ларка. И через минуту: — А что на ужин?

Если спросить ее: «Ты же только что говорила, что никогда...», она ответит: «Ну и что, что никогда, а сейчас я хочу есть».

— Как же ты будешь жить, Лара?.. — затихая, печалится мама.

— Ничего, как-нибудь справлюсь, — бодро отвечает Ларка.

По мнению мамы, Ларка на грани того, чтобы стать алкоголичкой, наркоманкой и нимфоманкой. Мама собирается вплотную заняться воспитанием Лары, когда окончательно разберет коробки.

По мнению старой школы на Фонтанке, Ларку ждет большое будущее, новая школа на проспекте Большевиков еще не успела составить мнение о ее будущем. Но с чего бы им думать о Ларкином будущем плохо? Ларка *не дома* — образцовая, целеустремленная отличница примерного поведения, с подругами искренняя, услужливая, добрая (вечно у нее кто-то списывал). Дома наша Нежная Прелесть жила под девизом Каждый день Больше Ада. Очевидно, алкоголичкой, наркоманкой и нимфоманкой Ларка *будет дома*.

Если у кого-то возник вопрос, где при всем этом папа, то папа — на диване, в пик скандала делает звук телевизора громче. Это некий негласный договор: Ларка — папина дочка, стесняется папу, не хочет при нем быть гадкой, крикливой, а папа за это продолжает считать ее немного трудной Нежной Прелестью... Говорят, что подросток не владеет своими эмоциями, и из-за этого весь сыр-бор, но Ларка, мне кажется, *владела*: при виде мамы надевала на себя маску Бармалея, при виде папы маску Зайчика. У меня было по-другому: мама могла быть «плохой» или «хорошей», но всегда до донышка моей, а папа... я как будто ехал с доброжелательным попутчиком в поезде, он благожелательно наблюдает за мной, но ничего обо мне не знает, как и я о нем.

Иногда я думаю — какие отцы у других? Люди обычно не хотят говорить о таком, я бы и сам ответил на такой вопрос задумчивым меканием: «Мы с отцом были э-э... не близки, но я же э-э... его сын». Мой отец то ли разучился быть отцом-старшим другом-учителем из-за своих неудач, то ли никогда не умел. Не помню, чтобы он дал мне когда-либо какой-либо внятный совет, кроме того, как завязывать галстук. В отличие от Романа, который начал меня учить с первой минуты нашей встречи на Аничковом мосту: «Главное, чтобы была мечта. Я всю жизнь хотел стать миллионером и стал долларовым миллионером».

Мама сказала бы на это «хвастаться нехорошо» и «любить деньги некрасиво», отчасти исходя из общего представления об интеллигентности, отчасти от обиды.

А мне не казалось некрасивым, что Роман любит деньги, говорит о деньгах; деньги воплощали его энергию, драйв, торжество победителя, — Роман любил свой миллион долларов, как будто это был значок «Победитель Соревнования Всех». Родители были *обижены* — Роман живет в *нашей* квартире, любуется на *наш* Аничков мост, им хотелось, чтобы я разделял их обиду. Но ведь это они считали новую жизнь хаосом, в котором прежние нормы утратили смысл, а я в силу возраста просто данностью миропорядка.

Как-то в самом начале октября я, вместо того чтобы после школы пойти домой обедать, поехал *домой* на Фонтанку — и встретил Романа.

— Ты чего в жизни хочешь? Главное, чтобы была мечта, — сказал Роман. — Но самое главное — масштаб мечты. Какая твоя мечта: гуляш с макаронами или миллион долларов?

— Гуляш с макаронами.

Это была не попытка пошутить, а мгновенная искренность: я был голоден.

...Классика, завязка романа: встреча, которая меняет жизнь, разворачивает жизнь в другую сторону. Или же любая встреча лишь немного шевелит цепочку событий, и ручейки другим путем попадают в одну и ту же реку?... Вот оно, занудство, от которого не удержаться, когда говоришь о прошлом. ВЕСЕЛЕЙ ДАВАЙ!

10 октября 1994 года

После школы поехал домой, на Фонтанку. Хотел постоять на Аничковом мосту. И знаете, кто там уже стоял? И смотрел на Фонтанку? Вот именно, папа.

Я к нему не подошел, это его личная жизнь. Я и не знал, что он тоже ездит постоять на Аничковом мосту.

А мама, думаю, никогда, с чего ей стоять без дела на Аничковом мосту, бессмысленно глядеть на Фонтанку? Мама и Ларка рациональные люди, не испытывают бесполезных чувств, сразу идут обедать.

Папа стоял у моего коня, смотрел на Фонтанку. Положил руку на выбоину на постаменте, где написано: «Это следы одного из 148 478 снарядов, выпущенных фашистами по Ленинграду в 1941-44 гг.». А вдруг папа здесь с кем-то встречается, с женщиной? Обязан ли я в данном случае как мамин сын узнать, с кем, или, наоборот, как папин сын обязан не узнавать? Да нет, никакой женщины не может быть, он просто стоит и думает. Может, о том, что у него нет работы, а может, о своем отце. Моем деде.

Мой дед в октябре сорок первого снимал коней с Аничкова моста. Не один, конечно. Коней сняли с моста, чтобы в них не попала бомба. Положили в деревянные ящики и закопали напротив нашего дома, в Аничковом дворце. Сверху насыпали газон, чтобы никто не знал, но все в Ленинграде, конечно, знали. Кони были под землей всю войну, а в сорок пятом году их поставили обратно. Мой дед в сорок первом снимал коней с Аничкова моста, а в сорок пятом ставил обратно! Радовался, наверное, что кони спаслись и он опять будет смотреть на них из окна.

Чтобы не столкнуться с папой, повернул на Фонтанку и подошел к нашему дому. Никак не привыкну, что это уже не наш дом.

Как вдруг подъехала машина. Обрызгала меня. Машина «мерседес».

Из машины вышел дядька, который купил нашу квартиру. На нем не малиновый пиджак, как на новых русских, а джинсы, рваные на колене. В руке сотовый телефон, большая трубка с крышкой, крышка откидывается, и можно говорить.

Он стоял у машины, чтобы перейти Фонтанку, говорил по телефону и вдруг отпрыгнул назад, как лев, и схватил какого-то мальчишку за ухо. А в руках у мальчишки дворники. Я и не заметил, как он снял дворники с его машины, а как дядька-то заметил? Он что, спиной видит? Дядька одной рукой держал мальчишку за ухо (дворники уже были у него под мышкой), другой выгреб из кармана мальчишки деньги, смятые бумажки и мелочь. Сказал: «Пуск!» и дал ему пенделя, он так и полетел вперед, упал. Я помог ему подняться, и он убежал.

Дядька меня не узнал. Потом узнал, сказал:

— А-а, это ты, привет!

Я сказал:

— Здравствуйте, а зачем вы забрали у него деньги?

— А чтобы знал, как п...ь.

Потом он стал пристально смотреть на меня и сказал:

— Скотина... Вот ты-то мне и нужен... Завтра в три будь у меня. Зовут-то тебя как?

— Петя Чайковский.

— Ха. «Детский альбом» я и сейчас сыграю. ...Я буду звать тебя Петр Ильич, а ты зови меня Роман.

Он дал мне свою визитку, на визитке написано «Игорь Иванович Васильев, президент».

— Но вы же Роман, а тут написано «Игорь Иванович»?

— Я себе еще не сделал визитку, возьми пока эту.

— Хорошо.

Зачем я ему завтра в три? Скотина — это кто? Какая-то скотина, которая угрожает ему? Он хочет, чтобы я ему помог? Он может доверять только мне? Но почему он может доверять только мне? В книгах бывает, что именно незнакомцу доверяют что-то важное, например, передать письмо перед смертью.

Оказалось, все просто! Все прекрасно, супер! У меня есть работа!

Оказалось, что у Романа хорошая память и чутье на людей. Он сказал: «У меня хорошая память и чутье на людей. Я сразу понимаю, как я могу этого человека использовать. Если человек мне сразу не нужен, я откладываю это в долгий ящик, а в нужный момент всплывает. Я запомнил, как ты играл со Скотиной, ты-то мне сейчас и нужен».

Оказалось, что скотина — это его сын. Малыш, которому я дал по нахальным лапам за то, что он бил няню.

Скотина (вот оно что, ему не два-три года, а шесть) в этом году пошел в первый класс. В платную частную школу.

— Ты смотри, что пишут... — Роман достал из кармана измятую записку и прочитал мне: — «Уважаемый Роман Алексеевич! Алеша высморкался в рисунок коллеги». Коллега — это учитель рисования. У них там идея в том, что учителя, родители и дети — свободные личности. Вот придурки. Написали бы тогда: «Уважаемый Роман Алексеевич! Ваш коллега Алеша высморкался в рисунок».

Роман хочет начать для своей Скотины новую жизнь. Забрать его из платной школы. Отдать в другую, нормальную.

И нанять ему другую няню, меня. Старую он только что выгнал.

Роман сказал, что было неправильно выбирать нянь не для Скотины, а для себя: «Эти суки все понимают буквально и за свои услуги хотят слишком много». Я спросил: «Сколько? Мне не надо слишком много». Он засмеялся: «Ты не будешь требовать того же, что няньки».

— Я тебя увидел и подумал: вот оно. Не хочу, чтобы он чуть что — разинул пасть «а-а-а!» и сопли до колен. Скотине нужна не п...а на ножках, а мужик. Ты.

Роман сказал, что няньки балуют бедного Скотину еще хуже мамки, потому что, «суки, хотят устроиться». Я понял, они хотели, чтобы он на них женился.

— Я могу обращаться к ребенку Скотина? — спросил я.

— А как тебе еще его называть?

Мне не разрешено: обращаться со Скотиной, как будто он мой наниматель.

Мне разрешено: обращаться со Скотиной, как если бы он был мой брат. Воспитывать Скотину по своему разумению.

Роман сказал: «Можешь отшлепать его, припугнуть».

Я против того, чтобы пугать ребенка. У нас Ларка один раз чуть не умерла: у нее поднялась температура и отекло горло. Врач со «скорой» сказал, что это отек Квинке, Ларка чуть не задохнулась. Стали расследовать, что было. И что? Баба Сима сидела с Ларкой. Ларка капризничала, плевалась супом, и баба Сима сказала: в блокаду на Аничковом мосту стояла маленькая старушка в платочке, она ласково разговаривала с непослушными детьми и незаметно подталкивала их к открытому люку, дети проваливались в люк, а под мостом работала огромная мясорубка... Баба Сима хотела поддать ужаса, а у Ларки оказалась аллергия на ужас. Я повел Ларку на мост, показать, что там нет никакого люка.

Ларка до сих пор ненавидит старушек, я и сам не доверяю старушкам, особенно маленьким. Нет, пугать Скотину я не буду. Шлепать тоже не мой метод воспитания. Если только пару раз шлепну, несильно.

Роман перебежал Фонтанку между машинами, как мне мама не разрешает, с тротуара крикнул: «Петр

Ильич! Завтра в три!» Ура, ура, я завтра опять буду на Аничковом мосту, увижу своего коня!

Если честно, не понимаю, как я смогу всегда пропускать последний урок. Чтобы доехать от проспекта Большевиков до Невского, нужен час с запасом. Но работа важнее, чем учеба. С первой зарплаты куплю маме прокладки и Ларке, ладно уж. Зашел в Аничкову аптеку на углу нашего дома, посмотрел — они там продаются.

По дороге домой зашел в библиотеку. Взял книгу «Как воспитывать ребенка». Библиотекарша не хотела давать, потому что я еще не сдал книгу «Как воспитывать подростка», спросила: «Ты что, из многодетной семьи?» Думала, что я из многодетной *неблагополучной* семьи.

Дома: рассказал, как Роман отложил меня в долгий ящик и пригласил работать старшим братом. Я буду получать пять долларов в день, зарплата в конце каждого месяца, как у водителя и домработницы.

Папе кажется, что я завожу неподходящие знакомства. Ему кажется, что Роман идиот — нанимать брата. Маме кажется, что за несовершеннолетнего должны договариваться его родители, потому что ребенок (я) не на улице живет, а в семье. Было бы приятно, если бы мама сказала «молодец, что у тебя есть работа» или «я всегда в тебя верила», но маме кажется, что людям нельзя говорить хорошее, это их портит.

Ларка завидует, что у меня есть зарплата.

Завтра мой первый рабочий день.

В ШЛЯПЕ

Мой первый рабочий день (вторник, 11 октября) вошел в историю как «черный вторник»: в этот день произошел обвал рубля. Дома у нас была паника. С 3000 рублей за доллар курс взлетел до 4000, и в то утро отец сказал: «Это конец всего».

Чего — *всего*? Казалось бы, черный вторник не имел к нам никакого отношения: отец не занимался бизнесом, не играл на бирже (из нашей семьи любым *игроком* можно представить лишь Ларку). Но это был его личный крах: у него были деньги на черный день, 150 долларов, — все, что «осталось от бизнеса»; когда не на что было купить еду, он брал оттуда и потом возвращал обратно. Эти 150 долларов накануне зачем-то были переведены в рубли, и теперь, с обвалом рубля, наш золотой запас уменьшился на четверть. «Сейчас все подорожает... как мы будем жить?..»

Отец, подумав, принял решение, побежал в обменник купить доллары на оставшиеся рубли, но, выстояв очередь, передумал и вернулся домой еще более взвинченным: очередь обсуждала, что нужно срочно покупать доллары, доллары скоро закончатся, но *может быть, и нет*, и он решил еще посмотреть-подумать, *все равно все пропало, все равно простые люди всегда в проигрыше*.

...Без пяти минут три (мама сказала «опаздывать нельзя и приходить раньше нельзя») в мой первый рабочий день я вместе со своими методами воспитания (написал на бумажке, бумажка в кармане) звонил в звонок бывшего моего подъезда.

С нашего переезда всего-то прошло полгода (весна и лето), но все изменилось: в подъезд нельзя было войти, как прежде открыв дверь ногой, дверь была новая, стальная, с домофоном.

«Кто?» — спросил голос, я ответил: «Я... к Роману... Алексеевичу...» — «По какому вопросу?», я ответил: «Я на работу. Я... кран течет...» Не мог же я сказать: «Я тут работаю старшим братом».

В подъезде тот же спёртый запах, облупленные грязно-голубые стены, знакомые мне до каждой выбоины лестничные ступеньки, но справа от лестницы теперь была будка, небрежно сколоченная, немногим больше будки бульдога, — а в будке сидела (сюрприз!) моя учительница физики из старой школы на Фонтанке по прозвищу Материя. Любимая фраза «Всё, что есть во Вселенной, это материя», седой парик, всегда немного набок, любимый писатель Чехов, дочка-психолог (тоже работала в нашей школе).

Материя узнала меня, сказала: «У меня у дочки у ребенка...», как будто я потребовал объяснений, почему она тут, вместо того чтобы рассказывать в школе про материю. Из смущенного нагромождения родительных падежей было понятно, что ей неловко, что сидит она тут вынужденно. «Вынужденная посадка», — говорила баба Сима о том, что не хотелось делать, но пришлось, в данном случае это была самая настоящая *вынужденная посадка* в будку.

Случай Материи был таким же, как у папы, случаем смятого жизнью человека: у внука открылась сильная аллергия, дочь сидела с ребенком, на учительскую зарплату втроем не прожить, и, как только встал выбор купить внуку фломастеры или молока, она ушла из школы, и теперь они с дочкой-психологом по очереди сидят в этой будке сутки через сутки. «Вот так-то: мы, люди с высшим образованием, теперь обслуга... Вот какая у нас теперь жизнь... Сейчас *не наше* время», — сказала Материя. Перед ней лежал томик Чехова, рот она скривила так беззащитно, что мне стало стыдно смотреть на нее, как будто она сняла передо мной свой парик.

Я сказал бы ей, что она не кажется мне другой, не стала хуже оттого, что сидит в будке (хотя мы оба понимали, что *кажется и стала,* как отец понимал, что, будучи безработным, *кажется другим и стал хуже* инженера), но это обидело бы ее, а не поддержало. Я сказал: «Мой папа и все его знакомые с завода тоже говорят «сейчас не наше время»» (на самом деле клуба страдальцев никакого не было, уволенные с завода инженеры разбежались кто куда и выживали поодиночке), чтобы Материя обрадовалась, что она *хотя бы не одна*.

Приободрившись, Материя вылила на меня поток сведений:

— У него целый штат прислуги: домработница, водитель, уборщица... Водитель — хам, уборщица — бывший кандидат наук, дети невоспитанные, особенно мальчишка, а девчонка еще хуже, вообще вне конкурса... А где у него матери-то детей? Он не говорит. Одна-то, понятно, может умереть, но тут — разные матери, и где они?..

А ведь Материя совсем недолго просидела в будке. Еще весной мама ходила к ней в школу, просила поставить Ларке пятерку по физике — у Ларки было между пятеркой и четверкой, пятерка требовалась для создания Ларкиного реноме в новой школе. Материя принципиально гоняла Ларку по всем темам, прежде чем оценила Ларкины знания на пятерку. Почему учитель физики так быстро превратилась в бабку-консьержку, упоенно сплетничающую о своих нанимателях? Чтобы чужое стало своим, нужно присвоить чужой рисунок поведения, случай Материи — чтобы быть обслугой, сохраняя самоуважение, нужно стать обслугой. Или проще — Материя обалдела от сидения в будке.

— Ты веди себя с достоинством, — посоветовала Материя, — ты вот тут постой и подумай, как войти в дом с достоинством... И, как починишь кран, — все, никаких «а у нас еще это не работает, то не работает...», если что — пожалуйста, но за отдельную плату. В общем, не позволяй... держи ухо востро.

Мы коллеги по службе у Романа, стальная дверь и будка отделяют нас с Романом от всего мира, но в любой момент наш работодатель может расстаться с нами, и тогда линия обороны будет *от нас*, — вот Материя и советовала от всей души противостоять нашему общему работодателю.

...— Я Скотина, — солидно представился Скотина, он был не такой пухлый, каким я его запомнил, скорее худенький. — Это ты мой бгат Петг Ильич? Я все знаю: ты не нянька, ты меня быстго научишь быть мужчиной, а если что, поддашь так, что я улечу.

Скотина верещал: «У меня бгат, бгат!», я приподнял его и немного потряс, чтобы он успокоился, он ко мне прижался. Я всегда был не прочь иметь брата, чтобы можно было его защитить от всего. Ларка — другое, она девочка, это мальчику нужна защита, а девочка сама себя защищает. Малыш Скотина прижимался ко мне, мне было тепло от его глупости и картавости, и я немного успокоился — я ведь очень волновался, как все будет. Хорошо, когда не нужно с ходу применять методы воспитания, а просто тебе рады. Но не тут-то было.

— Ты идиот? Какой же ты идиот. Он твой брат за деньги. Он — твоя гувернантка... гувернант, — раздался хриплый басок. У Алисы был низкий голос и детские для такого низкого голоса интонации.

Я так сильно нервничал, что не понял от Материи, что *там мальчишка и девчонка,* что это у них разные матери, о которых Роман «не говорит», как Синяя Борода, убивший своих жен. Не понял, что там *еще кто-то есть,* а там была Алиса.

— Ну, привет, Гувернант. Не думай, что он тебе радуется. Скотина всегда сначала радуется новой игрушке, а потом бросает, — сказала Алиса.

Алиса была (не буду подбирать эвфемизмы) — толстая. Не приятный пончик, весело пристукивающий чуть лишним весом, как мячик, а разнузданно толстая, бесформенная, «жирдяйка, жиртрест», — таких откровенно *жирных* я до нее не встречал. Лицо у нее было на удивление детское, с размытыми чертами, подчеркнуто незрелое по контрасту с женской рубенсовской полнотой, и волосы у нее были рубенсовские, золотисто-рыжая волна до талии, — она была похожа на огромного жирного ангела, если бы у ангелов были длинные волосы и талия. Ей было шестнадцать, как и мне.

Одета Алиса была во все черное с золотом (Алиса любила Версаче, все новые русские любили Версаче, так что извините за трюизм, но Алисе приходилось носить турецкий вариант Версаче, потому что в Турции шили большие размеры). Бутик Версаче был совсем рядом, за Аничковым дворцом, в павильоне Росси, там специально для Алисы выписывали самый большой размер, — у нее был полный шкаф черно-золотой ненадеванной одежды, потом мы придумали называть его Шкаф Бесплодных Надежд.

— Я — Алиса Романовна. Папа сказал, тебя зовут Петр Ильич Чайковский. Так, может, ты голубой?

Откуда люди знают такие вещи? Спросите у них, кто написал оперу «Пиковая дама», или «Портрет Дориана Грея», или «Бедные люди», могут и не ответить, но что Чайковский и Оскар Уайльд были гомосексуалистами, а Достоевский игроком, помнят так твердо, будто речь идет об их близких родственниках.

— Пойдем, я покажу, куда тебе можно заходить, а куда нельзя.

В нашей, то есть в их квартире был ремонт, но не в смысле «был сделан», а как «здесь *был* Вася», побывал и ушел. Коридор отремонтировали до комнаты дяди Игоря (от прихожей до комнаты дяди Игоря было двадцать два метра, я знал это точно: мы с папой не раз волокли под руки пьяного дядю Игоря до его двери, он подгибал ноги и повисал на нас, и папа вслух считал — «двадцать метров прошли, двадцать один, двадцать два, все...»). На полу черный гранит, на стенах светлый мрамор, — это что-то настойчиво напоминало, позже я понял, что именно, — метро. Гранит и мрамор были те же, что на станциях «Невский проспект» и «Площадь Восстания». Я говорю так не в насмешку над «новорусским вкусом»: в начале девяностых не было импортных материалов, и ремонт огромной квартиры быстро превратился в дружеский договор со строителями «кто что добудет», и строители по-свойски стырили для Романа что смогли.

Разделительная линия между «уже сделано» и «еще нет» пролегала сразу у двери комнаты дяди Игоря: до двери гранит и мрамор, а сразу за дверью комнаты дяди Игоря (теперь там была спальня Романа) стояли в ряд три унитаза, один другого краше (и это не насмешка над «новорусскими причудами», дело в том, что ни один унитаз не подходил к нашей системе труб, унитазы приносили, примеряли к трубам и отставляли).

За унитазами была Куча: стройматериалы (рулоны обоев, плитка, кафель), перемешанные с остатками нашего прежнего быта — наши старые карнизы, дяди Петино дырявое эмалированное ведро, швейная машинка бабы Симы образца 1890 года, красный бархатный альбом с фотографиями (мог принадлежать только дяде Игорю, родства не помнящему, остальные не бросили бы своих родственников в чужом ремонте)... Чего там только не было! Очевидно, рабочие, как поршень, шли по квартире, поочередно делая ремонт в комнатах, и, ленясь выносить на помойку оставленные жильцами вещи, выжимали хлам в заднюю часть квартиры, — так образовалась Куча. Затем ремонт прекратили, а Куча осталась.

Спальня Романа (Алиса показала мне ее из коридора, сказав «посмотри один раз, и все, тебе сюда нельзя») была странно нарядная, не мужская, бело-золотая, в стиле «Людовик XIV», с огромной кроватью, туалетным столом с завитушками, как будто женщина устроила здесь все по своему вкусу, не подумав, как жить мужчине в этих бело-золотых завитушках. Я потом узнал, что квартиру обставлял водитель Романа, у него был вкус *на уютное*. Но бело-золотые завитушки не придали уюта, баба Циля говорила Игорю: «Живешь, как дурак, без женской руки, у тебя холостяцким духом воняет», и хотя теперь здесь пахло дорогим парфюмом, а не перегаром и нечистоплотностью, дух одиночества остался, — куда ему деться, ведь и Роман жил здесь один, как дурак, без женской руки.

Ну, и конечно, мне *было можно* заходить в ванную (те же гранит и мрамор, как в метро, выложенный мрамором бассейн) и в туалет, там зачем-то стояли два унитаза, как будто можно пойти в туалет вдвоем, присесть и болтать.

А вот и наша бывшая комната, в ней было *сразу все, как в палатке,* все, необходимое для жизнедеятельности: можно готовить еду, смотреть телевизор, спать, работать за письменным столом, не хватало только ванны и унитаза. Центральное место в ней занимал огромный письменный стол, очевидно, комната начиналась как кабинет Романа, а потом приросла всем остальным: при переезде сюда занесли все без разбора — холодильник, шкафы, диваны. На письменном столе — телевизор, посуда, микроволновая печь, тостер, чайник и зачем-то яйцеварка в коробке. Домработница ежедневно вытирала пыль с этого скопища предметов, вынимала яйцеварку из коробки, протирала тряпкой и засовывала обратно. Там же, на письменном столе, стояла электроплитка. В доме никто не готовил, а если решали поджарить яичницу или картошку, то жарили на плитке. Кухня была полностью разворочена, любая *женская рука* начала бы ремонт с кухни, чтобы дети нормально питались, а Роман ремонт на кухне отложил *из-за детей,* чтобы дети без помех учились. Вокруг письменного стола буквой «п» стояли три дивана, у окна два велотренажера. Всё.

Всё это выглядело абсолютно безумно и безумно привлекательно: можно разлечься на диванах вокруг плитки с яичницей, как вокруг костра, можно сесть на тренажеры и беседовать, крутя педали, смотреть на Аничков мост.

— Не вздумай шляться по квартире. Ты же не такой дурак, чтобы поверить, что ты «бгат»? Ты — обслуга. Слугам платят за работу, вот и все.

Обслуга? Слуга?.. Ларка кричала маме: «Я тебе не слуга!» Папа иногда говорил: «Давай, сделай это, у бедных слуг нет». Кот в сапогах был слугой маркиза Карабаса, Планше — слугой д'Артаньяна, а я не слуга! Я стоял, сжимая кулаки от злости, и молчал. Думал: «Мне нужна зарплата. Прокладки, жареная курица, маме еще кофточку какую-нибудь».

Мама научилась одной курицей кормить нас неделю: из грудки восемь отбивных, ножки пополам нам с Ларкой как растущим организмам, из остального суп; она говорила, что любит это *остальное* из супа. Однажды отец в шутку спросил, что ей подарить, когда он разбогатеет, и она быстро, не думая, сказала — «жареную курицу». Мне нужна зарплата — жареную курицу маме, прокладки маме...

— Это микроволновая печка, будешь в ней делать бутерброды Скотине. Ты что, никогда микроволновку не видел?.. Ну, ты дики-ий... Эй, Гувернант, не обижайся, я не хотела тебя обидеть, просто повезло... ха-ха-ха... Скажи еще, что человек не должен показывать, что он выше других! Каждый хочет показать, что он выше. Иначе зачем людям дорогие машины, часы за десять тысяч долларов, Версаче, Гуччи? ...Ах да, извини, бедные не разбираются в Гуччи...

Я никогда не чувствовал себя бедным, а вот Ларка — да, *очень*...

Ларка была *еще маленькая*, разве можно обвинять ее в эгоизме за ее любимую фразу «почему у всех есть?!»? Ларкино взросление пришлось на самое трудное время, когда вокруг появилось все красивое: Барби (мама убеждала ее «посмотри, какое у нее дебильное выражение лица, наши куклы лучше»), киндер-сюрпризы, платьица и туфельки. Ларка хотела всё, не понимала, почему *именно у нее* одна Барби со сломанной ногой, один киндер-сюрприз на Новый год, одни заношенные кроссовки. Наверное, обида слегка подперчила Ларкин характер. Но нехватка Барби не нарушала базовое чувство безопасности, а нехватка еды — нарушала. Когда отца уволили, а мамина зарплата вдруг превратилась в банку сметаны, и мама плакала, не стесняясь нас (банка сметаны стала вдруг стоить ее зарплату, 110 рублей), Ларке было тринадцать, она решила: раз мама плачет, значит, она, Ларка, в опасности. К тому же Ларка все время хотела есть.

Я уже не помню, когда у нас не было денег, а когда в магазинах не было продуктов. Помню, что на всех плитах в нашей квартире варились одинаковые толстые серые рожки (говорили, что они из армейских запасов), на всех столах стояли одинаковые трехлитровые банки консервированных зеленых помидоров (они были кислые, с привкусом гнилости), у всех были консервы (килька в томатном соусе и морская капуста), и все старались питаться разнообразно: то жарили стратегические рожки с луком, то варили, мешали рожки то с зелеными помидорами, то с килькой. Однажды маме повезло купить по талонам итальянские макароны, и мы с Ларкой съели их за один день.

Еще ели гречку с жареным луком, а в овсянку вместо молока и сахара мама добавляла нам по полстаканчика мороженого. Зимой девяносто второго года по три раза в день ели суп из фасоли: стакан фасоли, луковица и четыре картофелины (вместо зарплаты папе дали десять килограммов фасоли). Мама перекладывала Ларке фасоль из своей тарелки, чтобы суп был погуще, а она кричала: «Ненавижу ваш суп!»

Ларка вообще любила слово «ненавижу» — она ненавидела суп, ненавидела очереди, ненавидела черное. Однажды вечером перед самым Новым годом мама поставила меня в очередь за хлебом в булочной на Некрасова — давали по две буханки в руки, очередь вилась до Литейного. Я стоял в очереди с учебником химии — это был мой седьмой класс, девяносто первый год. Мама оставила меня в очереди, а сама побежала в очередь за гречкой в гастроном на Литейном. Через час или два мама привела мне Ларку и убежала в свою очередь. «Ненавижу черное, почему здесь все черное?!» — кричала Ларка, очередь действительно была черная, почему-то все в черном... Тетка впереди нас сказала: «Ты же ленинградка, держись, а как же в блокаду жили?» Я сказал: «Извините, она еще маленькая».

Ларка была еще маленькая, а я был уже взрослый, взрослая неблагодарная дрянь. Как-то осенью баба Сима стояла в гастрономе на Марата за плавлеными сырками (она всегда стояла в очередях для себя и для нас), принесла домой, со словами «сыр добыла» достала сырки красными, как клешни рака, руками, а я сказал: «А я думал, ты настоящий сыр купила». Я ведь привык к тому, что сыр — это сыр, можно было сделать бутерброд или натереть на макароны, мама из всех сортов сыра (российский, пошехонский и голландский) больше всего любила голландский.

Баба Сима не обиделась, сказала: «Хорошо хоть не зима, отморозила бы пальцы, а так просто замерзла, и все». Вот был стыд так стыд. ...Баба Сима нам много помогала: ее бывший муж покупал для своей семьи на рынке мясо, а ей приносил кости, из них варили суп, баба Сима говорила: «Вот опять кости, как в блокаду, но ничего, сейчас-то не блокада». Иногда бывший муж приносил ей вместе с костями просроченный йогурт, йогурт она отдавала нам с Ларкой, когда баба Сима уходила на работу, я отдавал свою половину йогурта Ларке.

А зимой баба Сима съездила в деревню, привезла мешок картошки и свинину. Положила кусок мяса бабе Циле на кухонный стол, пока той не было дома, баба Циля увидела мясо и сказала: «Тем-то хорошо, у кого родственники в деревне...» и переложила обратно на стол бабы Симы. А весной бабе Циле принесли посылку из еврейской благотворительной организации (крупа, арахисовое масло в банке, сухое молоко), она отделила половину, положила на стол бабе Симе, та пришла и сказала: «Евреям-то хорошо, о них Америка беспокоится» и не взяла.

Однажды нам в школе раздавали гуманитарную помощь (давали по списку, из нас двоих посчитали Ларку): банка с ветчиной, банка маринованных сосисок, порошковое картофельное пюре. Дома Ларка швырнула пакет на стол с криком «Нафиг эту Америку! Жрите, кто хочет, американские подачки, а я не нищая!» Она даже по сравнению с Америкой не хотела быть бедной. Потом мы, конечно, съели с ней эти сосиски, было так вкусно, что я чуть не съел свою долю сам, но вовремя спохватился и отдал Ларке. Ларка ела американскую подачку *злобно*, Ларка — боец. Однажды из бойцовских соображений решила украсть в магазине коробочку сока с трубочкой, долго примеривалась — украла, выпила, гордилась собой. Тогда это казалось, ребенок-вор — позор семьи, а сейчас смешно. Потом она попросила у мамы подарок на день рождения — «много соков с трубочками», тогда это показалось смешно, а сейчас — больно.

Когда папа начал «заниматься бизнесом», мы как-то распушились (мама говорила «наконец-то мы живем более-менее»), начали покупать еду в кооперативных магазинах, какие-то вещи Ларке, папе и мне, — и маме шубу. Но не успела Ларка привыкнуть «жить более-менее», как папин бизнес уже прогорел. ...К тому времени, когда я стоял перед Алисой, сгорая от унижения, мы уже, конечно, не голодали, Ларке давали одно яблоко в день — и яблоко было, и курица. Вот только одежда... В прошлом году она ходила в старой зимней куртке времен «папиного бизнеса», местами зашитой, и после уроков шла в библиотеку, чтобы не выходить на улицу со всеми. Многие ходили в старом, Ларка не была хуже всех, но она страдала от того, что *хуже кого-то*.

Если считать, что мы с родителями и бабой Симой — бабой Цилей прошли сквозь исторические потрясения, то баба Сима и баба Циля справились куда лучше родителей: может быть, потому что восприняли начало девяностых как очередной этап потрясений. Если бы жизнь отца пришлась на войну, на блокаду, он справился бы, как все, а вот индивидуальные тычки судьбы оказались ему не по силам, это *вдруг обрушение всего* в начале девяностых изменило состав его внутренней жизни, как будто он проглотил антибиотик: в его глазах застыла робость человека, который *не ожидал*, испуг перед разверзшейся бездной, где банка сметаны равна зарплате.

Бедный мой папа... Ну, тогда я, конечно, не понимал, что он чувствует, меня больше занимала моя собственная душевная жизнь, например, что думают медведи в зоопарке о посетителях.

...Как поставить Алису на место? Я попробовал мысленно выкрикнуть: «Ты, жиртрест!» — получилось слишком жестоко, и я мысленно попросил прощения. Так со мной всегда: поставишь кого-то на место, а потом начинаешь извиняться, а он не прощает... так что потом перестаешь и пытаться ставить кого-то на место. Можно было повернуться и уйти, хлопнув дверью, и заплакать на лестнице...

— Ха-ха-ха, — удовлетворенно сказала Алиса, — ха-ха-ха. Ну, как я тебя разыграла? Я притворялась, а ты не понял! Притворялась новой русской, дурой дебильной. Смешно? ...А почему бы тебе было не залепить мне по морде? Ты, наверное, благородный, типа женщин не бьешь? А почему не бьешь?

— Почему, ну как почему? Это же очевидно, женщины слабее, и вообще... Существуют правила.

— Мне вот нет дела до правил. Мой папа говорит, правила нужно знать, чтобы их нарушать.

— А мой папа говорит, что нужно жить по правилам.

— Если твой папа такой умный, почему он такой бедный?.. Эй, без обид!.. Давай быстро сыграем в игру «правда или желание»; говори, что ты выбираешь: скажешь правду или хочешь, чтобы я исполнила твое желание?

— Скажу правду.

— Правду, отлично. Мой папа сейчас на бирже, он каждый час становится немного богаче, а твой сейчас где?.. Ты выбрал говорить правду!

— На диване, — сказал я, и мы расхохотались, как два заговорщика.

Это было крошечное предательство, но на вопрос «почему ты такой бедный, если ты такой умный?» и взрослому человеку трудно ответить, не прибегая к банальностям: смысл жизни не в деньгах и вообще у моего папы другие интересы (но *какие*? прийти со смены и улечься на диван с книжкой?). Я сказал: «Но моему папе *не хочется* на биржу» и оглянулся на Скотину, намекая на то, что я здесь на работе, а не для теоретических споров. Скотина на письменном столе смотрел мультик, разлегся посреди чашек и тарелок и поставил кассету «Аладдин».

— Ладно, все, мир-дружба-жвачка, добро пожаловать!.. А ты красивый. Ты в этом доме будешь на втором месте по красоте после папы. У моего папы огромное мужское обаяние, в него все влюбляются с первого взгляда, умирают от любви... А ты... Я поняла, почему мой папа пустил в дом неизвестно кого...

— Кого пустил в дом?

— Тебя, идиот!.. У тебя такое лицо, как будто ты хороший человек. А ты правда хороший или врешь лицом?

— Вру, конечно. На самом деле я маньяк и жадина.

— Пусть Скотина смотрит мультики, а мы с тобой еще поразговариваем, — предложила Алиса. — ...Нет? Почему нет? Здесь я приказываю, а не ты... Ладно, шучу.

Я на работе. За пять долларов в день я давно уже обязан внушать Скотине правила поведения и прочее, а не поощрять, как говорит мама, бессмысленное сидение у телевизора. Но мама говорила и кое-что другое: «Наши мультфильмы лучше иностранных, воспитывают доброту». В стопке кассет на столе я заметил «Трое из

Простоквашино» и «Винни-Пуха». Вот если, к приме-ру, дядя Федор, или Карлсон, или Винни-Пух, то это бу-дет — воспитание. Под недовольное повизгивание Ско-тины я вытащил из видеомагнитофона кассету с «Алад-дином», вставил *нашего* «Винни-Пуха», строго сказал: «Смотри у меня!.. Смотри "Винни-Пуха"!» Скотина отозвался: «Смотрю!» и уставился в экран.

А мы с Алисой уселись на велосипеды у окна, перед нами мой конь на Аничковом мосту, и стали разгова-ривать.

— Давай еще поиграем, — предложила Алиса, — правда или желание?

— Правда.

— Скажи: я просто толстая или очень толстая?

— Нет, лучше желание, я выбираю желание... Ка-кое? Ну... три раза прокричи «ку-ка-ре-ку» и три раза ухни, как сова.

Алиса кукарекала, ухала совой, затем сказала: «Что ты хочешь про нас узнать? Чем мой папа занимается, где моя мама, где мамаша Скотины, что еще?» Алиса де-лала, что хотела, говорила, что хотела. Оба они, Алиса и Роман, одинаково легко говорили *что не принято*, как будто свобода от условностей передается генетически. Мне нравилось это, но я так и не научился этому, пока нет. Может быть, позже.

Алиса рассказала мне, чем занимается Роман, — всем. Например, совместное предприятие, например, водка «Абсолют», например, спирт, например, фирма при обществе инвалидов.

— Это как бы благотворительность, а на самом деле у общества инвалидов таможенные льготы на сигареты и алкоголь...

— Но ведь это обман?

— Обман, и что? Им хорошо, и папе хорошо. Да вся наша жизнь вранье, — все врут. Попробуй врать и увидишь, как твое вранье становится правдой, для тебя и для всех. Мне всю жизнь врали. Я тоже все время вру.

Позвонил Роман, Алиса поговорила с ним, сидя на велосипеде. «Ты сегодня опять не ночуешь? — разочарованно спросила Алиса. — Ну пока, до завтра, целую тебя тысячу раз».

— Сказал, что ночевать не придет, — уже как своему человеку сообщила мне Алиса. — Жалко, что он няньку выгнал, при ней он дома ночевал... пока она ему не надоела... Папа при мне стесняется сюда женщин водить. Стесняется, но водит. Не может удержаться. А мне приходится делать вид, что это не то.

— Не то?.. Что не то?

— Ну, ты дурак, что ли? Они выходят из его комнаты, а я делаю вид, что это не секс, а почтальон или сантехник. Ха-ха. Это весело. — Алиса вздохнула, наверное, это было не слишком весело. — Я это делаю для папы, чтобы ему не было передо мной неловко. Я ему очень дорога. Я его главный ребенок. Я *законная*, понимаешь? Моя мама была за ним замужем. Я законный ребенок, а Скотина нет, папа его выменял на диван. Мог бы и не выменивать, подумаешь, Скотина... Подумаешь, родила какая-то дурочка, все хотят от него родить, все папу обожают, у него женщин миллион... Первая женщина у него была в седьмом классе, представляешь?..

В седьмом классе? Скотину выменяли на диван? Я не мог себе этого представить. Пожалуй, больше не мог представить, что у кого-то была первая женщина в седьмом классе.

Алиса так удачно притворилась напористой и нагловатой новой русской, что я не был до конца уверен, что теперь она не притворяется, не врет, не преувеличивает. Я еще не знал Алисину историю, Алиса сказала только, что учится в самой дорогой в Петербурге частной школе при Герценовском институте, но вроде бы никакой драмы в Алисином прошлом не проглядывалось. Она не изголодалась по общению, ее не держали взаперти, ей не запрещали приглашать домой подруг... Тогда почему она так хотела *дружить*, почему была так напористо откровенна с чужим человеком?

...Алиса была толстая. Думаю, причина в этом. Толстая — это ведь не лишний вес, это лишний человек. Толстых не любят, к толстым относятся пренебрежительно, толстым трудно быть в центре внимания, — а Алисе хотелось быть в центре внимания. Психогенетика утверждает, что с генами мы получаем не только физические, но и психические черты, а Алиса уж точно была дочерью своего отца: «мне нет дела до правил», тяга к риску, жажда новизны, стремление очаровать, присвоить и затем манипулировать, — куда ей, «жиртресту», со всем этим букетом? В дорогой частной школе, среди девочек и мальчиков, ориентированных на «самое лучшее», Алиса уж точно не была «самым лучшим», только дома чувствовала себя неплохо и могла развернуться. Ну и, конечно, она так любила отца, что все это — его богатство, успех у женщин — просто выпирало из нее. Из человека всегда прет главное, а он был ее Главное.

Я выключил мультики. Поиграл со Скотиной, сомневаясь, выполняю ли я свои обязанности, ведь, вместо того чтобы учить его быть мужиком, я просто катал с ним машинки (одну машинку Скотина сломал случайно, другую намеренно, посмотреть, прочно ли приделан руль). Потом я сварил на плитке яйца, одно дал Скотине, остальные съела Алиса: она сидела на диете, по которой нельзя было ничего, кроме яиц, но зато яиц можно было съесть сколько угодно. Доев последнее из трех яиц, Алиса съела кусок сыра без хлеба («хлеб мне нельзя»), потом полбуханки хлеба и шоколадку. Бумагу, в которую был завернут сыр, скомкала и положила обратно в холодильник, обертку из-под шоколадки, разгладив, засунула в портфель Скотины, — я еще не знал, что она заметает следы.

...— Звонил папа. Он просил тебя остаться до двенадцати. Нет, не вру!.. Я не вру! Не вру я!.. — кричала Алиса. — ...Да, я вру, но ты ведь можешь остаться хотя бы до одиннадцати... Знаешь, как страшно одной в этой вашей квартирище? Ты, небось, тут никогда один не оставался, вас тут жило сто человек... а мне одной знаешь как страшно?.. Скотина? А что Скотина, он вообще не в счет.

Я позвонил маме, сказал «задержусь на работе» (она от изумления не нашлась что сказать), уложил Скотину спать. Он жил в комнате бабы Цили, узкой, как пенал, на полу была расставлена железная дорога невиданной красоты с поездами (там были даже вагоны-рестораны), платформами и семафорами.

А спал Скотина в детской кроватке для годовалых. Очевидно, Роман, когда забрал Скотину у его матери, велел водителю привезти детскую кровать, — и водитель привез *детскую кроватку*. Я хотел снять переднюю стенку, но Скотина перепрыгнул через переднюю стенку, лег, свернувшись в клубок и выставив ноги сквозь прутья, сказал, не надо, так уютней спать. Наверное, ему в целом было не слишком уютно.

Когда Скотина заснул, мы с Алисой уселись на велосипеды со стаканами (Алиса сказала: «А сейчас мы с тобой тяпнем вискарика, Johnnie Walker Red Lebel с кока-колой»). Алиса опять говорила об отце, подробно о его успехах в бизнесе и подробно о его женщинах («одна до утра простояла на лестнице голая с вещами в руках, другая грозила самоубийством, когда он ее выгнал, третья...»).

Здесь все было *мое,* от коня за окном до царапины на подоконнике (в четырнадцать лет от злости на маму метнул в подоконник циркуль; мама говорила, что я пережил переходный возраст «как ангел», интересно, каковы были бы ангелы в переходном возрасте, если бы он у них был). Я был в *своей* комнате, но в чужой жизни. Я спросил, почему Роман всех *выгоняет*, как будто нельзя просто расстаться. Алиса сказала: «Сами-то они не уйдут, он же лучше всех».

Мы сидели на велосипедах над Аничковым мостом, смотрели на коня (накрапывал дождь, — если кто-то видел коней под дождем, он знает, какие они особенные, гладкие, а если не видел, то нет смысла объяснять), разговаривали о чужой любви. Алиса курила «Moгe», и я курил, наслаждаясь чуть печальной взрослостью, — дождь, дым, полумрак, Аничков мост. Johnnie Walker Red Lebel с кока-колой сменился коктейлем Bacardi-Cola, затем опять Johnnie Walker, и когда в комнате зажегся свет, оказалось, что в первый рабочий день я встретил своего работодателя с *его* сигаретой и *его* виски в руке и, как говорила баба Сима, «сильно выпимши». Во всяком случае, с велосипеда я встал, не вполне удерживая равновесие.

— Водку пьянствуете?.. А-а, виски?.. Молодец, Алиса, взяла самый дорогой. И воду в бутылки не налила, не то что я в детстве, я в папашкин коньяк чай наливал, в вино компот, в водку воду... а в самогон тоже воду, — сказал Роман без тени неодобрения.

«Папашка» Романа был не алкоголиком, как можно было подумать, а известным в городе актером. Роман получил в детстве полный интеллигентский набор: английскую школу, эрмитажный кружок, бальные танцы и музыкальную школу по классу фортепьяно. Музыкальную школу он бросил в третьем классе (если первая женщина была у него в седьмом классе, то в третьем классе он уже начал взрослеть?). Слух у него был идеальный, он все время что-то насвистывал и двигался ритмично и четко, как будто пританцовывал.

Роман пришел не один, с ним была девушка, *необыкновенная*, казалось, она вся состояла из длинных шелковых нитей — длинные шелковые ноги, длинные шелковые волосы, не шла на высоких шпильках, а струилась, — очень красивая, но как-то в целом, как предмет в пространстве, без возможности выделить элементы; я влюбился в нее сразу, но дома не мог вспомнить ее лицо.

— ...Я в лужу наступила, — серебряным голосом феи прозвенела девушка. — Алиса, у вас нет лишних чулок?

— Носки могу дать, — мрачно предложила Алиса.

— Я не ношу носки... и колготки тоже.

— У вас вообще нет носков, ни одной пары? И колготок нет? Что же вы носите под брюки?

— Я не ношу брюки, — прозвенела фея.

Когда мы сидели с Алисой на велосипедах и смотрели на Аничков мост, было по-взрослому печально и прекрасно, а когда пришел Роман, стало *интересно*. Как будто в нашу бывшую комнату вошла жизнь и немедленно начала бить ключом (в его присутствии всегда возникало ощущение, как будто по всем пустили ток и все задергались).

Алисе Роман бросил пакет со словами: «Это тебе за вчера». (Из пакета вывалились цветные тряпочки. «О-о, какие фирмы...» — на лету рассмотрев ярлыки, заметила фея.) Мне, смешно сложив губы трубочкой, сказал: «Расслабься, чего ты так нервничаешь, ну, выпил, пей спокойно дальше. Если ты на чем-то попался, просто продолжай это делать. ...Тебя что, мама заругает за то, что выпил? А ты ей скажи: те, кому родители разрешают приходить домой пьяными, имеют больше шансов...»

Девушку усадил на самое удобное место, налил вина (феи не носят носки и не пьют виски). Я боялся, что Роман, соответствуя Алисиным рассказам, будет груб (возможно, прямо сейчас начнет фею выгонять), но он был с ней подчеркнуто любезен, раскладывал на столе принесенные из магазина «Толстый папа» ветчину, сыр, шоколад, в общем, вел себя как должен вести себя нормальный человек, в гости к которому зашла фея.

...— Ты понял, почему она носит только чулки? Ты что, правда, не понял, кто она?.. Она проститутка, — улучив момент, прошептала мне Алиса. — Он снял ее на Невском или еще где-нибудь...

— С ума сошла?! Проститутка?! Она не может быть проституткой... Я знаю, и всё! Я в проститутках разбираюсь, — прошептал я в ответ.

В чем-чем, а в проститутках я разбирался. На чем зиждились мои знания?.. На «Яме» Куприна.

«Яма» стояла на верхней полке книжного шкафа, именно этот том, остальные тома Куприна стояли на нижней: мама решила, что я буду брать книги снизу, поленюсь тащить стремянку и лезть на верхние полки, но я не поленился. Наверху кроме «Ямы» стояли «Малая советская энциклопедия» (я прочитал в ней все, что там было про роды, половой акт и гениталии, и глупейшим образом прокололся: стремянку убрал на место, а книгу нет, пришлось врать, что искал там сведения для доклада по географии), потрепанный том Мопассана, «Медицинская сексопатология» (прочитал не всё, только главу о мастурбации, пример мастурбации в ванной при льющейся воде был довольно жизненным) и несколько разрозненных томов «Тысячи и одной ночи». Из этого набора и составились мои знания о сексе, сугубо технические, приправленные восточным колоритом (я считал, что восточный секс отличается от западного изысканным сопровождением: игрой на флейте, фруктами, благовониями, коврами, — «Гайде приподнялась на локте, не выпуская кальян, и с улыбкой протянула графу свободную руку»). Ну, как-то так.

Дальнейшие события показали, что фея действительно была проституткой. Я узнал это самым простым образом — от Романа, он не раз мельком говорил: «...Нравится? Ну, давай, зарплату получишь и вперед», но чего не хочешь, того не слышишь, и я считал, что это шутка, означает: чтобы приблизиться к фее, нужно быть миллионером, а не получать пять долларов в день.

О чем мы говорили? Ни о чем умном не говорили. Алиса попросила Романа рассказать, как он женился на ее матери (это было копье, брошенное в сторону феи).

Роман удивился, но рассказал: пришли в ЗАГС, зашли в комнату, там тетка семечки лузгает, на столе пепельница с очистками, тетка говорит: «Молодые, выйдите», они вышли, через минуту тетка позвала: «Молодые, войдите», они вошли, а в пепельнице кольца... Алиса смеялась, подхрюкивая детским баском, фея звенела серебряным голосом: «Вы живете с двумя детьми, один, как романтично» (жить с Алисой и Скотиной, ломающим все, к чему прикасался, что угодно, только не романтично), смотрела на Романа застенчиво и жадно, между ними шла откровенно сексуальная игра, между Алисой и феей шла своя игра, Алиса всеми силами старалась не допустить ее до отца, то трогая его за рукав, то поглаживая по плечу с видом «мое!»... А фея так и сидела с мокрыми ногами.

О чем еще говорили? Роман говорил о своих планах — построить дом, это будет первое частное строительство в Петербурге, первый клубный дом, но дом — это мелочь, главное — он хочет строить на Ваське Город Солнца: огромный комплекс с собственным стадионом, теннисными кортами, спортивной школой с лучшими тренерами, он уже придумал имя для комплекса (он так и сказал, не «название», а «имя», как для ребенка) — Город Солнца. Это его мечта — построить Город Солнца, раньше была мечта стать миллионером, а теперь Город Солнца. Главная проблема: часть территории, где будет Город Солнца, занимает военный завод. Роман с партнерами уже все сделали, чтобы завод сдох окончательно, теперь завод снесут, и можно начинать строить... Предстоят встречи с архитекторами, выбор проекта.

— Этот завод единственный в стране производит радиовзрыватели для установки «Град». Мой папа говорит, даже если сейчас нет военных заказов, необходимо сохранить производственные мощности, оборудование и кадры.

— Ну, и кому нужна установка «Град», может, твоему отцу или тебе?.. Кто он такой, твой отец? — напрягся Роман.

— Инженер. Он работал на этом заводе... пока всех не уволили.

— А-а... тогда понятно... Смешно совпало. Но ты не думай, что я лишил твоего отца работы: это не я, а ход истории. Зато у тебя все шансы: хочешь — станешь инженером, как отец, хочешь — хозяином жизни, как я. Если решишь построить свой Город Солнца, имей в виду: активы всегда должны быть больше пассивов, в любой момент времени... А если твоему отцу что-нибудь нужно, совет там или что, пусть обращается.

Я кивнул, обещая никогда не путать активы с пассивами, я и не думал, что Роман мой враг: ход истории, ничего не попишешь. И чтобы показать ему, что не собирался выходить на тропу войны, как индеец, чьи земли заняли белые, сказал, что отец озабочен ситуацией с курсом доллара и хочет на все свои деньги купить доллары.

— Ну да, скажи ему, что нужно купить, сейчас будет правильно купить... — одобрительно сказал Роман и вернулся к активам и пассивам, все не мог отпустить понравившуюся ему мысль.

— Алиса, представь, что я дал тебе деньги, — это твой актив, так? Ты начала строить дом, так? Незаконченное строительство — это актив или пассив? Правильно, пассив. Что ты должна сделать, чтобы у тебя не было пассива?.. Так, правильно, не платить строителям, пока не достроят. Что еще? Построить дом не на свои деньги, а на чужие. Молодец, ты *моя* дочь.

Алиса довольно улыбнулась, потянулась за куском ветчины, Роман смотрел на нее тяжелеющим взглядом, по лицу внезапно заходили желваки.

— Ключи от машины ему не отдавай, — прошептала мне Алиса. — Не знаешь, где ключи?.. В кармане у себя посмотри.

Оказывается, Алиса украдкой схватила со стола ключи от машины и положила мне в карман.

— А как твоя диета? — спросил Роман. Это был странный вопрос при посторонних, лучше, чем спросить подростка «был ли у тебя секс?», но хуже, чем «какис отметки в школе?». — Ты сегодня взвешивалась? Сколько?.. Понятно. Твое сегодняшнее взвешивание показало, что вчерашнее было лучше. Вчера тсбс, видите ли, было грустно, так грустно, что ты все, что было, сожрала... А сегодня что?! Времени мало, ври кратко! ...Что ты сегодня ела? Яйца? Сколько?

...Алиса смотрела в пол, Роман орал. «Ты жирная! Жирная, жирная! Какая же ты противная, жирная туша!» — в бешенстве орал Роман. Только что смеялся, очаровывал и вдруг стал похож на волка, которым владеет не разум, а инстинкт вцепиться и рвать зубами. Так мгновенно в Романе вспенилась злая сила, что, когда он заорал: «Жирная!», ни я, ни фея не перестали улыбаться.

— Жирная, жирная! — орал Роман.

Алиса плакала.

— Папочка, папочка, я больше не буду... честное слово, я похудею, я буду красивой, я больше не буду... — бормотала Алиса, запутавшись в своих беззащитно нежных «буду — не буду».

— Чего так орать-то, как будто вы первый раз ее увидели, — рассудительно сказала фея, погладив Алису по голове.

Роман попытался отнять Алису у феи, Алиса прижалась к нему и тут же зарыдала в голос, локтем оттолкнула фею, фея стукнулась об угол стола... Алиса плакала, фея кричала: «Я из-за вас порвала чулок за десять баксов!», Роман угрожающе хмурился, я замер, не понимая, кого мне защищать — Алису от отца, Романа от Алисы, фею от Романа?..

Скандал прекратился так же внезапно, как начался: Роман потянул фею к себе, они ушли, и, как только в глубине квартиры стукнула дверь его спальни, Алиса перестала плакать, словно стук двери ее выключил.

— Каждый раз так. Выпьет, орет, потом подарки. Эти вот подарки за вчера. ...Он, понимаешь, любит меня, очень сильно любит меня, но стесняется. Он меня стесняется, он стесняется, что я *туша*... Это такая большая любовь ко мне. Он говорит: «Я могу дать тебе все преимущества, а ты?!» А что я? Я не могу не есть. Я его подвела, мне его жалко. ...Знаешь что? Мне стыдно, что это было при тебе. На проститутку наплевать, а на тебя нет, не наплевать. Мне стыдно, как будто ты мой скелет раскопал и рассматриваешь.

— Ну, ты тоже рассмотри мой скелет: у меня... я...

— Ладно, нет у тебя никаких позорных секретов, не старайся, я и так вижу, что ты добрый... — И, смахнув слезы, Алиса высокомерно улыбнулась. — Зато теперь ты знаешь, какие мы.

Какие они? *Какая* Алиса? В Алисе я совершенно потерялся. В тот, первый день моей работы она показалась мне глуповатой: думаю, дело все в том же — толстая.

Я где-то читал, что многие неосознанно считают толстых людей глупее себя, хотя это иррациональное убеждение, ни одно исследование не подтверждает корреляцию веса с интеллектом. Но это правда: можно легко произнести «толстая глупая Алиса», но «худенькая глупая Алиса» как-то не выговаривается.

Полнота лишает людей еще некоторых качеств: толстяк не может быть умным и злым, толстяк априори наивен, добр и мягкотел в прямом и переносном смысле. *Жирдяйка* не может быть нервной, гордой, изломанной, *толстая* не может быть *утонченной*. Алиса не сочеталась сама с собой: жирная, умная, злая.

— Неужели тебе так трудно похудеть? Просто не ешь, и все.

Алиса ответила снисходительно:

— Я не могу не есть, ты не понимаешь, это... как будто *кто-то* ест, не я, и я ничего не могу с ним поделать.

Этот дом предъявил себя не мало-помалу, как это обычно бывает, а сразу, теперь я знал, какие они: бедный Роман с его злобной любовью-разочарованием, бедная толстая Алиса — она жила, чтобы ему понравиться, но не могла, и чем больше боялась не понравиться, тем больше ела... Вот такой невроз; конечно, я тогда не назвал это неврозом, просто подумал: «Она врет. Неужели так трудно не есть?»

Это происходило всегда одинаково: на каком-то количестве алкоголя, всегда разном (Роман мог сломаться после бутылки водки, а мог и на третьей рюмке), у него тяжелел взгляд, сужались глаза, он бледнел... и даже самый невинный повод мог вызвать у него бешеную ярость.

И ведь он сам Алису провоцировал, приносил вкусную еду... Зачем?

— Я принес кое-что...

— Из еды?..

— Ешь, — говорил Роман, мирно добавлял: — Ты всё готова сожрать. — И тут же, как будто сам поворачивал в себе ключ, заводился, кричал, яростно выплевывая самое больное: — Жирная! Уродина! Как ты вообще живешь! На тебя смотреть противно! Тебе самой-то не противно?! Меня от тебя тошнит!

...Услышав крики: «Жирная! Уродина!» и вслед за этим жалобный Алисин плач, легко было сказать, что Роман дурной человек и даже садист, но что-то мешало окончательному диагнозу — его крайняя искренность в проявлении эмоций? А может быть, губы трубочкой: у него была манера складывать губы трубочкой, сложит губы трубочкой, насвистывает.

«Любовь — это когда у человека нет зубов, а он тебе всё равно нравится», — однажды сказал Скотина. Он имел в виду свою любовь к однокласснице с дырками на месте выпавших молочных зубов, — всё принять, не пытаться усовершенствовать. Толстая Алиса, Алиса *без зубов*, Роману не нравилась, но бывает любовь и как у Романа — он ведь и сам страдал, — ну не мог он примириться с тем, что его дочь — *его* дочь! — «жиртрест».

Ему нельзя было пить, это да. Но и пьяный, и трезвый, Роман вызывал у меня одинаковое чувство, как будто меня ребенком подкидывают к потолку и я сейчас врежусь головой, — восторг и ужас.

Пьяным Роман всегда порывался куда-то уехать: нужно было поймать момент, когда пора прятать ключи от машины. Ключи от машины и пистолет. Пистолет был Роману совершенно без надобности, и патронов к нему не было. Роман купил пистолет из тех же соображений, что Ларка хотела Барби, — «у всех есть». Ну, и чтобы играть: он входил в дом и, как в фильмах про Дикий Запад, выкладывал на стол: ключи от машины, ключи от дома, бумажник, пистолет, — кем он себя воображал, одновременно шерифом и бандитом? Ключи от машины Алиса обычно совала мне в карман, а пистолет мы прятали на дно Шкафа Бесплодных Надежд.

И каждый раз Материя спрашивала меня, согласно инструкции: «Вы к кому?»

КАК ЭТО БЫЛО

14 октября 1994 года

Дома: уныние по поводу потерянных в черный вторник денег. Папа очень расстроен. Я сказал папе, что Роман посоветовал поменять рубли, папа сказал: «Роман знает, что говорит» и поменял. Но курс уже вернулся на прежний уровень. Папа потерял деньги: у него было сто пятьдесят долларов, осталось сто двенадцать. Не буду говорить об этом Роману: он почувствует себя виноватым.

На работе: Алиса со мной не поздоровалась. Не разговаривает со мной.

Я не обижаюсь, я ее понимаю. Один раз мама меня опозорила перед всем классом. На последнем уроке вдруг пошел снег, а когда мы вышли из школы, на ступенях стояла мама, принесла мне шапку и шарф. Я сказал: «Ты позоришь меня перед людьми, ты бы мне еще рейтузы принесла», а она сказала: «А я принесла, — вот, возьми, надень в раздевалке...» и стала совать мне рейтузы и напяливать на меня шапку. Мне не хотелось орать и ругаться (мама стояла рядом со мной, такая маленькая, ниже меня, и ничего не понимала). Я хотел, чтобы все мои одноклассники исчезли, провалились сквозь землю или в черную дыру. Вот и Алиса на Романа не сердится, а на меня злится. Но куда мне провалиться? Я же на работе.

Мы со Скотиной провалились в его комнату и вышли, только когда хлопнула входная дверь. Алиса ушла.

А у меня появились вопросы по воспитанию Скотины.

Мы играли в машинки. Машинки разделили так: мне те, что побольше размером, Скотине те, что поменьше. И вдруг Скотина зарыдал. Рыдал, бросался машинками, попал в окно, разбил стекло. Я хотел его наказать, но не решил как. Скотина кричал: «Не хочу маленькие!» и плакал, как будто это настоящее горе. Но если это настоящее горе, несправедливо наказывать его за окно.

А если он не хочет маленькие машинки, потому что считает, что уже большой? Тогда тоже несправедливо наказывать.

А если он просто избалованный ребенок?

Затем играли в пингвинов, кто быстрей построит каменное гнездо. Вместо камней мы строили гнезда из кастрюль. Нашли в Кучс дырявые алюминиевые кастрюли, которые мы оставили при переезде, для гнезда как раз хорошо.

Это непростая игра, тут нужно правильно выбрать стратегию. Например, один пингвин отправляется за камнем (кастрюлей), а другой может украсть камень (кастрюлю) из его гнезда, пока оно без присмотра. При каждом удачном воровстве кастрюли издаешь специфический пингвиний крик «экю-юу!».

Я чаще выбирал быть пингвином-ворюгой, а Скотина честным пингвином.

Мы так гремели кастрюлями, что не услышали, как пришел Роман. Веселый и гордый, в руках почему-то две сетки со скомканными газетами.

А в сетках под газетами оказались пачки долларов!

Мы разложили пачки на полу в коридоре, получился толстый ковер от входной двери до Кучи. Роман смеялся и радовался как ребенок, как Скотина, когда ему удавалось украсть кастрюлю из моего гнезда.

Роман сказал, что когда долларов так много, у них есть запах. Он хотел поделиться со мной своим счастьем. Он *любит* доллары.

У нас дома деньги как будто немного стыдное секретное дело, а для Романа деньги совсем не секрет. Чего в этом доме совсем нет, так это секретов. Эти пачки долларов Роман заработал на обвале рубля в черный вторник.

— Я чувствовал, что обвал ненастоящий, что на этом обвале заработаю, так и вышло!.. У меня было триста тысяч долларов, а стало почти четыреста!

У Романа было триста тысяч долларов, стало почти четыреста, а у папы было сто пятьдесят долларов, стало сто двенадцать. Как будто одни люди беднеют *от всего*, а другие от всего богатеют.

— А тебе, Петр Ильич, премия — пять баксов. Ты помог мне принять решение: если твой отец хочет купить, значит, все трусливые... прости, все *осторожные* понесут рубли в обменник. Я подумал, тогда я, наоборот, рискну. ...Эй, Петр Ильич, что так смотришь? Пять баксов тебе... потом отдам.

— А если бы вас друг спросил, вы бы ему сказали честно?

Роман засмеялся, вытянул губы трубочкой:

— Какой такой друг?.. Ах, дру-уг... Ну, если друг... Дружба, Петр Ильич, это помочь, когда надо, но не деньгами. А я вообще про другое: про выбор. Ты вот по жизни кем хочешь быть, овцой или драконом?

— А вы?

Роман посмотрел на меня с недоумением, расхохотался. Очевидно, считает себя однозначно драконом.

По-моему, его вопрос неправильный. По-моему, хотеть тут нечего: ты уже или овца, или дракон.

Интересно, кто я?

Я бы предпочел быть драконом: неприятно, когда тебя стригут и холодно бокам.

18 октября 1994 года

Дома: все еще уныние из-за денег. А также Ларка вступила в борьбу с мамой за кроссовки.

— Ларочка, у тебя есть кроссовки.

— В них невозможно ходить. Они уродские.

— Они хорошие. Их купили два месяца назад! У нас нет денег покупать тебе обувь каждый месяц!

И так они спорят «они хорошие» — «они уродские», «они хорошие» — «они уродские», пока мама не переходит с кроссовок на саму Ларкину личность: «Они хорошие, а ты наглая!»

— Извинись немедленно, — сказала мама.

Что она хочет, чтобы Ларка сказала: «Ты права, это очень хорошие кроссовки, а я наглая»? Ларка могла бы сказать как извинение, что кроссовки ей натирают.

— Я больше никогда не буду с тобой разговаривать, — сказала мама.

Как маленькая, как Ларка. Ларка-то в ссоре всегда говорила жестокие слова, а теперь мама заразилась от Ларки, они кричат друг другу «никогда!», «навсегда!», «больше не люблю», «ты мне больше не... (не дочь или не мать)». Может быть, для них это просто слова? Может быть, дело в том, что они женщины?

Ларка ушла в школу подозрительно тихо, без продолжения скандала, только шепнула мне в прихожей:

— Она чокнутая, если решила, что я буду носить такое дерьмо!.. Почему я должна выражаться иначе?.. Ладно, она псих, шизофреник, умалишенная... Тебе-то хорошо: за тебя мама отдаст жизнь, а я для нее просто ерунда. А раз так, она для меня тоже ерунда.

Я сразу вспомнил сцену из Ларкиного детства. Она спросила маму: «Ты меня любишь больше, чем Петьку?», мама ответила:»Я очень люблю Петю, он мой сын», а Ларка закричала: «А я чей сын?!» И еще: «Почему ему всё, а мне ничего?!» Мама бросилась ее утешать: «Что ты, Ларочка, имеешь в виду, мамину любовь? Не думай, что ты у мамы на втором месте!» Ларка упрямо покачала головой: «Я *знаю*, что на втором». Ей было лет десять.

Еще Ларка сказала: «Тебе-то хорошо, ты на работе ешь всякое вкусное» и ушла, а мне ко второму уроку.

Ларка несправедливо меня упрекнула, я не ем на работе! Во-первых, на работе не едят, а во-вторых, я не ем на работе! Нечестно мне чавкать ветчиной, и сыром, и шоколадом, если у нас дома ничего такого нет. Алиса и Скотина едят свою еду, а мне мама дает с собой хлеб с маслом и солью, заворачивает в папиросную бумагу и кладет между двумя перфокартами, чтобы масло не вытекло мне в карман куртки. Перфокарты с дырочками папа принес с работы, когда уволился, взял в вычислительном центре. Вот я иногда курю с Алисой ее сигареты, это да, и в первый рабочий день пил виски, но сигареты и виски — это пороки, а не еда.

Я хотел отвлечь маму от Ларки, а папу от уныния. Сказал:

— А у меня на работе радостное событие!

Дело в том, что к нам приехала королева. Королева Елизавета приехала в Питер и дает прием на своей яхте «Британия».

Родители никак не отреагировали.

Я давно уже замечал, что общественные события становятся для нас очень важными, когда мы в них участвуем, а если нет, то — подумаешь, королева... Но в данном случае мы участвуем: Роман идет на прием. На яхту. К английской королеве! Он получил от нее приглашение. Приглашение на прием королевы связано с его бизнесом, не с водкой «Абсолют», а с обществом инвалидов. Это немного обман королевы: она думает, что Роман помогает инвалидам, а это у него бизнес.

Мама сказала папе: «Вот видишь... а ты как умирающий лебедь» и показала глазами на диван. Намекала, что за лежание на диване на прием к королеве не приглашают.

Папа показал глазами на меня. Намекал, что при ребенке не стоит называть его лебедем.

Я дал себе слово думать головой и быть тактичней: нельзя людям в одном месте рассказывать, что хорошего происходит в другом месте, в которое те не могут попасть... Это как будто бы Золушкины сестры приходят с бала и рассказывают Золушке о бале, но она-то не была... на самом деле Золушка была, но мама-то не была... Я запутался, но, в общем, понятно. Жалко маму.

Жалко маму.

На работе: Алисы нет. Где она? У нее нет подруг, ей не у кого побыть. По улицам, что ли, ходит, чтобы меня не видеть?

Играли со Скотиной в прием на яхте: Скотина был королевой (за то, что сначала съел яичницу, а потом киндер-сюрприз; киндер-сюрприз был уже пятый за день, что-то он у меня слишком много ест шоколада).

Скотина надел Алисино платье, а корону я сделал ему из дуршлага, засунув в дырочки фольгу от киндер-сюрпризов. У Скотины огромная коллекция бегемотиков из киндер-сюрпризов, они как раз пригодились, были гостями на приеме.

Дуршлаг нашелся в Куче. А еще мне попалась на глаза одинокая фотография женщины, в рамке. Это не баба Сима, не баба Циля и никто из наших соседей. Фотография очень старая.

Вечером пришла Алиса, со мной не разговаривает. Со Скотиной разговаривает. Кричала: «Как ты смеешь брать мои вещи, скотина!»

Скотина сегодня долго не засыпал. Просовывал руку между прутьями и хватал меня. Я держал его за руку. Он был теплый и беспомощный, как котенок без мамы, и такой же хитрый, как только я начинал потихоньку отнимать у него руку, бурчал: «Я не сплю, не уходи, ты еще на работе».

Когда Скотина наконец-то заснул и я собрался уходить (было уже одиннадцать часов или больше), пришел Роман.

Алиса закричала: «Папа, какой ты красивый!» И правда, ему очень идет серый костюм, голубая рубашка, синий галстук. Роман сказал, что костюм для приема у королевы купил прямо перед приемом, рубашка уже была на нем, а галстук он взял у водителя.

О приеме на королевской яхте Роман рассказал вот что:

— Один мой знакомый чувак из правительства засмотрелся на королеву, а у меня с собой всегда перочинный нож, и я ему — раз, и пиджак сзади разрезал... Он подошел к королеве, стоит, а у него сзади дырка! Потом разворачивается — дыркой к королеве...

— Ты шалил, тебе скучно было? — нежно сказала Алиса. — А какая там была еда... то есть я хотела сказать, как тебе королева?..

— Никак. Королева как королева. Вот куртка моя на яхте осталась, это жалко, хорошая куртка.

В конце вечера Роман обнаружил, что потерял номерки, свой и своего знакомого из правительства, и гардеробщик на яхте не хотел отдавать им куртки.

— Я говорю: «Отдайте польты трудящихся», а он не отдает... Я ему: «Королева вас не похвалит, что вы зажилили польты трудящихся», а он не отдает... Я плюнул и ушел. А куртка на яхте осталась.

Алиса смеялась так, что стала икать, я тоже смеялся, потом ушел.

Показал Роману фотографию женщины в рамке, он сказал: «Выброси». Я не смог выбросить. Во всем мире не осталось никого, кому дорога эта женщина. Представил, как я сомну ее и выброшу, а ведь она жила и пела.

Представил, что я дожил до того, что настолько никому не нужен, что меня выбрасывают на помойку. Взял ее домой.

Опять дома.

Выяснил, что задумала Ларка.

Мама одной ее знакомой девочки переходила проспект Большевиков по правилам, на зеленый свет. Ее задела машина, просто не успела остановиться. Мама девочки даже не шелохнулась, но запачкала о машину куртку. Из машины вышел водитель и дал ей пятьдесят долларов. (Зарплата у этой мамы такая же, как у нашей, приблизительно восемнадцать долларов или двадцать.) Ларкина идея — попасть под машину, чтобы улучшить материальное положение: присмотрела в ларьке у метро кроссовки за двенадцать тысяч.

Ларка обсуждала со мной, на каком переходе удобней попасть под машину.

Я сказал: «Ты что, идиотка? А вдруг водитель не затормозит? Хочешь сломать ногу или шею? Ты у меня дождешься, что будешь ходить в школу и из школы под моим конвоем». Это я сказал для красоты: в школу под моим, а из школы под папиным конвоем, мне-то после школы сразу на работу.

Ларка согласилась, что может потерять больше (свободу передвижения), чем приобрести (кроссовки). На ногу ей наплевать, ей главное, чтобы ее ноги были в кроссовках.

Поставил фотографию чужой женщины на столик в прихожей. Мама сказала: «Зачем нам фотография чужого человека?.. Выброси и вставь в рамку кого-нибудь нашего, например, мою тетю Лизу». Переставил в рамку фотографию тети Лизы, а эту, никому не нужную, чужую женщину подложил в наш альбом (там такой бардак, что никто не заметит). Теперь чужой человек лежит в альбоме, как будто он наш. Через много лет мои дети (ха-ха-ха, мои дети!) или внуки не отличат нашу тетю Лизу от чужой, скажут: «Это какая-то наша родственница». Так какая разница, кто чей родственник?

25 октября 1994 года

Из интересного: сегодня зарплата.

Еще из интересного: Роман учил меня ездить на машине!!!!!!!!!!!!!!!!!!!!!!!!!

Вдруг ни с того ни с сего сказал: «А давай я тебя научу». Алиса осталась дома со Скотиной с недовольным лицом (у Алисы недовольное лицо, хотя у Скотины тоже).

Роман посадил меня за руль, сам сел рядом, сказал: «Вот газ, вот тормоз, поехали». И всё.

И я поехал! Сначала по Фонтанке, мимо Цирка. У Цирка машина заглохла, я снова ее завел и поехал, у Михайловского замка Роман сказал: «Налево!», я не смог повернуть налево, у Летнего сада повернул направо, потом опять направо, на Фонтанку.

По Фонтанке ехал без замечаний, но медленно. Роман кричал: «Давай, жми!» и нажимал мне рукой на колено, чтобы я жал.

С Фонтанки на Невский повернул на красный свет (что-то не сообразил), проехал по Аничкову мосту, повернул на Фонтанку, и тут Роман говорит: «Вон гаишник, давай быстро мимо него, смелей, и не жмись к тротуару!» Я не понял, как это «не жмись», и просто поехал. Оказалось, я все-таки жался к тротуару: выбил у гаишника жезл из рук. Гаишник поднял свой жезл, с угрожающим видом подошел к нам, Роман дал ему деньги, и он ушел на свое место. А мы поехали дальше.

Дома Роман сказал по поводу зарплаты: что у него сейчас нет денег. Я сказал: «Ничего, я подожду». Тогда он достал бумажник, спросил: «Тебе доллары или рублями по курсу?» И еще сказал: «Эх ты, овца... Ты так пропадешь. Я же тебе сказал — всегда будь драконом». И еще сказал: «Слушай меня, и я сделаю из тебя бизнесмена».

Неужели я все-таки овца? Я не хочу пропасть.

И тут кое-что случилось, о чем я не буду писать. Стыдно писать о таком.

Я страшно опозорился. Упал в обморок, как девчонка. Роман хлопнул меня по щекам и сказал: «Ты что, больной?» Я испугался, что он выгонит меня с работы (все знают из литературы, как при капитализме выгоняли на улицу больных рабочих, бурлаков и Муму).

Я сказал: «Я просто ничего не ел с восьми утра, не успел взять дома бутерброд». Тут и выяснилось, что я у них никогда ничего не ем. Роман заорал: «Сидишь у нас целый день и не ешь?! Ты что, о...л?!» И ужасно покраснел, вытянул губы трубочкой и сказал: «Давай-ка без этого, обещай, что будешь есть как дома, а то я тебе таких п...й навешаю». Я сказал: «Ладно, иногда буду есть».

Алиса, дрянной жиртрест, со мной не попрощалась. Сама наговорила слишком откровенного, лишнего, и сама злится. Ну и черт с ней!

У меня зарплата! Чувствовал себя миллионером, как будто могу купить всё. Кроме прокладок (зашел в Аничкову аптеку, но не смог выбрать: на коробках нарисованы капли, когда я стал думать о смысле этих капель, чуть опять не свалился в обморок).

Купил:

— на рынке у метро «Пр. Большевиков»: 1 кг мяса — 5 тыс. руб., 1 кг масла — 3 тыс. руб.;

— в ларьке у метро: кроссовки Ларке — 12 тыс. руб., 37 размер (кроссовки незаметно отдам маме, как будто это она купила Ларке, а не я).

Осталось 40 тыс. руб. (чуть меньше, еще купил два йогурта вишневых по 600 руб., Ларка любит вишневый), — это маме, пусть сама купит себе прокладки и какую-нибудь кофту, что захочет, остальное на хозяйство.

Обычно я иду от метро пешком, но сегодня решил в честь зарплаты купить хот-дог и поехать на автобусе.

Купил хот-дог и пошел пешком.

И В ОЧКАХ

Скотина открыл мне дверь со словами:

— А у нас радость, Алиса ногу сломала!

В коридоре стояла новая, в упаковке, инвалидная коляска.

— Врач! У нас врач! Сказал! Сказал: «Сложный перелом, лежать три месяца. А папа сказал: «Это для нее большая радость, теперь она три месяца будет лежать и жрать!» — возбужденно рассказывал Скотина, пытаясь залезть в инвалидную коляску. — Ты меня покатаешь?.. Давай сначала ты меня, а потом я тебя!..

Алиса лежала на диване, загипсованная нога на подушке, бубнила: «Я хочу есть, дайте бутерброд», в карауле у дивана стояли Роман, врач и… Взглянув на нее, я подумал: «Ой!.. Такие люди бывают только в театре» — длинное нервное лицо, белое, словно загримированное под Арлекина, с ярко подведенными черным глазами, ярко-красными губами, — и больше ни о чем не думал, просто рассматривал ее, как залетевшую на Фонтанку райскую птицу. Райская птица привлекает внимание длинным пушистым хвостом и ярким оперением — так написано в энциклопедии, имеет желто-зеленую голову и голубой клюв. Райская птица в совиных очках и в бусах — на ней были огромные, в пол-лица очки в черной пластмассовой оправе и множество разноцветных ниток, она словно вся состояла из бус, красных, малиновых, вишневых, оранжевых. Она была либо стара, либо очень стара, на мой тогдашний взгляд, ей было сорок лет или сто, — и она была в джинсах! Она выглядела так *по-другому*, так своевольно, что рядом с ней хотелось немедленно сделать что-нибудь: запеть, подпрыгнуть, начать другую жизнь, вот почему я подробно ее описываю.

Роман называл ее Энен. Я не удивился этому странному имени, у нее, такой необыкновенной, должно было быть красивое инопланетное имя. Откуда у Романа Энен? Встретил ее когда-то, как меня, и отложил в долгий ящик, а сейчас вытащил?

— Вот, лежит, дура дурой, — Роман показал на Алису пальцем, как на неодушевленный предмет. — А ведь она не такая красивая, чтобы быть *такой* дурой.

— Бутерброд, я хочу бутерброд… А можно два?

— Ромочка, у тебя такая *милая* дочь… — Энен наклонилась к Роману и громко шепнула: — Знаешь что? Она у тебя выглядит как беспризорница!.. Ты же отец, ты должен был ее направлять. Только не говори мне, как все мужчины: «Я работаю...»

— Я всё решил. Раз уж ей три месяца лежать, так пусть хоть лежит с пользой. Пусть учится манерам.

— Дайте бутерброд!..

— Я сказал *манерам*. А не бутерброд.

Роман, Алиса и Энен разговаривали как персонажи абсурдистской пьесы, каждый в своей логике и в своем темпе. Периодически каждый апеллировал к врачу, уточняя: «Сколько лежать?», и врач, не удивляясь, повторял: «Три месяца».

— Алиса! Энен сделает мне из тебя приличного человека. Чтобы ты не сморкалась в занавеску. За три месяца сделает из тебя интеллигентного человека.

— В меру интеллигентного, — уточнила Энен. — Так, чтобы не путала Ренессанс с Росинантом, не больше...

— Бутерброд дайте! Я хочу бутерброд, два!..

— Фигос тебе под нос! Ешь яблоки.

Энен наклонилась к Алисе:

— Детка, неужели у тебя совсем нет силы воли?! Ты уже давно могла превратиться в другого человека! Я вот увидела, что не влезаю в платье, и похудела за два дня.

— Нафига мне превращаться в другого человека?.. Бутерброд, дайте мне уже кто-нибудь бутерброд, а то я встану!..

— Не встанешь. Будешь лежать и жрать, что я захочу: интеллектуальную пищу. Ха-ха, — Роман прихлопнул рукой по Алисиному одеялу.

— О-о-о! — завыла Алиса. — Какого хрена ты делаешь! Мне больно!

Энен нетерпеливо пристукнула каблуком — хватит галдеть!

— ...Итак, ты просишь меня сделать из этой, с позволения сказать, цветочницы культурную барышню. Не знаю, не знаю... У профессора Хиггинса было полгода, чтобы сделать из Элизы Дулиттл герцогиню, а у нас всего три месяца. Хиггинс водил Элизу в оперу, в музеи, а мы будем ограничены диваном... Ну, а чего хочет сама Элиза? Детка, ты хочешь стать интеллигентным человеком?

— Я есть хочу, — мрачно отозвалась Алиса.

Энен кивнула.

— Ромочка, детка желает остаться цветочницей... Кстати, Ромочка, твоя мама была прелестной, лучшей в мире Элизой. Когда она произносила «Кто шляпку спер, тот и тетку пришил», зал умирал от смеха. И твой отец был неплох в роли профессора Хиггинса... пожалуй, слишком добродушен. Зато он был отличным Журденом!.. А может быть, ты пригласишь к своей дочери учителя философии и учителя танцев, чтобы сделать из девочки аристократку?

— Вот только не надо петь моему папе дифирамбы! — рассердилась голодная Алиса.

— Не буду. — Энен внимательно посмотрела на Алису, пояснила: — Речь шла о пьесе Мольера: Журден приглашает учителей, желая стать аристократом... Но что, по-твоему, означает выражение «петь дифирамбы»?

— Вы сами знаете — «издеваться». Вы издеваетесь над папой: что он, как все новые русские, хочет, чтобы его дети стали аристократами.

— Твой папа не *новый*, он из хорошей семьи. ...Ромочка, каким ты был славным мальчиком, с чудесными манерами, пока не... Ну, об этом не стоит говорить при твоих детях... Кто бы мог подумать, что из тебя получится такой заботливый отец! Если что-то нужно твоему ребенку, ты мгновенно находишь, где это продается... Я имею в виду, ты быстро меня нашел.

Энен иронизировала, но ведь Роман *старался*, он был готов доставить к Алисиному дивану все, что считал правильным: учителя философии, учителя танцев... Кто бы еще, пока Алисе накладывали гипс, уже все решил: нашел Энен и доставил к Алисе одновременно с яблоками и инвалидной коляской?..

Роман и правда взял Энен из *долгого ящика*.

Энен (НН — Нелли Николаевна) была подругой его отца: отец Романа водил сына к ней, как и ко всем своим любовницам. Роман говорил: «Папаша не хотел театральных страстей в жизни и ленился скрывать... Сначала мама истерила, а потом тоже завела любовника, и все стало нормально». Роман никогда недовольства родителями не выказывал, как и особенной любви. Об отце говорил как о дружке: «Мы с папашей славно выпили», или «Хорошо погуляли», а о матери однажды сказал: «Когда папаша умер, мама тут же показала мне огромную фигу». Какую он имел в виду фигу — материальную, эмоциональную? Наверное, она показала ему все возможные фиги. Сам Роман считал, что эгоизм матери, молниеносно выкинувшей его из дома после смерти отца, словно он был не сын ее, а пасынок, сыграл положительную роль в его жизни: недонянченный сын преуспел, стал первым в городе миллионером. Теперь «прелестная Элиза» вела себя с сыном как требовательная любовница, всякий раз приходила на Фонтанку *за чемто*: не за деньгами (денежное содержание Роман каждый месяц отвозил ей сам) и не за внуками. Лучшая в мире Элиза была отнюдь не лучшей бабушкой, Алиса и Скотина толком нс были с ней знакомы.

— Я же ее внучка, она бы хоть вид сделала... — говорила Алиса после ее визитов.

— Зачем делать вид? Ей наплевать на все условности, — удивился Роман.

Роману и самому было наплевать на условности, не было человека, которому было бы *так* наплевать. Может быть, из-за родительского равнодушия *к условностям* Роман вырос таким великолепно безразличным к чувствам других людей? Может быть, Роман пьянел так страшно из-за того, что *слишком добродушный Хиггинс* водил его к любовницам, и так мучил Алису — все из-за отца, судя по фотографиям в фойе театра, слишком добродушного в любой роли?.. Люди любят психоанализ за то, что каждому дается возможность в чем-нибудь родителей обвинить. Но если считать, что нас однозначно формирует родительское отношение, все эти «любит — не любит», что же сыграло роль в превращении моего юного отца с черно-белой фотографии на лыжне (без шапки, смеется) в неудачника среднего возраста? Его неправильно любил дед?..

Отец Романа водил его в гости к Энен. Энен — искусствовед в Русском музее, на досуге переводила французские пьесы, — во время этих визитов Роман приобщался к живописи и французскому языку. И вдруг случилась неприятная история: у Энен пропал кассетный магнитофон. Преступника поймали при попытке продать магнитофон на галерее Гостиного двора, отца вызвали в милицию с репетиции... Он и потом бывал в милиции по делам Романа, прошлое Романа вообще было странной смесью интеллигентского детства с подворотными историями.

Преступление раскрыли, магнитофон вернули, Роман был бит (морально), но вот что интересно: преступник по-прежнему продолжал бывать у Энен вместе с отцом. Энен могла бы сказать своему другу: «Не хочу видеть твоего хулигана». Но преступник все так же слушал ее рассказы про «Мир искусства» и «Бубновый валет», рассматривал редкие альбомы Филонова и Кандинского и говорил за столом: «Гран мерси, мадам».

Может быть, она сильно любила отца Романа? Мы не знаем. Энен отказалась называть Скотину Скотиной, сказала: «Ты у меня будешь Алексаша, как твой дед», но это не обязательно означало любовь. Алиса не раз спрашивала Энен: «У вас с моим дедом была любовь или просто так?», Энен отвечала: «Не более чем с другими», или «У меня остались весьма приятные воспоминания», или шутливо: «Какая такая любовь?..» Мы ничего о них не знаем.

— Ну, мы договорились?.. Оставляю вам мою жирдяйку... — шутливо сказал Роман, он уже устал быть хорошим мальчиком и начал томиться.

— Да-да, Ромочка, иди... Но ты мне не рассказал, чем занимаешься...

Роман из вежливости начал говорить о своем Городе Солнца, Энен расспрашивала, восхищалась, любила «Ромочку», и он увлекся.

— Это будет целиком мой проект, понимаете, мой!..

— Прекрасно... прекрасно, что все совпало: молодость, кураж, возможности. Времена не выбирают, в них живут и умирают, но *тебе* повезло: сейчас время молодых и амбициозных.

— Это уж точно: сейчас *мое* время.

Роман всегда делал влюбленно-угрожающее ударение на слове «мое»: *моя* квартира, *мои* деньги, *мой* Город Солнца. За время, что я провел рядом с ним, я видел, каким он может быть жестоким, как хитрит, отказывается от своего слова, как радуется, *совершая плохие поступки*, вроде бы в такого рода человеке неестественно чадолюбие, он должен был бы бросить своих детей, забыть об их существовании навсегда, не отвечать на звонки, не платить алименты... Наверное, в основе его любви к Алисе и Скотине было все то же страстное «мое!». Но разве имеет значение, что именно лежит в основе любви? Кажется, это просто красивая фраза. ...Кажется, имеет. Может, если бы он хоть немного любил Алису не как *свое*, он не был бы так уязвлен тем, что *его* дочь не красавица, а жирдяйка на диване...

Прощаясь, Роман поцеловал Энен руку. При Энен он был как будто тот славный мальчик с хорошими манерами, невозможно было представить, что этот милый человек способен творить пьяные безобразия, — кто был настоящий Роман, а может быть, *настоящий* не существовал вовсе, и каждый раз Роман выбирал из многих вариантов поведения с Энен лучший из всех возможных.

...— Ладно уж, черт с тобой, отведи меня в туалет, — попросила Алиса, ей пришлось примириться с моим присутствием, она ведь была в гипсе, куда ей без меня.

Я тащил Алису на себе, она была такой тяжелой, что по дороге мне пришлось несколько раз прислонять ее к стене. На середине пути я вспомнил, что у нас имеется инвалидное кресло, усадил Алису в кресло и покатил по коридору, подгоняя криками: «Капибара, вперед!» Алиса хихикала, пока Скотина не сказал ей, что капибара — это свинья. Капибара фигурировала в моей любимой книге «Орден Желтого Дятла», книгу я принес из дома, читал Скотине.

Пока я укладывал Алису обратно на диван (мне казалось, что настоящие медсестры должны сурово обращаться с пациентами, поэтому я был к ней строг: «Так, прекратила ныть, быстро легла!»), пока делал Алисе бутерброды, Энен играла со Скотиной в волшебника. Игра была односторонняя: у Скотины в этой игре не было ни одной роли, а Энен была и волшебником, и по очереди всеми, в кого она себя превращала: старым китайцем, ведьмой, принцессой, солдатиком, говорящим сундуком. Энен играла упоенно, разговаривала разными голосами, раскраснелась. Скотина смотрел на нее как зритель в первом ряду, восхищенно и чуть недоверчиво.

— Ты *можешь* не жевать? — осведомилась у Алисы Энен и кивнула нам со Скотиной: — Располагайтесь, мальчики.

Мы расположились: Скотина на письменном столе, я на диване. Напоминаю, в комнате было три дивана буквой «п» вокруг письменного стола: на розовом лежала Алиса с тарелкой на животе, на зеленом сидела Энен, а на красном я. Между нами Скотина со своими бегемотиками: бегемотик-повар в белом переднике, бегемотик-младенец, бегемотик-спортсмен с обручем, бегемотик, отдыхающий на матрасе, бегемотик-капитан в белом кителе и фуражке, а также бегемотики неопределенных профессий, с мороженым, в очках, с биноклем, с гитарой, в кепке, в шляпе…

— Дайте мне нож, — попросила Алиса.

Бутерброды Алиса ела *для себя*, а теперь приступила к яблокам *для Романа*, чтобы он думал, что она послушно худеет. Алиса снимала ножом кожуру, очищенные яблоки складывала в одну тарелку, очистки в другую.

— Послушайте, а почему бы вам просто не попросить у папы денег? Тем более вы его вырастили на своих руках, — спросила Алиса тем же высокомерным тоном, которым говорила со мной в мой первый рабочий день, притворяясь новой русской.

— Просить денег у тех, кого вырастил, себе дороже: если откажут, останется оч-чень неприятный осадок... — объяснила Энен.

Когда Алиса задала тот же вопрос отцу, — почему бы ему просто не дать Энен денег, Роман хмыкнул: «Может, мне еще ей за свет заплатить? Да кто она мне вообще такая?» На самом деле Роман и Энен, не сговариваясь, сказали одно и то же.

— Ну, и к тому же *люди вообще-то работают*. Лейбниц служил библиотекарем, Кант преподавал философию. Есть люди, которые продают свое время, и те, кто продают свои мысли, творцы. Я — творец, вынужденный продавать свои знания тебе, то есть твоему отцу.

— А вы что, философ?

— Я писательница, — сказала Энен, задумалась и добавила: — Я русская писательница.

Причина того, что Энен представилась писательницей (она могла бы назваться и актрисой, и циркачкой, кем угодно), была совершенно та же, по которой Алиса притворялась новой русской, хамкой и дурой, — обеим хотелось играть. Энен за последние полчаса поочередно превратила себя в старого китайца, ведьму, принцессу, солдатика, говорящий сундук — и бедного русского писателя, волею судеб вынужденного обучать тупую новую русскую. Ну, а Алисе оставалось все то же — притворяться новой русской, хамкой, козыряющей своим богатством.

— О-о, писательница? А где продаются ваши книги?

— Нигде. Мой Дневник не издан. Но в философском смысле нет различия между изданной книгой и неизданной. Представь, что ты написала картину и закрыла ее покрывалом: картину никто не видит, но она *есть*. Моя книга как картина под покрывалом, ее никто не видел, но она есть в мире.

— Это все ерунда. Написали бы детективчик, заработали денег... Зачем вам картина под покрывалом?

— А зачем вообще искусство?.. Чтобы познать самое себя, стать частью чего-то большего, чем ты есть... Тебе это *непонятно*?

Обе притворялись: Алиса притворялась тупой дурой, Энен притворялась высокомерной, на самом деле они друг к другу присматривались.

— Вам, такой умной, не влом обучать девчонку?.. Хотя за деньги чего не сделаешь, — начала Алиса новый раунд. — А скажите, зачем вам деньги? Вам ведь нужны деньги не на жизнь, а на что-то важное?

— Ты неглупая девочка. Мне нужны деньги, чтобы... чтобы поехать в Париж кое-с кем повидаться: а вы, друзья, осталось вас немного, мне оттого вы с каждым днем милей, такой короткой сделалась дорога, которая казалась всех длинней, — это Ахматова...

— С Ахматовой повидаться? — невинно спросила Алиса и, увидев вытаращенные глаза Энен, захохотала: — Ну, шучу, я знаю, Ахматова жила в прошлом веке вместе с Пушкиным... Ладно, я поняла, вы хотите перед смертью с кем-то повидаться.

Алиса сказала «перед смертью», и я неловко закивал с приоткрытым ртом, что означало «ну, что вы, вам еще жить и жить», думая при этом: «Но ведь ей не меньше ста».

— А почему он сам из Парижа не приедет? — не отступала Алиса. — Значит, вы больше хотите его увидеть, чем он вас. Так, может, ну его к черту? Зачем вам в вашем возрасте подвергать себя остраксизму? ...Ну, ладно, давайте делайте из меня интеллигентного человека...

Энен засмеялась:

— Сделать из тебя интеллигентного человека? Невозможно. Во-первых, у тебя хамская природа. А во-вторых...

— Что во-вторых?.. Почему из меня не сделать интеллигентного человека *во-вторых*? Мне и не надо, но все-таки почему?

— Интеллигентный человек знает культурный код. Невозможно стать человеком из культурной среды, из хорошей семьи... При всей моей любви к Ромочке, он культурный код не знает...

Интеллигентный человек знает культурный код? Стать человеком «из хорошей семьи», понять культурный код невозможно? А как же мамино любимое утверждение «у нас интеллигентная семья», как же наши собрания Чехова и Жюля Верна?

— Что же я тогда получу за папины деньги?! — возмутилась Алиса.

— Узнаешь, что «подвергать остраКИзму» означает гонение, отвержение, но не в том контексте, в котором ты употребила это слово... что «петь дифирамбы» означает восхвалять, а не издеваться... Прочитаешь книги, мы их обсудим, ты научишься видеть мир — сотри случайные черты — и ты увидишь: мир прекрасен...

— Вы были замужем? Сколько раз? — спросила Алиса, отмахнувшись от «мир прекрасен...»

— Один раз или два, но не больше трех. Я расскажу тебе о своих мужьях и поклонниках, если ты прекратишь жевать. Я недавно приняла курс ноотропила, так что я смогу вспомнить всех... Нет, всех, конечно, не вспомню... — радостно сказала Энен и сказочным голосом начала: — Мой первый муж был художник...

Энен рассказывала о своих мужьях и поклонниках, как рассказывают сюжет романа: первый муж был художник, то был брак «из интереса к живописи», второй муж — писатель, «известный, когда-нибудь скажу кто», третий — композитор, «влиятельный, богатый», то был брак «для устройства жизни», четвертый муж — поэт, то был брак «по безумной любви». Алиса слушала, как дети слушают сказку, и только иногда спрашивала: «Но ведь вы тогда были замужем?» Энен благонравно отвечала: «Да, и очень любила мужа» и переходила к рассказу об очередном романе...

Все, кого я знал до Энен, были просто люди со своими соседями, родственниками и знакомыми, а Энен несколько раз повторила, что принадлежит к *определенному кругу*: литературному, театральному. Рассказ Энен в тот вечер что-то во мне тронул: те немногие ленинградские писатели, поэты, режиссеры, чьи имена были мне смутно знакомы по книжным обложкам и титрам фильмов, были ее друзьями, незнакомые имена, которые она называла, казались еще прекрасней, — и эти люди тоже были ее друзьями. Это не был интерес к знаменитостям:

«деятели культуры» всегда кажутся *простому человеку* небожителями, как Пугачева маме, но у меня не было к ним ни малейшего интереса, они казались мне не людьми, а знаками, а тут вдруг — люди, живые, пишут книги, снимают кино! — это было, как будто на свете *и правда есть другая жизнь*, как будто напротив меня на зеленом диване расположилась сама *культура*.

— Я потомственный искусствовед, из семьи петербургских искусствоведов, — сказала Энен. — Я знала всех, кто был *кем-то*, и все, кто был *кем-то*, знали меня. Но...

«Но» означало, что сейчас Энен была бесконечно одинока (конечно, я понял это позже): последний муж давно умер, родных у нее не было. Ее жизнь по-прежнему состояла из бесконечных кружений, приглашений в гости, на открытие выставки, на премьеру, и если бы Энен вдруг не явилась на премьеру или на презентацию, многие спросили бы: «А где же Нелли?» Но, если бы этим многим сказали: «Нелли больна, нужно ее навестить», то каждый подумал бы: «Навестить — это не я, я не отношусь к ее близким», каждый подумал бы, что это сделает кто-то другой, более близкий, но *более близких* не было, кто-то умер, кто-то уехал, кто-то совсем постарел и осел в семейном кругу, и без того непрочные в смысле «навестить» связи обломились, отсохли. У моих родителей не было *круга*, был лишь скучнейший дядя Сеня, — был и остался, в этом преимущество простых связей, они остаются. А Энен была для всех *необязательная*.

Скотине наскучили бегемотики, он потянул меня — давай играть, и мы с ним немного погоняли по коридору в инвалидном кресле, затем уселись на велосипеды у окна и принялись крутить педали (Скотина был слабенький, неспортивный, я приучал его к велотренажеру хитростью — давай наперегонки или давай кто дольше). Я крутил педали, не слишком откровенно поддаваясь Скотине, чтобы не отбить у него волю к победе, смотрел на своего коня, а за моей спиной звучал голос Энен.

— Не знаю, возможно ли сделать *из тебя* приличного человека...

— Мне ни к чему быть приличным человеком.

— Да перестань жевать, а то я тебя прибью! Тебе нужно отказаться от своего императива...

— Я не могу перестать есть!

— Я не о еде говорю, дикое ты существо. ...Начнем с древних греков.

До меня доносилось: «...Знаешь, что сказал Хайдеггер Ханне Арендт? Он сказал: «Вы должны научиться не приходить в ужас, когда вам говорят об Аристотеле. Аристотель и древние греки не устарели». ...Они стали любовниками, но об этом потом, сначала древние греки... Греки воспринимали мир как вопрос, на который *страстно хочется* найти ответ, они были одержимы страстью к постижению мира... От союза Геи и Урана появились титаны... Кронос решил отомстить отцу за то, что тот заточил его братьев титанов в Тартаре... Кронос стал царем всех богов...» Мелькали слова «метафизический», «амбивалентный», я не знал их значения, но они меня завораживали, так же, как слова «несколько», «отчасти, «отнюдь» — я никогда не слышал, чтобы так говорили *живые люди*... Я смотрел в окно: мой конь — неподкованный, конь напротив него, у Аничкова дворца, тоже неподкованный, а два других, смотрящих в сторону Московского вокзала, подкованы... Когда мне приходилось объяснять, где я живу, я говорил: «Наш дом соедний с гастрономом, напротив бензоколонка», а здесь, у нас: наш дом — Аничков дворец — дворец Белосельских-Белозерских — Дом Лопатина, бывший Литературный дом. Мне повезло жить здесь, а теперь повезло Алисе и Скотине.

...— Алиса?.. Не чавкай. О господи, за *тебя* никаких денег не нужно...

— Я ем и слушаю. Кронос отомстил отцу за то, что он заточил его братьев в сортире... Ладно, это шутка. Мне очень скучно.

— Древние греки — скучно?! ...Скучно... Ну, скажи, что тебе не скучно, что тебе мило?..

Алиса не знала точно, что ей мило, но точно знала, что не мило:

— древние греки,

— быть более или менее приличным человеком,

— читать книги,

— тем более обсуждать книги

и слушать лекции о литературе и живописи.

...Скотина, как всегда, засыпал мучительно долго, просыпался, как только я отнимал у него руку, я злился, — ведь в это время Энен рассказывала Алисе про древних греков.

Когда я вернулся на красный диван, Энен диктовала Алисе список книг, которые нужно прочитать:

— «Илиада», «Одиссея», Софокл, Эсхил, «Диалоги» Платона, «Жизнеописание» Плутарха, «Этика» Аристотеля, Овидий — «Метаморфозы»... Ну и, *конечно*, Гораций.

— Маловато как-то, — с тихим бешенством сказала Алиса.

— Не расстраивайся, это для начала... Ну, а теперь, друзья мои, сменим духовную пищу на яичницу с ветчиной. И давайте выпьем. В этом доме найдется вино?..

Обычно репетитор не предлагает подросткам выпить. Не называет свою ученицу хамкой, не говорит: «Я любила мужчин. Интересных мужчин. Я любила, чтобы было интересно». Не жарит яичницу на плитке на письменном столе. Но Энен не хотелось быть нанятым полурепетитором-полунянькой, она привыкла беседовать и выпивать за разговорами в дружеской компании — и не стесняться в выражениях, и вспоминать любовников, — ей хотелось, чтобы мы заинтересовались ею, вот она и приступила к созданию дружеского кружка. Больше всего на свете она любила дружить.

Мы пили вино. Энен рассказывала о поэтах, с которыми была знакома, по ходу отмечая: «Его как поэта я не очень ценю» или «Он доверял мне свои новые стихи», «Он второстепенный поэт». Из тех, кого она называла, нам с Алисой была известна Ахматова (школьный ряд Пушкин — Есенин — Маяковский — Ахматова), все они казались одинаково далеки, *из прошлого века,* без различий. Энен обещала когда-нибудь показать свою фотографию с Ахматовой, для нас это было точно то же, если бы она показала свою фотографию с Пушкиным. Я смотрел на нее зачарованно — вот она, *сама русская культура*, сидит на зеленом диване и ест яичницу с ветчиной.

Энен сказала мне:

— Я принесу тебе «Занимательную Грецию» Гаспарова... У меня прекрасная библиотека. Придешь ко мне в гости и увидишь, у меня есть *все.*

Где-то я слышал: никого не интересует идея, интересует человек, одержимый идеей. Меня не особенно интерессовали древние греки, меня интересовала Энен, которой были интересны древние греки. Я кивнул.

— Я тоже хочу, — сказала Алиса.

— Что, посмотреть мою библиотеку?

— *Я тоже хочу*. Чтобы меня любили. Что вы делали, чтобы вас любили? Многим молодым и красивым вообще не светит замужество, а вы умудрились выйти замуж четыре раза. Может, вы... это... нимфоманка?

— Нет, я не нимфоманка, — Энен ласково улыбнулась. — Мой близкий друг называл меня «роковая баба»...

— Что нужно для того, чтобы стать роковой бабой? — настаивала Алиса. — Не думайте, я не для себя, я же понимаю, что я... я здесь ни при чем. Но раз уж вы тут, я хочу понять: что нужно, чтобы тебя любили?

— Чтобы тебя любили? Нужно знать древних греков. ...Так, Алиса, к следующему разу напишешь эссе «Зачем лично мне нужна эллинистическая философия». Письменно — это написать на листочке. Не умеешь?.. Платон заставил мальчика-раба самостоятельно доказать теорему Пифагора, и он доказал. Значит, и ты справишься. Ничего сложного, всего-то киники, эпикурейцы, стоики, скептики. Не сделаешь — скажу Ромочке, что ты сегодня съела полхолодильника.

Алиса посмотрела на нее с отвращением.

— Давай я принесу тебе диету: капуста и...

— Нет.

— Очень вкусно: капустный салат, тертая морковь и... Есть еще одна диета...

— Нет.

— Но если...

— Нет.

— А давай *вместе* похудеем?.. У тебя неплохое лицо, если бы ты похудела, можно было бы сказать, что у тебя головка Ватто... Если ты похудеешь, я дам тебе надеть мое полосатое платье, то, в котором я была прошлый раз, — соблазняла Энен.

Алиса полосатым платьем не соблазнилась, сказала обиженно:

— Почему у меня голова из вато?

— ...Ты ведь хочешь иметь поклонников, хочешь романы? — сладко улыбнулась Энен. — Существуют две причины мужского интереса: ум и красота, ум — главный. Умение поддержать беседу дает шанс, что мужчина отдаст предпочтение тебе. В хорошем обществе ценятся познания в искусстве, культурный код, а ты... ты ляпнешь что-нибудь вроде «остракСизма», и всё — ты произвела впечатление глупого насекомого, умные и талантливые мужчины не станут с тобой общаться. ...Тебе шестнадцать, а с тобой уже все случилось — вот ты лежишь передо мной, глупое насекомое с хамской природой. Но ведь у тебя на три месяца есть я. Ты упускаешь возможности, Алиса!

— Вы обзываетесь... — заметила Алиса. — По-вашему, я хамка и насекомое...

Энен то *обзывалась*, то заманивала, играла то в отстраненно строгого учителя, то в дружеский круг, будто она своя, дружок. Я играл сразу во все предложенные

111

Энен игры — был преданным учеником, поклонником; Алиса играла в тупицу, злилась, — и сдалась Энен, очаровалась ею. Увлечься кем-то — это ведь смирить гордыню, выкинуть белый флаг.

— Целую вас обоих, до новых встреч, — улыбнулась Энен и ушла мгновенно, словно растаяла в воздухе, а улыбка, конечно, осталась.

Алиса попросила меня вынести на помойку очищенные яблоки («чтобы папа подумал, что я весь вечер ела одни яблоки... а ветчину в холодильнике он не будет проверять, и сыр тоже»). Обветренные яблоки вкусно и сильно пахли яблоками, я спускался с мешком очищенных яблок по лестнице и думал, можно ли не считать эти совершенно нетронутые яблоки огрызками (тем более никто никогда не узнает, что я их съел), предвкушал, как всю дорогу к метро буду жевать яблоки. Выйдя из подъезда, повернул во двор, вдохнул еще раз сладкий запах и положил яблоки рядом с помойным баком, может, птицы склюют.

Я был счастлив от предчувствия, что в мою жизнь вот-вот войдет что-то новое, замечательное. Я не связывал это счастливое чувство напрямую с Энен, это могло быть что угодно — прекрасное далеко, любовь... скорее любовь. Ничего определенного не было, но что-то было у меня внутри.

Энен сказала: Платон считал, что душа человека по истечении срока выбирает новое тело и в сопровождении своего гения судьбы отправляется к новой жизни. Это показалось мне немного неприятным — иметь чью-то поношенную душу. Чья-то душа выбрала меня, как пустой трамвай: села у окна, гений судьбы уселся рядом, сказал «поехали!». С другой стороны, в этом была интрига: неизвестно, чья душа тебя выберет. Я подумал, почти всерьез: *есть вероятность*, что меня выбрала душа интеллигента. ...Ну, а если *всерьез* — я хочу стать интеллигентом! Я думал, *нужно* быть как Роман — драконом, победителем жизни, но увидел Энен и понял: вот этим я хочу быть.

Во мне твердо сидело внушенное дома и в школе «у нас все равны», и в моей мысленной формуле миллионер Роман был равен моим родителям, дяде Сене с тетей Шурой, но оказалось, есть неравные люди, — мы и настоящие интеллигенты (я уже понимал, что мамино горделивое «мы интеллигентная семья» не про то). Энен была человеком из высших сфер жизни. В общем, как ни пытался Роман соблазнить меня своим миром, не он, а Энен оказалась привратником сказочного королевства.

Я решил: буду делить свой день на две части — утро посвящать школе, а все остальное время становиться интеллигентом: читать, писать, учить стихи, смотреть в окно, думать, запасаться чужими и своими мыслями. Во время работы буду слушать Энен и учиться говорить, как она. Я буду стараться соблюдать все правила. И от принятого решения я вдруг почувствовал странную устойчивость, как будто прежде во мне не хватало важной части, как колеса у велосипеда или головы у пластмассового солдатика, а теперь в меня вставили недостающую часть, и я стал целый *я*... Но как перенять ее манеру одеваться, не носить же мне бусы?!

...И я вдруг представил, как приду к Энен посмотреть ее библиотеку, и ее дом загорится, и я буду спасать ее книги! — и сердце зашлось от восторга и тревоги.

ВДРУГ ПО РЕКЕ ПРОНЕССЯ КТО-ТО

Алисино домашнее задание состояло из одной строчки: «Мне нафиг не нужны древние греки».

— Я все решила, — Алиса произнесла это совершенно как Роман. — Я хочу взять у вас культурный код.

— Ты хочешь учиться? Прелестно!.. — обрадовалась Энен. Сегодня она была в белых расклешенных джинсах и *трех* шарфах, продетых один в другой, и опять много бус разных оттенков, даже я понимал, что это элегантно и красиво, а Алиса не могла отвести от нее глаз. — Что смотришь? Одежда дает возможность выразить себя — кто ты, кем хочешь стать. Могу научить тебя одеваться, это как будто делаешь из себя картину. Хочешь? Это весело...

— Я хочу взять у вас культурный код. Вы *должны* дать мне культурный код.

Энен открыла сумочку, сделала вид, что достает из сумочки что-то и отдает Алисе:

— На, возьми.

Алиса не улыбнулась.

— Я не хочу учиться. Мне ничего не нужно знать. Я хочу уметь *говорить*. Говорить обо всем, как будто я все знаю. Чтобы люди думали, что я из хорошей семьи, что у меня хорошее образование, что я все читала. Вы сказали «ты упускаешь возможности...», вот я и решила — ну, нет! Я хочу иметь *все* возможности. И мне надо быстро — за три месяца. Три месяца и — раз! Понимаете?

— Понимаю, как не понять: раз! Тебе нужен имидж культурности. Ты хочешь производить впечатление интеллигентного человека. Не читать Гёте, Толстого, Бродского, а уметь говорить о них, вернее, упоминать. Выучить пару многозначительных фраз обо всем, как попугай, как Элиза Дулиттл, чтобы не опозориться в хорошем обществе. Но ведь я могу дать тебе что-то *настоящее*...

— Ой, ну не начинайте! Как будто у кого-то есть время, чтобы по-настоящему стать интеллигентным человеком! А у меня как раз три месяца, чтобы стать как бы интеллигентным человеком. ...Смотрите, что мне надо: например, люди говорят про «Войну и мир». Я, естественно, не читала, — зачем мне читать «Войну и мир»? Так вот, я хочу знать *одну фразу*, такую, чтобы я ее сказала, и все заткнулись и подумали: «О-о-о!» Есть такая фраза?.. Точно есть! Не может не быть! Ну, кто там главный герой, Наташа Ростова?

— Для меня главный герой «Войны и мира» — Долохов, — ответила Энен.

— Почему Долохов?

— Это *личное*... — Энен потупилась. О своих мужчинах она говорила без стеснения, а о Долохове застеснялась, как будто ее связывали с ними интимные секреты.

— Ну вот, вот! — торжествующе закричала Алиса. — Смотрите еще раз — заходит разговор о «Войне и мире», и я говорю: «Для меня главный герой «Войны и мира» — Долохов». А если спросят, почему Долохов, я скажу: «Это личное» — и вот так замолчу. И все подумают, что я умная и особенная! ...Ну что, круто?.. Договорились?

— Круто. Не договорились. Я не буду вести курс «Как стать интеллигентным человеком за три месяца». Вернее, «Как притворяться интеллигентным человеком». А если ты не можешь принять участие в беседе, не читала, не знаешь — просто молчи. Молчи, за умную сойдешь.

Энен необидным тоном сказала необидные слова (она ведь уже и насекомым ее называла, и хамкой), но Алиса отреагировала странно — нырнула под плед, всхлипнула и замерла. После нескольких попыток добыть Алису из-под пледа оттуда донеслось бормотание:

— Я и так все время молчу. В школе молчу. Все разговаривают, а я молчу. Не решаюсь заговорить. Думаю, что меня прогонят, скажут: «Ты, жирная, иди отсюда». Мне иногда кажется, что я даже ходить не умею. Пойду к ним и вдруг упаду и буду лежать, как свинья, а они будут меня обходить, *как свинью*... Ну, я так молчу-молчу, а потом мне уже совсем страшно заговорить... А иногда мне страшно из дома выйти. Я никому не нравлюсь, никто со мной не дружит, никто никогда в меня не влюбится, все смотрят сквозь меня, как будто меня нет...

— С ума сошла?! — Энен слегка стукнула Алису по тому месту, где предположительно был ее лоб. — Так у тебя депрессия начнется... Давай помогу тебе похудеть, будем вместе сидеть на диете.

— Нет, спасибо. Это невозможно, — высунувшись из-под пледа, сказала Алиса, по ее щекам текли настоящие слезы, но и сквозь слезы она твердо гнула свою линию. — Но вы можете мне помочь! Дайте мне культурный код, ну пожалуйста! Ну вот с Долоховым же хорошо вышло?..

— Да, забавно... — сдалась Энен. — Ну... хорошо, сделаю из тебя полукультурную барышню... Но учти, это будет культура для бедных.

— Почему для бедных? Я богатая, — удивилась Алиса.

Энен посмотрела на Алису с исследовательским интересом, словно прикидывая, возможно ли из *одного предмета* сделать *другой*. Должно быть, профессор Хиггинс так смотрел на Элизу и папа Карло на кусок полена.

— ...Ты хочешь *казаться* интеллигентным человеком. Ты хочешь производить впечатление принцессы, а не парвеню. Запомни: о своем богатстве говорят только парвеню... Запомни, как нужно относиться к деньгам: есть — хорошо, нет — хорошо. Принцесса ничему не радуется и не удивляется, все воспринимает как должное: и «мерседес», и троллейбус. Небрежно бросает шубу на пол, а не сообщает окружающим, сколько она стоит. Принцесса как будто *не знает,* что сколько стоит... Что вообще делает принцессу принцессой — дворец, карета, слуги?

— Ну да, дворец, карета, слуги.

— Нет. Принцесса не обязательно родилась во дворце. Принцесса, как и дворняжка, считает, что ей все должны, но ей все должны *с радостью*, ей не нужно ничего выгрызать. ...Да, и вот на что обрати внимание: дворняжка высокомерна и критична, а принцесса доброжелательна к людям. В общем, принцесса — это состояние души и глубокое убеждение, что все положено по праву.

— Это как раз у меня есть, — Алиса для убедительности постучала себя в грудь. — ...Ну, что мне все положено по моему праву. ...А парвеню — это кто? Дворняга, которая приперлась в высшее общество, правильно? Ну вот, видите, я не дура. Нет, ну скажите, хорошая идея — стать за три месяца культурным человеком? Ха-ха?

— Ха-ха.

Это была хорошая идея для Алисы: она хваталась за любую возможность стать привлекательней (тут Энен случайно нажала на нужную кнопку). Не знаю, врала ли она про свое трагическое молчание. Дома она была очень бойкая, глядя на нее, трудно было поверить, что она *все время боится*, но мы не знаем, что плещется в других людях. Она была чужой среди девочек элитной школы, не знала *их кода* и хотела узнать какой-то другой, быстро и без особых усилий заговорить на чужом языке — вдруг пригодится?.. Это было у Алисы в крови — не *упустить возможности,* использовать все, что попалось на пути.

Это была неплохая идея и для Энен при ее чрезвычайной склонности к игре: разыграть «Пигмалиона», в роли профессора Хиггинса вырастить из *глупого насекомого* принцессу. Ну и, конечно, Энен — профессор Хиггинс собиралась свою Элизу перехитрить, обмануть, научить или хотя бы *подучить*, исподволь тыкая ее носом в прекрасное.

Правда, имелось одно отличие: профессор Хиггинс использовал Элизу Дулиттл как материал для своего эксперимента, он играл в свою игру, Энен же играла в чужую — в качестве материала использовали ее самое. Курс «Как стать интеллигентным человеком за три месяца» придумала Алиса, это она решила получить от профессора Хиггинса все самое лучшее — и быстро!

...— Я составлю список того, что стало обиходным в интеллигентной среде. Ты будешь упоминать Набокова, Джойса, обэриутов... Имей в виду, придется много учить наизусть: по строчке каждого поэта... Бродского *удобно* цитировать, он очень многозначен, к примеру: «В Рождество все немного волхвы» можно во многих случаях сказать... А есть цитаты по конкретному поводу, например, зайдет речь о любовании своим талантом, ты скажешь: «Я гений Игорь Северянин». А вот вчера один мой знакомый сказал: «Это цветы зла в авоське». «Цветы зла» — это Бодлер, авоська — это Хлебников, он носил свои рукописи в авоське.

Энен увлеклась, разыгралась — она могла бесконечно плести ассоциативный культурологический ряд, в котором мы с Алисой пока ничего не понимали.

— Мне уже записывать? Про авоську? — деловито спросила Алиса.

— Ну, запиши, а то вдруг больше не вспомнится: Хлебников заложил основы футуризма, экспериментировал с поэтическим языком, называл себя «председатель земного шара»... Якобсон считает его величайшим поэтом XX века.

— А другие считают? — придирчиво спросила Алиса. — Если нет, тогда мне не надо.

— Алиса! — Энен склонила голову набок, как птица. — Именно что для твоих целей — надо. Ты должна упоминать то, что знают не все, а только интеллектуалы. Например, Есенин для народа, а Хлебников, Введенский, Вагинов — для избранных. Так и в живописи: Шишкин и Айвазовский для народа, а Ларионов, Машков, Григорьев — не для всех. ...Знаешь, это очень непростая задача, чтобы через три месяца ты знала все, что нужно, и еще немного для блеска.

— Поняла: Пушкин для народа, а этот, с авоськой, для избранных. А я буду избранная. Поэты для избранных: Хлебников, Введенский, Вагинов, Ларионов, Машков, Григорьев. Но только чур я буду знать самых главных для избранных, а то я вообще свихнусь учить.

— Ты не поняла. Пушкин для всех, а Ларионов, Машков, Григорьев — художники, — озабоченно сказала Энен.

— Неважно. Важно, что я буду избранная!.. Ну все, договорились?

Стороны договорились к обоюдному удовольствию: Энен читает Алисе курс «Как стать интеллигентным человеком за три месяца», Алиса учит наизусть все что нужно и еще немного для блеска.

— А через три месяца я выведу тебя в свет! И ты будешь рассуждать об искусстве как интеллектуал! И поразишь какого-нибудь умного и талантливого мужчину тонкостью суждений... — Энен даже раскраснелась от волнения. В профессора Хиггинса она еще никогда не играла.

КАК ЭТО БЫЛО

15 ноября 1994 года

Кажется, я влюбился. Нет, совершенно точно влюбился. Думаю о ней непрерывно, днем и ночью. В школе и на работе. Особенно на работе, ведь я там ее увидел. Когда она вошла, как девушка моей мечты, с мокрыми ногами.

Она прекрасна. Особенно шелковые ноги, особенно волосы, светлые и волнующие, особенно глаза, серые и огромные.

Алиса от злости придумывает, что Жанна проститутка. Если бы это было так, Роман не был бы с ней, а они вместе уже три дня.

Когда я читал Скотине «Незнайку», она стояла передо мной в образе Снежинки. И Синеглазки. Она светлая, нежная, как Снежинка, красивая, как Синеглазка (но у Синеглазки на картинке черные волосы), у нее прекрасная душа. Интересно, что важней для моей любви, прекрасная душа или красота? Влюбился бы я в нее, если бы она была некрасива?

Хорошо, что она красивая. Гораздо труднее было бы любить толстую, как Алиса (хотя у Алисы-то не прекрасная душа, а самая обычная). Может, когда любишь толстую, она кажется худой?

Немного отвлекся от любви к Жанне, когда в кастрюле начала скакать сгущенка.

Мы со Скотиной нашли в Куче банку сгущенки шестьдесят пятого года (откуда она там? ни баба Сима, ни баба Циля, никто не оставил бы сгущенку), и я решил ее сварить на плитке на письменном столе. За тридцать-то лет сгущенка уже сама сварилась, и нужно было только немного подварить, полчаса, не больше. Ну и вот, за своими мыслями о Жанне я забыл про сгущенку, вода выкипела, и банка запрыгала в кастрюле.

Пили чай с Энен с вареной сгущенкой. Жанна тоже пришла из спальни на сгущенку. Старался на нее не смотреть, боялся, что выдам себя и свои видения. Какие у нее красивые ноги, и руки, и волосы! Вот только лицо... как отвернусь от нее, так сразу не помню ее лица!

Вообще-то я для нее подваривал сгущенку. Для Энен. Я заметил, что она любит еду. Особенно яичницу и копченую колбасу. Блокада, вот в чем дело: когда видит еду, не может не есть. Как баба Циля и баба Сима, баба Сима в меньшей степени, она иногда может не есть, у нее очень сильная воля.

Энен сказала: многие философы отрицали случайность (например, Спиноза), считали, что все детерминимировано (может, я неправильно помню слово). В общем, что все имеет свою причину, а случайностей не бывает. Энен сказала, что думала про это, когда шла к нам.

Она остановилась на углу Невского и Литейного у кинотеатра «Октябрь» и вспомнила: в сорок третьем году в шесть часов вечера люди выходили из «Октября», и вдруг на перекресток Невского и Литейного попал снаряд. А там в это время были четыре трамвая. Очень много людей погибло, те, кто выходили из кинотеатра, те, кто были в трамваях. Все эти люди не ждали смерти, они просто выходили из кинотеатра или ехали в трамвае. Я хожу там каждый день. Трудно представить, что там трупы, кровь... На углу Невского и Литейного кровь, трупы, и каждый кому-то мама или Ларка.

Энен не вышла из кинотеатра вместе со всеми: она вернулась в пустой зал, потому что забыла там кофту. Это случайность. Если думать, что все на свете случайно — это называется волюнтаризм. Энен сказала, что она больше волюнтарист, чем фаталист, который считает, что все предопределено, так веселей и больше вариантов: всегда кажется, что *вернешься за кофтой*. В смысле спасения.

А в смысле сгущенки меня беспокоит Скотина. Нет, я понимаю: можно не любить вареную сгущенку, как люблю ее я. Но у него плохой аппетит не только на сгущенку — на все, кроме киндер-сюрпризов. Он бледный. В прошлый раз я принес ему гематоген и аскорбинку. Гематоген он съел как шоколадку, а аскорбинку пришлось заставлять. Сегодня опять бледный. У него болит живот. У него часто болит живот.

Оставил записку Роману на письменном столе: «Не дело, чтобы ребенок питался всухомятку. Давайте деньги на одну курицу в неделю, я буду покупать курицу и варить ему бульон».

Но, по-моему, дело не только в животе. Скотину что-то гнетет. Что?

Ночью мне приснился сон. Мне снилась любовь. Сама Жанна там тоже была, ничего не делала, не разговаривала, просто была. Обычно мне снятся конкретные сны, например, что я бегу через мост, падаю и лечу в пропасть (тут я обычно просыпаюсь). Это первый раз, когда мне приснилось чувство. Любовь. А я и не знал, что так бывает.

НА МЕТАЛЛИЧЕСКИХ КРЮЧКАХ

Энен отнеслась к курсу «Как стать интеллигентным человеком за три месяца» со всей серьезностью. Первое, что она объяснила: культурный код — это *что, кто, как, манера* и *просто слова*.

Что: набор сведений, без которых никак не обойтись.

Философские направления (Алисе не нужно читать философов, достаточно уметь упоминать: к примеру, не читая Канта, упомянуть категорический императив и вещь в себе).

Эпохи (Алисе не нужно изучать историю, достаточно знать, что Древний мир, Античность, Средние века, Возрождение и Новое время *были*).

Стили в искусстве (тут уж ничего не поделаешь, Алисе *нужно* знать, как классицизм, барокко, рококо, неоклассицизм и модерн распространяются на литературу и живопись... и архитектуру, хотя бы в Питере, на случай если она познакомится с *умными и талантливыми мужчинами* на улице и захочет блеснуть).

Что касается живописи, Энен назвала для обязательного выучивания: маньеризм, постимпрессионизм, фовизм, примитивизм, академизм, кубизм, но когда Алиса взвыла «к черту измы!», признала, что увлеклась и это будет *немного чересчур,* но вот сюрреализм — *обязательно.*

Кто — тут придется тупо зубрить. Алиса ведь хочет стать избранной, а не ограничиться знанием «русский писатель, который написал три романа на «О». И не дай бог спутать одного Алексея Толстого с другим Алексеем Толстым, забыть, что Набоков и Сирин — один и тот же писатель, — это *провал.* Алиса будет как Штирлиц в тылу врага: одно неверное слово, и провал.

— Писателей и так слишком много, а некоторые еще имеют по две фамилии! — возмутилась Алиса.

— А у некоторых сложные фамилии, придется заучивать по слогам: Фейхт-ван-гер, Тек-ке-рей, а некоторые художники звучат почти одинаково, не спутай Мане с Моне, ван Эйка с ван Дейком — это провал.

Как — это самое сложное. Потому что язык, на котором разговаривают интеллигентные люди, к числу которых через три месяца будет принадлежать Алиса, — это набор литературных ассоциаций и аллюзий. *Интеллигентный* человек, не задумываясь, говорит «тургеневская девушка», «набоковская нимфетка» и «женщина бальзаковского возраста», «шекспировские страсти», «викторианские ценности», «ницшеанство», «кафкианское зло», «прустовский психологизм» и, конечно, «прустовские мадленки». Но ничего, Алиса научится.

— К примеру, зайдет речь о темной стороне личности, и ты многозначительно скажешь: «Да это же мистер Хайд и доктор Джекил»... А если скажешь «доктор Хайд и мистер Джекил» — это провал!..

Как — это самое трудное, и этому Энен уделит много времени.

Теперь *манера*. Важно не только *что* и *как* упоминать, но и *манера*. Тон, интонация. Энен научит Алису *упоминать в правильной манере*, чтобы все думали: Алиса из хорошей семьи, из культурной среды. Происхождение трудней всего имитировать. Алису же интересует *происхождение*?

Ну, и наконец *просто слова*. Каждый раз Энен будет давать список слов, которые Алиса должна заучивать. Какие слова? Умные. «Дискурс», «эстетизация», «контекст» и другие.

Кстати, о контексте. Я слушал Энен, как слушают прекрасную музыку (если бы я *любил* музыку): никто до нее не говорил так со мной или при мне. Любая фраза учителей или родителей всегда означала что-то одно — только то, что они говорили. Когда дядя Сеня с тетей Шурой говорили «пирог сегодня удался», это означало только одно, и когда они говорили: «Семнадцать мгновений весны» — хорошее кино», это тоже означало только одно... У всего был *один* смысл, уровень абстракции в разговоре был на нуле. Все, что говорила Энен, имело два смысла, а то и больше. Иногда контекст был нам понятен (сравнение «Алиса в хорошем обществе» и «Штирлиц в тылу врага» было нам понятно), а иногда нет, разгадывать чужой язык было словно искать спрятанную вещь — горячо, холодно, нашел!..

...Это было так или приблизительно так.

— Начнем с самого простого — с оперы, — сказала Энен с охотничьим блеском в глазах.

— Опера?! Оперу тоже нужно?! Про оперу мы не договаривались! Опера-то при чем?! — всполошилась Алиса. — А можно оперу откинуть? Кто вообще ходит на оперу?!

— Оперу нельзя откинуть, как макароны на дуршлаг. Пиши: нельзя говорить «кто ходит на оперу?». Нельзя сказать «я ходила на оперу» или «я смотрела оперу», это провал. Оперу слушают. Повторяй за мной: я слушала «Набукко», мы слушали «Евгения Онегина», они слушают «Кармен»...

Алиса повторила:

— Я, мы, они...

— Никогда не говори «я слушала оперу Вагнера», это провал! Что-нибудь одно: «я слушала Вагнера» или «я слушала «Набукко»». И никогда — запиши, никогда! — не говори «я слушала «Набукко» Верди». Все и так знают, что «Набукко» — Верди, «Евгений Онегин» — Чайковский, «Кармен» — Бизе... То же относится и к литературе, не вздумай сказать: «Три мушкетера» Дюма, или «Три товарища» Ремарка, или «Великий Гэтсби» Фицджеральда, — это провал, потому что все знают, кто автор.

Алиса отшвырнула ручку, закричала:

— А-а-а! Как мне все это запомнить?! Может, мне еще надо знать, кто какую оперу написал?! Композиторы!.. Хрень, хрень, хрень! — И Энен посмотрела на нее с радостью, ведь Элиза Дулиттл должна была вопить и топать ногами, а чем больше игры, тем лучше.

— Хорошо. Есть один ход, — успокаивающим голосом сказала Энен. — Самое удобное для тебя — любить Вагнера. ...Да, пожалуй, ты не признаешь никого, кроме Вагнера.

127

Алиса взяла ручку, приготовилась записывать.

— Это круто — любить Вагнера? Вагнер — самое крутое?

— Да, самое крутое — любить Вагнера. Выучишь названия опер, и дело в шляпе. Пиши: «Тангейзер», «Лоэнгрин», «Золото Рейна», «Тристан и Изольда», «Зигфрид», «Гибель богов», «Парсифаль», «Валькирия», «Нюрнбергские мейстерзингеры»...

— Нюрберг — что? Мейтер — что?.. Ну нет. Это мне не выговорить.

— «Мейстерзингеров» вычеркни. Нет ничего хуже, чем запнуться... Для некоторых становятся испытанием даже простые слова, например, «экзистенциальный».

— Подумаешь, это как раз нетрудно! Экзистетенценцинальный. ...А я вот что думаю — зачем мне вообще знать названия опер Вагнера?.. Я люблю Вагнера, и все.

— Тебе нужно знать оперы Вагнера, чтобы знать, какие оперы *не Вагнера*.

— Поняла... А то кто-нибудь скажет «я слушал "Три поросенка"», а я в ответ «да, мой любимый композитор — Вагнер». Это провал.

— Алиса! Нельзя говорить «мой любимый композитор — Вагнер»! Это наивно, простонародно, все равно что сказать «мой любимый поэт — Пушкин». Ты должна уметь произнести *умную фразу*. ...Знаешь что? Мы будем называть такую фразу «пароль», ведь это твой пароль для того, чтобы войти в приличное общество... Я диктую пароль, ты выучиваешь.

— И дело в шляпе?

— Да. ...Так, ты можешь сказать: «Я, как Оскар Уайльд, Вагнера предпочитаю всем...» Или: «Вагнер лишает меня дара речи...» Небрежным тоном, как будто ты потрясена и утомлена. ...Хотя от Вагнера *можно* устать.

Алиса записала «Вагнер лишает меня дара речи», Энен удовлетворенно кивнула, все происходящее доставляло ей большое удовольствие.

— У меня вопрос: а если меня вдруг занесло на оперу и я подсмотрела в программке, что эту оперу написал *не Вагнер*. Что мне сказать в антракте?

— Молодец, соображаешь, — похвалила Энен. — ...Ну если тебя занесло, к примеру, на Верди... Пиши пароль: «Я, *конечно,* люблю хоры Верди, но в целом Верди звучит для меня слишком сладко». На место Верди можно подставить Моцарта, Пуччини, Россини.

Алиса записала: «Верди, Моцарт, Пуччини, Россини и др. для меня слишком сладко».

— Прямо так и сказать: «Слишком сладко»? Как вообще музыка может быть сладкой?.. А если мы будем долго сидеть в буфете и обсуждать оперу, что мне сказать?

— И музыка, и живопись может быть сладкой и даже приторной... Что тебе сказать в буфете?.. В буфете скажешь: «Я предпочитаю раннее барокко, к примеру, Пёрселла. Но, конечно, я имею в виду «Дидону и Энея», а не его инструментальную музыку».

Алиса мечтательно улыбнулась:

— И все обалдеют! Надо же, Пёр-селл... Ну что, с оперой все?

— Почти. Как мы поступим с Чайковским?.. А давай так... Пиши: «Я не любитель русской оперы... Не уверена, что Чайковскому вообще нужно было трогать Пушкина».

— *Как* трогать Пушкина? — хихикнула Алиса.

— Алиса! Пушкин — это святое.

Алиса записала: «Пушкин — святое», радостно подрыгала незагипсованной ногой, отбивая ритм по дивану «Я зна-ток о-пе-ры...» и вспомнила:

— Ой, есть же еще балет... А можно без балета?

Энен призадумалась. С оперой она расправилась мгновенно, ей не терпелось приступить к живописи и литературе, а тут еще балет...

— Можно, — разрешила Энен. — Пиши: «Я не по этой части» или «Я не друг балета», звучит, по-моему, крайне глупо, но все с пониманием кивают... Вот что я думаю: может быть, нам сразу же разобраться с музыкой?..

Алиса скорчила гримаску — спасите-помогите, можно без музыки? Энен скорчила гримаску — мне жаль, но без музыки никак.

И в этот момент раздался крик. Кричали на лестничной площадке.

Крик продолжался минуту или две, Энен и Алиса испуганно смотрели на меня, Алиса шепотом сказала: «Там кого-то убивают», Энен шепотом сказала: «Сидим тихо, а то нас убьют, как свидетелей», Алиса сказала: «Нужно позвонить папе», Энен сказала: «Нужно вызвать милицию». Скотина сказал: «Я сбегаю посмотрю в глазок», Энен сказала: «Иди лучше ко мне», и он быстро шмыгнул к ней, взял ее за руку и зажмурился.

Мне и самому не меньше Скотины хотелось прижаться к Энен: там, на лестничной площадке, преступник, а она *взрослая*... Но она была не взрослая, а старая, так что пришлось мне идти в прихожую, по дороге вооружившись топором. Топор почему-то всегда стоял в коридоре, как будто хозяин дома каждый день выходит на Невский нарубить дров.

...Вернувшись, я сказал: «Там никого нет». Энен беспокойно спросила: «Точно никого нет?.. Но что это было?» и тут же по ассоциации пробормотала: «Я шел зимою вдоль болота в галошах, в шляпе и в очках. Вдруг по реке пронесся кто-то на металлических крючках. Я побежал скорее к речке, а он бегом пустился в лес. К ногам приделал две дощечки, присел, подпрыгнул и исчез. И долго я стоял у речки, и долго думал, сняв очки: "Какие странные дощечки и непонятные крючки!"» ...Автор должен был бы удивиться *целому*, а он удивляется деталям. Здорово, супер!»

— Точно никого нет, ты уверен? — переспросила она. — Ну, тогда вернемся к музыке. ...Алиса, запиши пока, на первое время: твои любимые композиторы — Шопен и Рахманинов, еще ты любишь «Неоконченную симфонию» Шуберта... Почему ты не любишь *оконченную*? Потому. ...Так, дальше — ты любишь джаз двадцатых. Пиши: Луи Армстронг, Джимми Мак Партланд, Бенни Гудман, Арт Ходес... Как ты поймешь, что играют джаз? Возьми да послушай, а то спутаешь с «Ромашки спрятались» — это будет провал... Кстати, запиши — это важно! — в отличие от музыкантов, писателей *нельзя* называть по имени. Не вздумай сказать «"Обрыв" *Ивана* Гончарова» или «я читаю *Оноре* де Бальзака».

— Почему?

— Потому что это — Штирлиц никогда не был так близок к провалу. ...Хотя некоторых писателей принято называть по имени: Майн Рид, Джек Лондон, но о них речь в обществе не зайдет... А вот еще — Генри Миллер, вот о нем речь в обществе *зайдет*...

— Почему все так сложно?.. — мрачно сказала Алиса.

— Да, непросто, — миролюбиво признала Энен. — Запиши: «Тропик Рака» — скандальный роман, написан после Первой мировой войны. Первая мировая — это не Великая Отечественная, это *другая* война... В романе эротизм — это не эротика, эротика в клубе... Еще запиши: Гертруда Стайн...

На Гертруде Стайн Алиса тихо ушла под плед. Из-под пледа вежливо сказала:

— Извините, но ничего не выйдет. Я больше не хочу. Я от оперы уже охренела, а тут еще Гертруда... Я не справлюсь. Нормальный человек *не может* все это знать.

— Но я ведь не имела ее в виду как писателя модернистской школы, — обиженно сказала Энен, — только как друга писателей потерянного поколения — Хемингуэя, Фицджеральда, Томаса Элиота, как друга Пикассо и Матисса... — Из-под пледа раздалось злобное шипение, и Энен пошла на компромисс: — Хорошо-хорошо, Гертруду Стайн не нужно, будем считать, что с Гертрудой Стайн я погорячилась.

Алиса молчала.

— Вылезай, вылезай скорей... Мы что, больше не играем? — беспокойно, с плохо скрытой обидой сказала Энен.

Это было так или приблизительно так. Возможно, я забыл какие-то детали, но ничего не сочинил, да и как бы я мог придумать *урок оперы*, для этого нужно неплохо разбираться в предмете, а я за всю жизнь был в опере два раза, по стечению обстоятельств оба раза на Вагнере, и оба раза Вагнер *лишил меня дара речи*, в том смысле, что я крепко спал.

КАК ЭТО БЫЛО

Неизвестно какой день 1994 года

Не на всех моих записках проставлены даты, поэтому, чтобы быть точным, дальше будет без дат.

Алиса кричала на Жанну с дивана.

— Не ори! Не ори! Не ори, тебе говорят! — кричала Алиса с дивана. — Еще раз заорешь, я тоже начну орать, посмотрим, кто громче, — а-а-а!

Алиса ничего не боится, никого не стесняется, хочет кричать и кричит — а-а-а! Может, она врет, что в обществе (в школе), наоборот, всех боится, всех стесняется?

— Ты... я к тебе обращаюсь, — сказала Алиса, — прекрати орать. ...Что молчишь, как дура?! Я *тебе* говорю — прекрати орать!

Но ведь это Алиса орет, а Жанна молчит. Жанна похожа на бабочку в своем чем-то ярком шелковом, как будто прекрасная бабочка порхает по комнате. Жанна — прекрасная бабочка, а Алиса — толстая гусеница. Алиса толстая, орет, а у Жанны улыбка как туман, нежная и витает по лицу.

Жанна повернулась и улетела. То есть ушла в спальню. Если бы Алиса могла встать, она погналась бы за Жанной, но Алиса не могла, поэтому она в злобе била кулаком по дивану. Кричала:

— Не ори! Не ори, дура, не ори, дура, дура, дура!

Я сказал:

— Ты что, рехнулась? Это ты орешь, а она молчит.

— Она молчит?! Она орет, как помойная кошка! Вот так: «А-а-а!» И еще так: «О-о-о!.. Р-р-р!» ...Кастрировать ее надо!

Ох, вот что Алиса имела в виду: Жанна ночует у них и каждую ночь кричит.

— ...Зачем она орет? Не понимаешь, зачем она орет? Ха. ...Чтобы показать папе, как ей с ним хорошо. Чтобы папа подумал, что она — ах, такая страстная. ...Эй, ты чего покраснел? Ты что, не можешь говорить о сексе?.. Ну, ты как ребенок прямо...

Я не как ребенок! Никакой я не ребенок. Я *могу* говорить о сексе. Если надо. Но лучше не про Жанну.

— Ты что, думаешь, ей и правда так хорошо, чтобы *так* орать?.. Да врет она все! Притворяется. Я точно знаю.

Я хотел прекратить этот порочащий Жанну разговор. Но не смог.

Не захотел, если быть честным. Как будто во мне сидели два разных человека, одному было стыдно, а другому было наплевать, что стыдно: он хотел разговаривать про секс и про Жанну.

— Ты не можешь *точно* знать, что она притворяется.

— Почему не могу? Могу... Знаешь, сколько тут женщин было? Много. И никто не орал на весь дом. ...А как люди занимаются сексом в маленьких квартирах, с детьми? Они же не орут на весь дом! Не бывает таких темпераментов, чтобы человек не мог сдерживаться. ...Я тут совершенно одна, беспомощная, лежу без... без... безвылазно... Лежу, засуну голову под подушку и лежу, а там знаешь как душно. Я высунусь обратно, но она все еще орет. ...Она хочет его к себе привязать... моего папу.

Алиса еще раз показала, как кричит Жанна, это был нечеловеческий крик тигра или льва. Такой же, как я однажды слышал в зоопарке. Такой же, как был на лестничной площадке, когда мы все испугались, что кого-то убивают. Я ведь тогда соврал, что там никого не было. Там было...

Я уже которую ночь не могу заснуть, перед глазами это. Ну, это.

То, что я видел на лестничной площадке. Роман и Жанна.

Это рука судьбы, что на площадку вышел я, а не Алиса. Хотя Алиса не могла, она же в гипсе.

Тогда это рука судьбы, что это был я, а не Скотина. Он же ребенок!

Почему Роману нужно было делать это с Жанной на подоконнике на лестничной площадке, ведь кто-то мог проходить мимо и увидеть? Я открыл дверь, увидел их, это было как ожог! И в ту же секунду захлопнул дверь.

И вернулся в комнату. Сказал, что в старых домах звук распространяется особым образом и от этого получаются звуковые галлюцинации, это закон Гольденбранца. Гольденбранца-то я придумал на ходу. Энен поверила и успокоилась, Алиса тоже, она вообще испугалась меньше Энен. А Скотина совсем не испугался; получается, страх зависит от возраста, чем старше человек, тем больше боится: знает, что плохое *может* случиться.

Когда Роман с Жанной пришли, Роман мне подмигнул. Я надеялся, что они меня не видели, но оказывается, вот как получилось — он меня видел. Но ему совсем не стыдно.

Почему ему не мучительно стыдно? Ведь я видел его в тот момент, когда человеку хочется побыть одному, то есть вдвоем. Из некоторых источников во дворе я знаю: мужчины *могут* не стесняться друг друга. Но я думал, это бывает только в дворовом хвастовстве, а не в нормальной жизни. А я совсем не мог на него смотреть.

В голове у меня все время вертелось: «Какие странные дощечки и непонятные крючки». Эти странные дощечки и непонятные крючки очень подходят, когда ты ничего не понимаешь и переживаешь. Если повторять много раз с разными выражениями, почему-то помогает. Особенно так: «КакИе стрАнные дощечки...» А потом как будто задуматься, пожать плечами и добавить: «...И непонятные крючки...»

Алиса не знает про сцену на подоконнике. Это хорошо, нельзя ей про это знать, он же ее папа. Ну, а мне-то что делать? Как мне теперь любить Жанну?

Решил, что все равно буду ее любить: а как жить без любви? Жанна расколола мое сердце, как грецкий орех, мое сердце выскочило из скорлупы и начало любить. Мне теперь оказаться без любви — это как будто все вокруг стало без цвета и запаха (девочка из Сиверской не в счет, детство не в счет).

У меня перед глазами все время это... то, что я видел. Очень трудно отвлечься, невозможно. Я про это думаю, а мое тело делает что хочет, даже если находится на работе. Я боюсь, что это может вдруг стать заметно.

Встречу ли я когда-нибудь девушку, которой будет так хорошо со мной, что она вдруг возьмет и закричит? Но что я почувствую, если она *вдруг* закричит нечеловеческим голосом? Не испугаюсь от неожиданности? Почувствую благодарность за то, что ей со мной так хорошо, и вообще за то, что она со мной? Хорошо бы это произошло там, где хорошая звукоизоляция. Но где?

До часу ночи представлял, что эта девушка — Жанна. Про остальное умолчу. Посреди ночи пришлось красться в ванную стирать, затем стелить обратно мокрую простыню.

После часу ночи думал о работе. Скотина сквернословит. Вчера спросил: «А у меня рыло симпатичное?» Называет какого-то одноклассника «мешок с дерьмом, говноед, мерзкая харя». Про домашнюю работу по русскому сказал: «х...я». Думаю, нужно ввести систему штрафов. За каждое ругательство будет... что? Еды его нельзя лишать, он и так плохо ест. Прогулок тоже нельзя лишать, он и так бледный. Можно было бы лишать Скотину сладкого, но Роман перестал покупать конфеты, все надеется, что Алиса похудеет, а она не худеет, и под подушкой у нее всегда шоколад — откуда она его берет, подкупает домработницу?

Придумал: с зарплаты куплю кулек карамелек и буду лишать Скотину по одной карамельке в день. По одной за просто ругательство, за мат буду лишать трех карамелек.

Но ведь ребенок сквернословит не просто так! Меня не оставляет мысль, что Скотину что-то гнетет. Где вообще Скотинина мать?

Потом думал о своей жизни. Мои планы стать интеллигентным человеком под угрозой: не слишком ли это сложно? Как, например, я смогу переслушать все оперы?

А ведь еще балет!

И музыка.

Ох, а ведь есть еще театр.

Может быть, остаться самим собой?

Я ПОБЕЖАЛ СКОРЕЕ К РЕЧКЕ

— Кажется, мой план накрылся медным тазом, — сказала Алиса.

Алисин план стать *как бы* интеллигентным человеком, как и мой — стать *настоящим* интеллигентом, потерпели фиаско, накрылись медным тазом. Или, если считать, что надежда еще оставалась, наши с Алисой планы *терпели* фиаско, *накрывались* медным тазом. Мы с Алисой еще не окончательно обломали себе зубы о прекрасное, но уже поняли: у нас не получится. Ну, не сможем мы быть как Мариенгоф, и точка!

Алиса думала, что Энен будет диктовать ей пароли, я думал, что Энен будет читать нам лекции, она и сама, вероятно, думала, что будет читать нам лекции.

— Эпикурейцы беседовали лежа... — сказала Энен и прилегла на диван. — В школу Эпикура принимались и женщины, и рабы, — представляете, это в триста шестом-то году... до нашей эры, конечно. На воротах школы была надпись: «Гость, тебе здесь будет хорошо; здесь удовольствие — высшее благо». Мы тоже будем беседовать лежа... Давайте назовем себя «новые эпикурейцы на Фонтанке»?.. У эпикурейцев была вкусная еда и вино, это делало их счастливыми не меньше, чем искусство и приятная беседа...

— Шоколадка, бутерброд, — добавила Алиса.

— *Тебя* сделает счастливой умеренность в еде, — строго сказала Энен. — Сейчас Петр Ильич нальет мне бокал вина, и начнем лекцию.

Строго начав разговор *как лекцию*, она могла ускользнуть в сторону за своими ассоциациями, начав с Фомы, с легкостью оказывалась у Еремы, как если бы лектор начал свою лекцию с анализа дифференциального уравнения, закончил бы анализом «Слова о полку Игореве», а в середине рассказал бы о своих анализах крови и поинтересовался вашими.

Начали с живописи.

...— А что проще, живопись или философия?.. А вы не забыли, что мне не нужно ничего знать? Вообще ничего, только пароли, чтобы быть принцессой в хорошем обществе... не забыли?.. — подозрительно спросила Алиса. — Знаете, что я подумала?.. А если меня вдруг занесет в музей? Что мне говорить про картины? Сказать: «Это хорошая картина»?.. А если я не знаю, кто ее нарисовал?

— Фу! Нельзя!.. — крикнула ей Энен, как собаке. — Не говори «нарисовать картину»! Картины не рисуют, а пишут. «Хорошая картина» можно сказать только иронически. Не говори «Кто написал эту картину?». Если тебя вдруг занесет в музей, подойди к картине поближе, сделай вид, что хочешь рассмотреть детали, и быстренько прочитай на табличке автора и название. И скажи:

«О-о, вот и Рембрандт» или «Какой необычный Рембрандт, я не сразу узнала». ...Но кое-что все-таки нужно узнавать: нельзя сказать, что не сразу узнала «Возвращение блудного сына», это все равно что не узнать Венеру Милосскую.

Алиса записала: «Как узнать Венеру Милосскую? Она без рук».

— Ладно, давайте пароль, что нужно говорить в музее, и будем считать, что с живописью все.

— Пароль... Ну, пиши пароль: «Смотрю на эту картину и вспоминаю Платона — “каждой душе соответствует своя звезда...”».

— На какую картину?

— На любую. Ты смотришь на *любую* картину и вспоминаешь Платона.

— Поняла, для всех картин один пароль. А меня не спросят, кто такой Платон? А если спросят?.. А почему у нас идут вместе картины и философия?

— Потому что ничего не бывает *отдельно*. Культурный код — это *все вместе*. Поняла?

— Нет. Ни фига не поняла.

Начали еще раз, с философии.

...— Платон считал, что душа состоит из трех частей: разумная часть в голове, и две неразумные: благородная, это воля, — в груди, и неблагородная, страсти и инстинкты, — в желудке. Платон считал, что душа бессмертна. ...Аргументы Платона в пользу бессмертия души до сих пор выглядят очень утешительно. Платон разделял действительность на мир идей и мир вещей. Идеи существуют отдельно от вещей. Представьте: идея курицы возникла раньше курицы... Правда, интересно?

— Пароль? Пароль на Платона какой?

— Пиши пароль: «Это воплощение платоновской теории мира идей и мира вещей», — хорошая фраза, годится для всего: для картины, для книги. Произносить задумчиво.

Алиса записала: «Задумчиво».

— Много там еще философов?

— Где там? Следи за речью — это *важно*. ...Аристотель. Вот вы думаете, что есть просто любовь, и все, а Аристотель считал, что есть разные виды любви. Агапе — это жертвенная любовь, когда вы ничего не требуете взамен за свое чувство (у меня так не было, меня так любили, а я нет, никогда); людус, любовь-игра, тут главное — сексуальное влечение (у меня так было); эрос — это не про то, что вы подумали, это преданность, а уже потом секс; мания — это сплошная истерика, страсть и ревность, и прагма — когда человек любит для жизненного удобства (у меня так было)... А-а, да, еще сторге — любовь-дружба, хороший вид любви, но через некоторое время может стать скучно (у меня так было).

— Расскажете подробно?.. Когда потом? Ладно, потом. ...Давайте пароль на Аристотеля.

— О-о, вот тебе очень хороший пароль: «Этот роман... в скобках «картина, стихи, музыка, здание» напоминает спор Аристотеля и Платона. Автору... в скобках «писателю, художнику, композитору, архитектору и даже *политику*» ближе платоновская иллюзорность, чем реальность Аристотеля». После того как ты это скажешь, никто не задаст тебе ни одного вопроса. Только подумают: «О-о!..»

— О-о... — довольно повторила Алиса. — О-о!.. А при чем здесь политики?

— Вдруг тебя занесет в высшие эшелоны власти, — усмехнулась Энен. — Но, если серьезно, умные и талантливые мужчины *разговаривают о политике*, ты должна уметь поддержать любой разговор. Ты скажешь: «Мне близка платоновская идея идеального правового государства». Произносить серьезно или иронически, в зависимости от твоего мнения о положении дел.

— Откуда у меня мое мнение? Откуда мне знать положение дел?

— А-а, да... Ну, эта фраза подходит к любому положению дел. Это все.

Алиса обрадовалась, но оказалось, это было не *вообще все*, а означало лишь, что Энен покончила с государством и перешла к вопросу о душе.

— ...Нет, не все. Платон и Аристотель по-разному подходили к вопросу о бессмертии души. ...Кто из вас верит, что душа бессмертна?

Вот мы, новые эпикурейцы на Фонтанке: Алиса с задранной вверх ногой, на розовом диване, Энен с бокалом вина на зеленом, я на красном, Скотина разлегся на письменном столе со своими бегемотиками, — беседуем о бессмертии души.

— Я!.. А у меня точно есть душа?.. — сказал Скотина и, поежившись, добавил: — Мне один мальчик в школе сказал, что я *тоже* умру... Страшно, ешкин кот!..

Энен на секунду призадумалась.

— А чего бояться?.. Нечего бояться. Эпикур сказал: «Когда мы живы, смерти еще нет, а когда смерть наступает, то нас уже нет». А я думаю: мы там есть, и там интересно.

— Как будто отправился развлекаться? — хихикнул Скотина.

— Ну да. Когда я отправлюсь развлекаться, я тебе оттуда помашу...

Алиса мрачно сказала:

— А вот моя мама говорила... — И замолчала. И мы молчали, думали об умершей матери Алисы, и Энен, как и я, не решалась заговорить. — Чего это у вас такие лица? — удивилась Алиса. И захохотала. — Эй, вы что, оба думаете, что моя мама умерла? А-а, вы же не знаете, откуда я тут, у папы... Расслабьтесь, все живы-здоровы. Мама мне говорила, что папа умер, а потом — раз, и папа! Папа приехал в Москву по бизнесу и заодно забрал меня, дал маме денег и выкупил меня... Забрал меня вообще без вещей, мы с ним поехали и все купили, папа покупал как сумасшедший: и одежду, и сумки, и туфли. Я всю жизнь знала, что она врет: ребенку всегда врут, что его папа умер, а на самом деле ребенок ему не нужен. А я папе нужна, я для папы самый главный человек. ...А потом он выменял Скотину на диван.

— И два кресла, — пояснил Скотина. — Дал маме диван с креслами, а взял меня... Я папу вообще не знал, пока он на меня не поменялся.

Я понимал, что Роман, Алиса и Скотина не всегда были вместе, но сейчас, когда все это *прозвучало* — две мамы, у которых выкупили детей, — эта семья, казавшаяся странной, но упорядоченной, вдруг предстала просто случайным скоплением людей.

— Мой папа, он... Знаете, сколько нужно разных качеств, чтобы стать первым миллионером в городе? — Алиса нежно улыбнулась. — Что вы так смотрите? Думаете, почему его раньше не было в моей жизни? Он мне сказал, объяснил... я могу объяснить... Что вы так смотрите?

— Давайте поговорим об интересном... — предложила Энен. — Зинаида Гиппиус, когда ее знакомили с кем-то, спрашивала: «А он любит говорить об интересном?»...У нее есть еще одна хорошая фраза, запиши: «Если надо объяснять, то не надо объяснять».

Должно быть, Энен посчитала неприличным выспрашивать Алису за спиной Романа, а может быть, ей было не *интересно*, а может быть, ей уже не нужно было *объяснять*.

Ну, как-то так это было.

...— Мое дело маленькое: вы говорите, а я записываю, то-се, пятое-десятое, — сказала Алиса.

— Фу! Алиса! Пошло! Ты же хочешь выглядеть интеллигентным человеком!

— А как говорит интеллигентный человек? Дайте пример.

— Пример? — Энен задумалась. — Ну... как Мариенгоф. Это так прекрасно, что я наизусть помню. ...Вот: «Шел я как-то по Берлину... Город холодный, вымуштрованный, без улыбки. Это я говорю не о людях, а о домах, о фонарях, о плевательницах». Или: «У очень тоненькой гимназисточки было слишком много черных глаз и слишком мало носа». И еще: «Интеллигентная селедочка, жизнеутверждающий батон».

— Ну и где тут собака зарыта?

— Где тут хунд беграбен, как говорил Савва Игнатьич из «Покровских ворот»? Тут секрет в сочетании несочетаемого. ...Пиши, Алиса: «Мариенгоф — поэт-имажинист, близкий друг Есенина, автор роман "Циники"». ...Помнишь, я говорила, — нужно знать то, что не все знают. Вот тебе — Мариенгоф. Бродский назвал «Циников» лучшим русским романом.

Алиса записала: «"Циники" — лучший русский роман», спросила, нужно ли ей записать, кто такой Бродский.

— О-о, — пропела Энен, — о-о, Бродский — это отдельно, «скорее с Лиговки на Невский, где магазины через дверь, где так легко с Комиссаржевской ты разминулся бы теперь, всего страшней для человека стоять с поникшей головой и ждать автобуса и века на опустевшей...»

— С Лиговки на Невский? Это мне не надо, — перебила Алиса, — ленинградское мне не надо. У меня своя цель. Я ведь хочу не в Питере быть культурным человеком, а повсюду.

— Ты, капустная кочерыжка! Я побью тебя мётлой!..

Скотина вскочил, схватил лежащий в углу комнаты веник, подал Энен.

— Спасибо, Алексаша... Не бойся, Алисища, я пока не собиралась тебя бить... Метла — это из «Пигмалиона». И вот еще оттуда: «Что может быть прекрасней, чем полностью изменить человека, преодолеть пропасть, которая разделяет людей на классы?..»... Эй, вы все, кроме Алексаши, запишите умные слова: «генезис», «дискурс», «нарратив», «реминисценция».

Алисища совсем приуныла, и я тоже...

Я не хотел, как Алиса, уметь *говорить*, я хотел знать, но даже *говорить* оказалось неподъемной глыбой: как отличить пошлое от непошлого, как сочетать несочетаемое, как запомнить умные слова? Я записывал умные слова на перфокарты, как будто учу иностранный язык, и раскладывал дома по ходу следования: просыпаешься — на стуле с одеждой «аллюзия — это намек на литературный или исторический факт», чистишь зубы — на зеркале «пример коннотации: лиса — хитрость», однажды мама вытащила из мешка с картошкой карту, на которой было написано «примеры дежавю в поэзии Бродского».

Опера, живопись, архитектура... Энен сказала мельком: «Тут всего-то ничего: Эрмитаж — барокко, Таврический дворец — классицизм... Выйдите на балкон и оглянитесь: Аничков дворец — ампир, дворец Белосельских-Белозерских — эклектика... Дом книги — модерн, сталинские дома — сталинский ампир, хрущевки — минимализм... всего-то».

Всего-то ничего, а впереди у нас литература... Нужно ли *все* читать? Или кое-что можно не читать, к примеру, «Гаргантюа и Пантагрюэля», — просто знать, что Гаргантюа был обжора? ...Джойс, Пруст, Набоков — я заглянул на первые страницы, это же *скучно*... А еще нужно любить что-нибудь свое, изысканное (Энен предложила Тэффи, Аверченко, Мариенгофа), отдельно любить Бродского. Литература — это *очень много*. Вот если бы можно было прочитать все главное в *одной* книге и она была бы *не толстая*...

Энен просила нас придумать предложения с *умными словами*, чтобы умные слова устроились в нашем сознании основательно, а не безбилетниками на чужих местах, но у меня плохо получалось приладить умные слова к своей жизни. Я хитрил, уверял, что «У меня какая-то реминисценция...», или «Вот такая у меня аллюзия...» — это *предложения*, но Энен заворачивала меня презрительным движением маленькой сухой руки — нет!

У Алисы выходило лучше, чем у меня, она сочиняла что-то вроде «Прокрастинация — это когда я смотрю телик вместо домашки по алгебре» или «В моем генезисе есть мой папа, поэтому я на него очень похожа». Энен довольно говорила:

— Неплохо, но лучше бы о чем-то абстрактном... Ну, теперь пиши пароль: «В генезисе московских концептуалистов есть супрематизм...» Отметь себе: супрематизм — Малевич; Малевич — «Черный квадрат»; московские концептуалисты — художники семидесятых... А что, современных художников тоже нужно знать: Кабаков, Булатов, Комар и Меламид...

— Зачем мне художники семидесятых, кто их вообще знает?! — взвыла Алиса.

— Ты ведь хочешь быть модной девушкой? Тебе ведь нужно все самое лучшее?.. Это — модно. Это — *самое лучшее*.

Ну, и как было не очуметь от всего этого? Все, что мне нужно было прочитать, посмотреть, научиться узнавать, цитировать, все это было *огромное*... Я чувствовал себя букашкой перед слоном: укусить можно, съесть — нет.

И я все время останавливался на этом тернистом пути становления интеллигентом и задумывался — а может, ну нафиг?

КАК ЭТО БЫЛО

Встречал папу у вагона. Вдруг увидел его со стороны: некрасивый, но сразу понятно, что хороший, похож на профессора Плейшнера, когда тот заметил цветок на окне и понял, что сейчас его убьют...

В руках две огромные клетчатые сумки, еще одну сумку пихает ногой впереди себя. Проводник сказал ему: «Ну ты, челнок, поаккуратней», папа сказал: «Простите, пожалуйста».

Шли с папой по вокзалу, ехали в метро, потом на автобусе, с клетчатыми сумками, как два челнока.

Папа рассказывал про Варшаву, про Старый город, Королевский дворец, — дворец построен совсем недавно, а кажется старым. И вдруг сказал: «Тебе неловко со мной идти?»

Я чуть не умер со стыда. Я думал, что это незаметно.

Я хотел объяснить, что стесняюсь не папу, а идти с этими чертовыми сумками. Но не смог. Не могу я говорить о том, что я чувствую! Может быть, папа и так поймет? Он ведь и сам стесняется. Он говорил маме (стенки-то у нас тонкие): «Это позор, я же не спекулянт, я инженер». Мама сказала: «Ты *бывший* инженер, а люди с одной поездки привозят сто долларов». Папа повез в Польшу бензопилу «Тайга» и краны, а обратно — что купит.

Когда мы пришли домой, папа сказал: «Представляете, я чуть не погорел».

Оказалось, на границе их всем вагоном забрали и стали разбираться, где чьи вещи. Папа испугался, потому что вроде бы теперь статьи за спекуляцию нет, но мало ли что. Папа сказал, что ездил посмотреть Варшаву, и его отпустили. Мама сказала: «Молодец! Это все твой интеллигентный вид».

Мама была рада: посчитала, что на Апраксином рынке продаст французскую посуду из коричневого стекла и детские костюмчики за приблизительно сто долларов.

Папа рад, что он кормит семью.

Ларка рада, что папа привез ей платье. Платье зеленое, Ларка в нем как змейка.

Мама сказала:

— Если ты захочешь понравиться мальчику, повернись к нему спиной, ты в этом платье очень хороша со спины. Когда ты была маленькая, мы думали, ты будешь самая красивая в семье, но самый красивый в нашей семье Петька.

Ларка сказала:

— Я тебя ненавижу.

Мама сказала:

— Не понимаю, что я такого обидного сказала. Почему ты хочешь испортить праздник, почему тебе всегда надо все испортить, почему ты стала такая трудная...

Обе они стали трудными и становятся все трудней и трудней!

Например, мама говорит: «Убери свои вещи из прихожей». Ларка ни за что не выполнит просьбу сразу, она говорит: «Потом».

— Почему потом? У тебя любимое слово «потом»!

— Сейчас у меня дела.

— У тебя всегда сейчас дела, ты всегда устала и всегда все сделаешь потом. Какие у тебя дела?! Ты полчаса разговаривала по телефону.

— Это моя жизнь.

— Ты разбрасываешь по дому косметику, свои вещи... Я только что убрала твою щетку на место...

— Где моя щетка?! Не трогай мои вещи, не приказывай мне!..

— Я всего лишь убрала твою щетку на место.

— Ты хочешь, чтобы я ушла из дома?..

Или:

— Почему ты поставила в холодильник пустую тарелку, ты что, с ума сошла?

— Почему ты орешь из-за того, что я поставила в холодильник пустую тарелку, ты что, с ума сошла?

Ларка сказала мне, что ее иногда по-настоящему тошнит от ненависти к маме.

Или:

— Ларочка, что с тобой?

— Все нормально.

— Неужели так трудно ответить?

— Нормально.

— Но у тебя вид расстроенный.

— Это все Ирка. Она гадина, сволочь!

— Не говори таких слов, ты же девочка...

И все, Ларка уже не расскажет.

Почему мама не может выслушать Ларку молча? Ей обязательно нужно говорить самой. Быстро Ларке что-нибудь внушить.

У мамы не хватает терпения на Ларку.

У нее очень плохое настроение духа (или состояние духа?). Она устала, что нет денег, ей надоело, что у нас дома ничего не происходит, наша жизнь как река, течет от завтрака до ужина.

Сейчас в реку кинули камень, и пошли круги по воде. Я имею в виду папину поездку: бензопила «Тайга» — детские костюмчики. Мама считает, у папы есть перспективы. Ее знакомые челноки с рынка зарабатывают 500 долларов в месяц, а самые успешные челноки нанимают людей за десять долларов в день.

Папа сомневается, что окажется среди самых успешных челноков. Вздохнул: «Неужели ты меня опять погонишь?.. Я ведь не спекулянт...» Маму тоже жалко: на одной чаше весов возможные пятьсот долларов, а на другой — что он не хочет быть спекулянтом.

Мама говорит: «Потом мы укрупнимся до фирмы. Наконец-то наша семья пойдет вверх».

Мама сказала: «Не обижайся на меня, Ларочка, я люблю вас с Петей одинаково... В следующий раз папа привезет тебе куртку». Ларка сказала: «Ладно уж, я тоже люблю вас с Петькой одинаково». Может показаться, что Ларка корыстный человек, но это не так. Она девочка.

Интересно, жизнь любой семьи как река, в которую кидают камешки, и тогда она всплескивается? У всех так: то любовь, то ненависть, а в общем нормально? У нас много зависит от папиной работы. Все зависит от работы.

Хорошо, что у меня есть постоянная работа. Кстати, о работе: мама наконец-то собралась встретиться с Романом. Вышло случайно: она позвонила мне на работу, а Роман был рядом, взял трубку и сказал: «Петр Ильич у нас как член семьи», и они слово за слово договорились, что она как-нибудь зайдет на Фонтанку.

Я сказал: «Мама, зачем?!» Она сказала: «Ты мой ребенок, я хочу посмотреть, что это у тебя там за новая семья». На самом деле ей хочется обсудить меня, услышать, как меня хвалят. И еще она сказала: «Интересно посмотреть на человека, из-за которого все...» Я сначала не понял, что «все», а потом понял: из-за Романа закрыли завод, папу уволили, и началась у нас совсем другая жизнь.

Неужели мама не понимает, что дело не в Романе, что это ход истории? А сам Роман — просто рука истории, десница рока?

Мама сказала, что понимает. Но ей все равно интересно.

Я просил ее не приходить! Я бы не смог это вынести.

Не то чтобы я как Ларка. Ларка злится, когда мама говорит ее подругам по телефону: «Ларочка сейчас подойдет», шипит: «Я не Ларочка!», не хочет быть Ларочкой, это домашнее имя.

Но в общем я как Ларка. При ней я один я, а без нее я другой я. На Фонтанке я взрослый человек на работе, а мама как-нибудь найдет, как превратить меня обратно в ребенка, принесет с собой шапочку или рейтузы. В переносном смысле, конечно. В прямом-то смысле она веселая и красивая.

А ОН БЕГОМ ПУСТИЛСЯ В ЛЕС

Обнаружилось, что у Энен, *такой идеальной*, кроме любви к красному вину есть и другие слабости: сушки, ее собственное творчество, возраст.

Сушки приносила Энен, иногда я, иногда водитель, который привозил Скотину из школы. Сушки нужно было *подсушить*, подсушивали на сковородке, на плитке на письменном столе, важно было *правильно подсушить*, ухватив мгновенье между подрумяниванием и чернотой. Затем сушки ссыпали в эмалированную кастрюлю и ставили возле Энен, а на плитке подсушивалась следующая порция.

Энен грызла сушки, как белки в Павловском парке, изящно и жадно, сухая рука в кольцах сновала между ртом и кастрюлей мелкими точными движениями — схватить, разломать, засунуть в рот, потянуться за следующей.

Алисе сушек не предлагалось, она печально наблюдала, как подрумяненные сушки одна за другой исчезают в накрашенном рте, иногда бунтовала, выкрикивая: «Нечестно! Я тоже люблю сушки!», но кастрюлю ставили далеко от нее, чтобы она не могла дотянуться и схватить сушку: это называлось «воспитание воли сушками». Сушки были сладкие, с ванилином, и несладкие, простые и с маком. Энен особенно ценила «Сушку-малютку несладкую». Каждый раз она бывала в чем-то новом, в новом платье, с новыми бусами, наряжалась, словно приходила не к двум подросткам, а *в общество, в свет,* — нам и в голову не приходило, что мы были ее единственным обществом и единственным светом.

153

Дело двигалось. Древние греки, эллинистические философы, проникновение христианства в греко-римский мир (*в двух словах*), немного об иудейских основах христианства, распятие Христа, — и сразу прыгнули в Новое время.

Декарт: рационализм, скептицизм, сомнение во всем. Макиавелли («макиавеллиевский ум», «макиавеллиевская хитрость», «макиавеллиевский цинизм»). Пароль: «Макиавелли прав, люди больше привязываются к тому, кому сделали добро сами, чем к тому, кто сделал добро им». Алисины записи сопровождались пометками *как упоминать*, похожими на пометки в нотах: играть Dolce — нежно, Leggiero — легко, Espressivo — выразительно.

Однажды Энен с Алисой поссорились, совершенно как равные, как мама с Ларкой.

— Придумаешь фразу со словами «парадокс», «цинично», «скептически» — дам сушку. — Энен повертела сушку в руке, проверяя румяность, разломила сушку пополам, выбрала для Алисы неподрумяненный кусочек.

— Парадокс — это когда... Стать интеллигентным человеком за три месяца — это парадокс... Диктовать пароли *цинично*... Вы *скептически* относитесь ко мне... — не сводя глаз с сушки, как будто в трансе, говорила Алиса.

Энен кинула ей кусок с видом экспериментатора, вырабатывающего у животного нужный рефлекс.

— Я люблю сушки, но печеньки я люблю больше, папа покупает в «Метрополе», м-м-м, вкусняшки...

— Нельзя! Это омерзительно! Бр-р!.. Ты совсем не чувствуешь язык, как... как собака!..

Алиса удивилась — почему омерзительно, почему бр-р, почему *как собака*?..

— Это нормальные слова, все так говорят!

— Ты *споришь* — со мной?! — Энен изумилась так, будто собака заговорила человеческим голосом. — Я давала советы писателям, я была музой поэта... нескольких поэтов, я разговаривала о поэзии с Ахматовой... а ты споришь *со мной*!.. Молчи и *молча* записывай: «печеньки и вкусняшки — вон!»... Так, теперь Кант. Переходим к Канту. Кант — *обязательно*.

Алиса записывала: «Кант — это три идеи: бессмертие души, существование Бога, свобода воли. Категорический императив Канта гласит: «К человеку нужно относиться не как к средству, а как к цели» или: «Ты всегда должен поступать так, как ты хотел бы, чтобы поступали все». «Вещь в себе» означает, что эта «вещь» непознаваема, точное познание тайн природы невозможно». *Упоминать* нужно категорический императив Канта и вещь в себе.

— Нужно говорить не «категорический императив Канта», а просто «категорический императив», потому что все и так знают, что это Кант, — заметила Алиса. — Кант говорит обращаться с другими так, как мы хотим, чтобы обращались с нами, да?

— Молодец, дрессированный медведь, — улыбнулась Энен, — я всерьез подумываю наградить тебя сушкой.

— Я не дрессированный! Не медведь! Хватит меня дрессировать! Хватит говорить мне: «Ты как собака»! Я не собака! — вдруг злобно закричала Алиса, ударив кулаком по подушке. — ...Хорошо, я медведь, я собака, а сами-то вы кто?! Подумаешь, давали советы писателям! Были музой! Но *сами-то* вы кто?! А сами-то вы — не поэт! И не писатель!.. Что же вы сами ничего не написали? Взяли бы и сами написали. И все бы ахнули и дали вам премию. Но где же ваши книги, вот *где* они?.. Вы, конечно, самая модная старушка в городе, это да, но не больше!

Энен растерялась перед ее напором, попыталась пошутить: «Тебе не понравились сравнения с животными, а может быть, у тебя разболелась нога или ты сильней обычного хочешь сушку?..», но Алиса молчала, смотрела на нее взглядом «А ты кто такой?».

— Я *написала*. Я же говорила, я всю жизнь писала Дневник... Это документ эпохи, и там еще мои стихи и рассказы...

— Ага, ага!.. Этот ваш дневник-то не напечатали! Он никому не нужен! И стихи ваши, и рассказы не нужны! Если бы вы были талантливой, вас бы печатали и давали премии. А вас-то не напечатали! Значит, у вас нет никакого таланта! Потратили свою жизнь на какую-то хрень, лучше бы книжку написали или ребенка завели!

Энен смотрела на Алису, долго смотрела, словно пытаясь прочесть на ее лице что-то, написанное мелким шрифтом, затем дрожащим голосом сказала:

— Ну... это часто бывает: прекрасно образованные люди не могут сделать свое... Я искусствовед, мне было трудно писать, мешало, что я знаю, как надо... Я слишком строго себя оценивала и слишком многого от себя ждала, вот и... К тому же... Ты права. Если бы был талант... А у меня нет таланта...

Казалось, она сейчас расплачется и добавит «раз ты так, я больше не играю».

— Ну, хорошо, идем дальше. Кант считал: нельзя ничего делать во имя благой цели, в этом истоки зла.

Например, Раскольников убивает старуху ради благой цели. Нацисты убивали евреев ради «благой цели» — счастье для арийской расы. Вы спросите: «А если у меня хорошая цель?», но в том-то и дело: мы никогда не знаем, хороша ли наша цель. По Канту любая цель — зло: счастье для всех и счастье для отдельных категорий людей, диктатура пролетариата и преследование гомосексуалистов, все зло. Человек должен действовать только на основании императива: уважай других и договаривайся, поступай так, как хочешь, чтобы поступили с тобой... — Энен внимательно посмотрела на Алису. — Тебе бы понравилось, если бы я назвала *тебя* самой модной старушкой в городе?..

— ...А пароль-то для Канта какой? Дайте пароль, — попросила Алиса.

— Не дам, — мстительно отозвалась Энен. — А Канта *часто упоминают*, Кант — *модно*.

И мрачно, как того и требовал предмет, добавила: в модс также пессимизм Шопенгауэра: жизнь — это череда страданий, мы страдаем из-за отсутствия желаемого, но как только желание исполняется, страдаем уже по поводу *нового* желания.

— И что нам делать? — заинтересовалась Алиса.

Энен объяснила: чтобы уменьшить страдания, нужно ограничить свои потребности, отказаться от желаний, отказ от всех желаний называется аскетизм, *а пароля для Шопенгауэра она не даст*.

И ушла, обиженная. Сделала вид, что обижена на «старушку». Притворялась! Как подросток, который из самолюбия ни за что не признается, что именно его обижает, как Ларка, как Алиса, как я. Не хотела показать, как глубоко расцарапало ее Алисино «потратили свою жизнь на какую-то хрень»: ведь при всей детскости Алисиных рассуждений в них было почти дословно то же, что думала и сама Энен.

...Когда я перечитывал разрозненные записи из ее дневника, я удивлялся тому, насколько мое представление о ней не совпадало... В общем, все то же: никто не знает, что у кого внутри.

КАК ЭТО БЫЛО

Папа больше не ездит в Польшу, это выше его сил. Папа сказал маме:

— Я не могу челночить, это выше моих сил, я не могу стоять на рынке, не заставляй меня. У меня есть принципы. Зачем меня государство учило, тратило деньги, чтобы я на рынке торговал? Я подумал и решил — я больше не поеду. Пожалуйста, не заставляй меня.

Ларка закричала:

— Не заставляй его! Если он не может! Если у него принципы! Не заставляй его!

Ларка любит папу.

Мама сказала:

— Господи боже мой. Никого я не заставляю... Почему я у вас всегда во всем виновата? Одна всё время: «купи, купи», другой говорит, что не поедет в Польшу, и при этом я во всем виновата. Вы хотите, чтобы я сошла с ума? Я тоже не могу стоять на рынке, я интеллигентный человек! А если меня увидят студенты?

Папа сказал: он не хочет, чтобы она сошла с ума, а, наоборот, желает ей душевного здоровья.

— Но позволь тебе напомнить, у тебя, в отличие от меня, нет высшего образования, ты не преподаватель, а секретарь деканата.

Мама сказала:

— Да?! А если я уйду с работы, где мои дети будут учиться?! Пока я работаю в институте, я их как-нибудь устрою...

Папа лег на диван, а по телевизору «Поле чудес». Я думал, мы с ним смотрим «Поле чудес», а он вдруг говорит: «Не знаю, что делать...» Я бы заплакал, но я уже забыл, как плакать.

Я сказал: «Я не хочу учиться в Институте культуры», чтобы он знал, что я на его стороне. Не знаю, понял он или нет.

А у мамы, наоборот, прекрасное настроение. Как будто она счастлива.

Вдруг решила купить себе платье. Сказала: «Хочу новое платье!»

Когда мы с ней вдвоем ходили покупать ей новое платье, она все время что-то мурлыкала себе под нос, мурлыкала в автобусе и в магазине.

Сначала зашли в магазин, но там было дорого, и мы пошли на рынок. Купили. Платье красивое. Продавщица сказала: «Я сначала подумала, что это твоя сестра». Это была не лесть, мы ведь уже купили платье, это было объективное мнение: мама с новой прической в новом платье выглядит еще моложе, и глаза светятся.

По дороге домой мы болтали обо всем: я рассказал ей о Канте, а она мне о том, что виделась с Романом. Думаю, ей все-таки очень хотелось послушать, как он будет хвалить меня за мои педагогические успехи со Скотиной. Все-таки мама всегда на моей стороне: я попросил ее не приходить на Фонтанку, и она встретилась с Романом в его офисе.

Мама счастливая, красивая, поет. Несмотря на папу.

Ларка говорит: «С папой она разговаривает таким бессильным голосом, а сама поет, как павлин». Ларка бывает очень глупой: почему павлин? Мы со Скотиной в зоопарке долго стояли у клетки с павлином — надеялись, что он запоет, но он молчал. Служитель сказал, что павлины обычно держатся тихо, поют только один месяц в году во время брачного периода.

...В следующий раз Энен пришла такая же нарядная, как всегда, с сушками, и как будто совершенно забыла о своей обиде.

— ...Я понимаю, что вы не верите в Бога. Не говорите «я не верю в Бога», вы сами не знаете, верите вы или нет. ...Алиса, говори в обществе «я агностик» или «я не уверена, что Бога нет, но и не абсолютно убеждена в обратном». И никогда не спрашивай, религиозен ли твой собеседник, к какой конфессии принадлежит, — это еще более невоспитанно, чем говорить о деньгах. Повторяй за мной: Кьер-ке-гор... Кьер-ке-гор... Кьеркегор — *очень* модно... Он критиковал стремление жить удобно и благополучно и при этом считать себя христианином.

Алиса, радуясь, что прощена, понятливо кивнула.

Алиса записывала: «Конфессия — вероисповедание; агностицизм — учение, утверждающее непознаваемость мира...»

— О-о-о, твою мать! — неудачно повернулась и выругалась от боли.

— С одной стороны, безусловно нет, — водружая ее ногу обратно на подушку, сказала Энен. — С другой стороны, конечно... Тут важно *кто*.

Энен имела в виду: ругаться матом нельзя, но можно. Алисе использовать обсценную лексику — нельзя, но *по-настоящему* интеллигентному человеку — можно. Интеллигентный человек матерится, когда считает нужным.

У Алисы загорелись глаза, и я тоже был не прочь услышать, как Энен ругается матом.

— Скажите что-нибудь, а?.. Вы-то *по-настоящему* интеллигентный человек!

Энен, не задумываясь ни на секунду, *сказала*.

Это была длинная тирада, после которой мы сразу вернулись к Кьеркегору. Кьеркегор определяет человеческую жизнь как отчаяние, но отчаяние — это единственная возможность прорыва к Богу... делит людей на четыре типа: обыватель (живет *как все*, работает, создает семью), эстетик (*сам* выбирает свой путь — наслаждаться жизнью), этик (им руководят разум и чувство долга) и религиозный человек, посвятивший себя служению Богу.

— Бла-бла-бла... — зевнула Алиса. — Так, ладно, а пароль?

— Пароль: «Не вижу здесь ничего принципиально нового, — старый добрый Кьеркегор, этика отчаяния и веры...» — ты говоришь это с легкой усталостью. Вообще фразы должны быть не оконченные, ни в коем случае не оконченные...

Алиса оживилась, привстала:

— Я поняла, поняла, — как будто я все знаю и мне все это надоело! Я скажу: «Нравственность по Кьеркегору всего лишь следствие веры» и вот так пожму плечами, правильно?.. И замолчу. Выучу это на все случаи, и люди будут считать меня суперинтеллигентным человеком.

— Ну, а теперь Ницше. Ницше — модно. Пиши: «ницшеанский сверхчеловек», «ницшеанская мораль», «ницшеанское деление людей на рабов и господ», «ницшеанские настроения», «ницшеанская мораль»...

— ...Зачем нам вся эта хрень, отчаяние-вера-разум-долг, зачем вообще философия?

— Затем, что в душе возникает ясность. Человек пережил что-то, но слов про это не знает, как ребенок, плачет, не понимая, почему ему больно. Только *назвав словами*, человек начинает понимать себя: философия — это язык, который расшифровывает сознание...

И тут Скотина сказал, что у него вши.

Скотина сказал: «По мне бегают звери». Энен посмотрела и сказала — вши, у нее тоже были вши, в сорок шестом году.

Мы с Алисой растерялись и испугались, нет ли у нас вшей, смотрели друг на друга беспомощно — то ли нам вычесывать друг друга, как обезьянам, то ли брить головы. Одна Энен вела себя как пожарник в огне пожара: знала, что делать, и через полчаса все меры против вшей были приняты. Каждый намазал голову керосином и замотал полотенцем, чтобы не так сильно пахнуть.

Все были на своих обычных местах, мы на диванах, Скотина на письменном столе, пахли керосином, и Энен рассказывала, что Ницше и Вагнера объединила любовь к Шопенгауэру, их философско-музыкальный союз был прекрасен, но вскоре Вагнер принял христианство, а Ницше считал, что «Бог умер». Мне казалось, что в этой ссоре я на стороне Вагнера.

— ...Ну, а теперь поговорим о ницшеанской морали, это очень интересно... Итак... — Энен сделала жест рукой, как будто объявляет артиста, и сказала: — А вот и Ницше!

И тут вошел Роман. И сказал:

— На лестнице воняет керосином.

— Это от нас, — сказал Скотина.

— Скотина принес вшей, а мы намазались керосином и проходим ницшеанскую мораль, — похвасталась Алиса.

— Понятно. Воняете керосином на весь дом и говорите о прекрасном, — сказал Роман.

Энен вскоре ушла, а Роман остался с нами — есть сушки и обсуждать философию Ницше. Роман считал, что «падающего толкни» и «слабые не должны мешать жизни сильных» — правильно, это жизнь, мы с Алисой — что это фашизм; все разволновались, как будто философия Ницше — это главное в жизни, но сошлись на том, что философия — это все-таки одно, а уничтожение людей — совсем другое. Затем Роман решил тоже рассказать о прекрасном и рассказал, как сделал свой первый капитал.

— Я сидел в НИИ и думал: вот моя жизнь — в этом сраном НИИ, с зарплатой сто десять рублей, и кем я буду, когда вырасту?.. Буду лизать жопу начальнику отдела, чтобы защитить диссер, к сорока сам стану начальником отдела. ...А когда началась перестройка, я понял, что мой типа идеал, начальник отдела, замусоленный неприятностями, — маленький человек, не приспособленный к переменам, улитка, которую выковыривают из раковины, до конца жизни будет ныть: «Ах, неужели кому-нибудь так сложно взять и подарить мне пару миллионов?» ...В общем, я подумал: неужели сейчас все помчится, как птица счастья, без меня?! Ну нет! И ушел, открыл кооператив, сделал бабки, потом вышел на другой уровень... Ха, и что теперь? Я строю Город Солнца, я долларовый миллионер. Вот сейчас у меня рабочие строят бесплатно. Они-то думают, что я заплачу, а я... ха-ха... не заплачу. В договоре четко сказано: каждый день задержки — штраф. Они уже работают бесплатно, а скоро вообще будут мне должны. Ты что так смотришь, как будто я ем младенцев?

— Они работают, а денег не получат, это нечестно, — сказал я.

— Это честно. Они должны сдать мне объект вовремя. А я долгов не прощаю.

Я сказал: «Все равно нечестно», Роман нахмурился, и Алиса, испугавшись, что он уйдет, заторопилась:

— Папочка, ты обещал рассказать, как сделал свой первый капитал. Как ты сделал свой капитал?

— Вот так и сделал: сначала шил варежки. Нейлоновые, синие и красные. Думаете, кто-то сразу же делает большой бизнес? Не-ет, я сидел в подвале за швейной машинкой и строчил варежки. Продавал их на Некрасовском рынке, сам стоял за прилавком. Некоторым *очень важным* унизительно за прилавком стоять, а мне вот ничего не унизительно... Нет, вру! Есть кое-что, что мне унизительно: если бы мои дети смотрели вокруг и думали, что у других всего больше, у других все лучше... а сами бы один «Сникерс» на двоих делили. Если бы мои дети видели, что я беспомощный, — вот это унизительно. И выросли бы больными на голову — сами бы всего боялись и не знали, что в этой жизни делать. А мои дети ничего не боятся... Мои дети должны думать, что им повезло у меня родиться.

— А мне повезло, что я родился у моего папы, — сказал я. Не знаю, что на меня нашло: я спорил с Романом, как будто мне семь, как Скотине.

Алиса подтвердила:

— Папочка, нам *очень* повезло у тебя родиться, — и толкнула Скотину: — Скажи, что ты ничего не боишься...

— Я ничего не боюсь, кроме темноты, еще крыс. ...А потом что было?

— А потом нашел дураков. Иногда нужно спрятать свой ум, потерпеть. Я нашел дураков, а они вытащили для меня каштаны из огня.

— А потом?

— Потом суп с котом.

— Где они теперь, эти дураки?

— Где? Нигде. Полезли в огонь и сгорели. Это уже не для ваших ушей. Я вам рассказал самое важное: мои принципы жизни. А дуракам проигравшим так и надо.

Проигравшим так и надо. Падающего толкни. Вот что я обо всем этом думал: Роман — ницшеанец. А о своем отце думал так: пусть мой папа и не приспособлен к переменам, пусть он как улитка, но у него есть *другие* качества: например, улитка не будет толкать падающего.

В тот вечер Роман повел нас всех в ресторан, Алису в инвалидном кресле попытались вынести на руках, не справились, — тяжело, пришлось оставить ее дома. Роман сказал — именно сегодня пойти в ресторан *необходимо*.

Швейцару на входе в гостиницу «Европейская», сказавшему: «Мест нет», Роман небрежно бросил: «Стол заказан, на фамилию Собчак. Вы меня не узнали?» Все горожане знали мэра в лицо, швейцар никак не мог подумать, что Роман — это Собчак, но у Романа была такая сила убеждения, что на секунду швейцар подумал то, что нужно Роману.

Как только мы вошли в зал, стало ясно, почему было *необходимо* пойти в ресторан именно сегодня: потому что мы пахли керосином, Скотина и я. Мне было шестнадцать лет, официанты и люди за другими столами смотрели на нас с опаской, *нас все нюхали,* и, конечно, мне хотелось убежать, испариться, провалиться сквозь землю.

Роман сказал:

— Сиди спокойно, Петр Ильич. Я хочу воспитать в Скотине независимость, и в тебе тоже. Всегда будь собой. Сиди и воняй керосином. Ты сейчас учишься всегда быть собой. И ты тоже, Скотина.

— Почему я сейчас учусь быть собой? Я ведь не собираюсь *всегда* пахнуть керосином, — сказал Скотина.

КАК ЭТО БЫЛО

Приходишь домой с работы, а там тебя ожидает семейный совет. В такие минуты я понимаю папу: он устал и хочет подумать, а дома все время нужно что-то решать и выставлять моральные оценки.

Маму вызывали в школу за драку. Ларка подралась.

— Лара, почему ты ударила девочку, ты была пьяна?.. Что ты пила, пиво? Скажи честно, ты пьешь?

— Ты сумасшедшая?

— Это ты, а не я подралась в школе. Тебе пятнадцать лет, ты девочка...

На семейном совете по Ларкиной драке папа молчал, говорила одна мама.

— Лара, давай поговорим как друзья? Мы хотим понять, что с тобой происходит. Мы слышим от тебя только одно слово — «хочу». Ты была хорошая девочка, а стала требовательная дрянь, ты хочешь только одно — тряпки.

Это неправда, Ларка хочет всё: «Марс» и «Сникерс», журнал «Космополитен», победить маму и пойти на дискотеку. Мама не слушает аргументы, она считает: уступишь один раз, и все, Ларка будет править балом. Может, и так. Но ведь можно иногда и уступить?

А если человека все время ругать, он почувствует, что к нему недоброжелательны. Если бы мама иногда уступала, Ларка подумала бы, что мама не полная идиотка, раз иногда прислушивается к голосу разума, то есть к ней.

Получается странно: для меня мама — идеальная мать, а для Ларки не очень.

— А ты не пустила меня на дискотеку, не разрешила мне надеть в школу твою синюю кофту, — перечисляла Ларка.

— Мы сейчас говорим о драке, Лара. А синюю кофту я тебе не разрешила, потому что не хочу, чтобы ты думала, что тебе нужно выглядеть как проститутка, чтобы быть привлекательной, чтобы...

— Чтобы, чтобы, — передразнила Ларка. — Научись говорить...

— Почему ты ударила девочку, Лара?.. — устало спросила мама и еще раз спросила папу: — Мне что, одной интересно, почему она ударила девочку?

— Ладно, я скажу, но не тебе, а папе: я ее ударила за то, что она сильно дразнила одну девочку, вот я и... Я как дала ей оплеуху, она обалдела!.. — сказала Ларка.

— Ты поступила благородно, — сказал папа. — Молодец, Ларочка, всегда защищай слабых...

— Ты так говоришь, потому что ты сам слабый, — сказала мама. — Один раз съездил, только цель какая-то появилась, и все было бы прекрасно, и деньги были... были бы. А ты тут же в кусты... все бросил и залег на диван.

— А ты думала, что я так и буду мотаться всю жизнь? Это теперь у меня дело такое — челночить?

И они стали ссориться, забыв про Ларку. Плохо. Денег нет, и полное непонимание в семье.

Когда мы с Ларкой остались одни, я спросил:
— Одна девочка — это ты?
После пыток щекотанием Ларка призналась: это ее дразнили. И немножко поплакала. Ларка, когда плачет, дышит, как слоненок.

— ...Ну и что, ничего у меня от этого не прибавилось, ни одежды, ни уважения, ничего... Тебе-то хорошо, ты и так повсюду самый красивый, а мне нужна одежда... Это несправедливо, что у меня ничего нет, что мне надо! А когда она заводит свое «ах, ах, была такая хорошая девочка, а стала такая дрянь», я хочу стать проституткой, назло ей, пусть ей будет так же больно, как мне! Я что, хуже всех?! А если бы она никогда не могла съесть котлету?!
Котлету?

Плохо. Ларка просит, а ей отказывают, ей все время отказывают. Мама говорит: «Мы не можем себе этого позволить». И эти слова жирным шрифтом отпечатываются в Ларкиной душе. Получается, ей надо смириться, что она хуже. Или доказывать всем, что она не хуже... Это неправильные слова, не стоит их говорить ребенку.

Тем более у Ларки главные черты — самолюбие и борьба за справедливость в обществе. Она даже на елке в детском саду боролась за справедливость, кричала: «Почему Дед Мороз раздал одинаковым детям разные подарки?!» Боролась применительно к себе, ну и что?..

...Но при чем здесь котлета? Мама не отказывает Ларке в котлетах!

Всю ночь разговаривали с Ларкой, что ей делать, смириться или доказывать. Я понимаю Ларку: у меня работа, а школа не входит в сферу моих интересов (у меня в школе есть сфера интересов, но только одна), а для Ларки новая школа — это вся ее жизнь.

Ларка плакала.

В старой школе она была отличницей, первым номером в классе. Может быть, потом приоритеты и поменялись, но Ларка этого не заметила. Она же привыкла быть номером один! А в школу на проспекте Большевиков она пришла на новенького.

Я попытался посмотреть на Ларку как чужие люди в новой школе, и что они видят: не офигительно красивая, не хорошо одетая, отметки — пятерки, но кого волнуют отметки? Там, в этой школе, совершенно иначе — учиться не модно. У них школа — это станция, где надо выйти, чтобы попасть в кафе. Все тусуются в кафе. В кафе можно налить джин в стакан из-под чая и пить. Джин купить в ларьке. В кафе заказать котлету. Есть котлету в кафе считается верхом модности. Но Ларка не может просаживать деньги на котлету!

Ларка сказала, что в их классе есть люди с разными доходами. Класс делится на людей из малообеспеченных семей, которые хотят учиться, человек восемь из тридцати пяти, их называют «придурки», и есть еще кучка блатных (дети администрации района и бандитов), они ничего не делают и в школу захаживают нечасто. В моей школе не так, но Ларка-то учится в лучшей школе района, в гимназии.

Блатные списывают домашние задания и контрольные у придурков, у каждого блатного есть свой прикормленный за дружбу придурок-отличник. Блатной прикармливает придурка иногда шоколадками, иногда банкой джина, а вообще дружбой: любой придурок хочет дружить с блатным.

Ну вот, и Ларка все это время вела свой бой. Сначала привычно была отличником, потом разобралась, не захотела быть как будто она человек из малообеспеченной семьи.

Но если у них восемь отличников-придурков и кучка блатных, то кто остальные?

— Остальные — это вообще никто, разношерстяные придурки, — отмахнулась Ларка. — Я не могу быть разношерстяным придурком, это же я!.. Я хочу быть в блатной кучке, в самой лучшей компании. А мне туда никак. Не попасть. Одежда, понимаешь?.. Не так важно даже, кого на иномарке привозят, а кто пешком. Самое главное — одежда. Формы-то у нас нет, одежда видна каждый день. Знаешь, как они одеты? У них сумочки, у них золото!.. У одной даже шуба... У той, которую я ударила, у нее нутриевая шуба и сумка от Валентино... Она напротив нас живет, вон в том окне, я иногда на нее смотрю и ненавижу!.. А ты, неужели ты не хочешь нормальную модную одежду?..

Я хочу модную одежду, очень хочу! Одежда для меня очень важно. Я хочу купить в комиссионке или в сэконде узкую рубашку или футболку и, если повезет, узкий черный пиджак. Энен говорит, что мой образ — минимализм: джинсы-футболка-пиджак. Я хочу черную кожаную куртку, черная кожаная куртка — моя мечта. Иногда я представляю себя: я одет и правильно пахну. Энен сказала: человек должен правильно пахнуть. Я испугался, что все еще пахну керосином, но оказалось, речь идет о мужских духах. Я обязательно все это куплю, потом.

Когда положение нашей семьи улучшится, я буду тратить свою зарплату на Ларку, чтобы ей не нужно было вести бой за место в Лучшей Компании, выгрызать свое место в жизни! И на себя.

— Тебе-то что, тебе хорошо, ты и так красивый...

— Да ладно, красивый... Посмотри, у меня одно ухо больше другого...

Ларка сказала, что нет, но, по-моему, все же да. Попросил ее посмотреть внимательно.

— Да нет же. Они абсолютно одинаковые. Ты красивый. ...Вон у тебя записок сколько, я нашла под ванной, они там отсырели, — сказала Ларка и мгновенно заснула. Когда человек плачет, он быстро засыпает.

Я пошел в ванную, долго смотрел на себя в зеркало. Но в зеркале что? Глаза, нос. Сам человек не видит, красивый он или нет, это можно узнать по реакции на него других людей.

Вытащил из-под ванны записки. В одной написано: «Ты мне нравишься» без подписи, но я знаю, от кого, в двух: «Ты мне очень нравишься» — от Нины и от Иры, в трех: «Давай с тобой встречаться. Лена К.».

Из-за того, что я каждый день перечитываю эти записки, я немного совсем забыл о Жанне. Хотя Жанна — моя первая любовь, а Нина, Ира, Лена К. — просто сфера моих интересов в школе. Мне из них нравятся Нина и Ира. Возможно, во мне сидит Дон Жуан: типа Нина — моя вторая первая любовь, Ира — моя третья первая любовь. Лена К. тоже симпатичная.

А я знаю девочку из Лучшей Компании, которая в шубе. Ну, то есть я не видел ее в шубе, я видел ее в окне. Я иногда смотрю на нее, как она там мелькает, в окне.

Девочка-тень. У нее тонкие руки, тонкие ноги, тонкая шея. Она… неважно.

Перечитал записки. Решил, что оставлю на память, чтобы в старости вспоминать Нину, Иру и Лену К.

Сжег записки в раковине. Они так отсырели, что не доживут до старости.

К НОГАМ ПРИДЕЛАЛ ДВЕ ДОЩЕЧКИ

— Зачем вы это приперли? — спросила Алиса, недоброжелательно поглядывая на два огромных альбома, «Государственный Эрмитаж. Западноевропейская живопись» и «Государственный Русский музей». Как Энен их донесла? — У меня для вас сюрприз: живопись *не надо*. — Алиса вытащила из-под подушки смятый тетрадный лист в клеточку. — Я сама написала, как стать знатоком живописи! Слушайте все: Рубенс — на картинах толстые тетки и мужики, у всех целлюлит, даже у ангелов. Тициан — на картинах все смотрят вверх, Рафаэль — придурочные мадонны… Еще Шагал, у него везде козы, Айвазовский — море, Шишкин — лес, легко запомнить «шишки-елки». …Я попросила папу, чтобы он принес мне альбомы, — и вот, я все сама написала!.. Да, еще Рембрандт — у него везде бомжи в отшметках… нет, в отребьях.

— В отрепьях?.. У Шагала не козы, а ослы, — поправила Энен. — …*Очень хорошо*, молодец. Осталось совсем немного дописать: иконопись, проторенессанс, кватроченто, высокое Возрождение, реформаторы…

— Стоп! Вы говорили, что можно выбрать несколько художников и от них тащиться, — скучным голосом сказала Алиса.

— Так и поступим: выберем для тебя несколько художников, которых *не все* знают, — согласилась Энен. — А знаешь, что *для меня* самое сложное: как вести себя на выставке современного художника или в мастерской: представь, что ты стоишь рядом с художником и думаешь, что бы ему сказать...

— Ха. Что тут сложного?.. Если меня вдруг занесет к художнику, я скажу: «Какая красивая картина».

— Нет! Это провал. Сказать «красивая картина» можно только иронически.

Энен объяснила: красива только академическая живопись, в какой-то момент в истории искусства определение «красивая картина» стало неприличным: появилось *некрасивое* искусство, которое никому не хочет понравиться. Картина *не нравится*, но вызывает эмоциональное потрясение.

— ...Вот посмотрите, мне из Вены привезли открытку, это Шиле, «Семья». Вы же не испытаете такое эмоциональное потрясение от Шишкина...

— Картина называется «Семья», а они все умирают. Шишкин лучше, — сказал я.

Энен сделала сожалеющую гримаску:

— Это потому, что вы, Петр Ильич, еще ребенок. ...А давайте играть, что мы на выставке?.. Давайте расставляйте по полу кастрюли, как будто это картины в галерее... Главное, никогда не говорить «мне понравилось», это звучит очень простодушно.

Энен прошлась по комнате, остановилась у кастрюли со Скотининым бульоном. Отошла на шаг, рассматривая кастрюлю, прищурилась и сказала:

— «Ка-ак мощно!..» Или так: «Ин-тере-есно...», произносить снисходительно, пресыщенным тоном... Но лучше не оценивать ясными словами, а использовать литературные реминисценции, чем нелепей фраза, тем загадочней. ...А хочешь фразу на все?.. Вот, пожалуйста: «Что-то в этом джойсовское проглядывает», — так можно и о картине, и о книге сказать, обо всем. Каждый подумает «Почему?!», но никто не спросит. — У следующей кастрюли она склонила голову набок и задумчиво произнесла: — «Здесь совсем нет метафизики...» А можно так: «Слишком очевидны смыслы...», или так: «Слишком нарративно...», или так: «Немного неоправданная трансцендентность».

— Нар-ра-тив-но... транс-цен-дент-ность...

— Тон! Не слышу снисходительности!

— Сли-ишком наррати-ивно... Немного неопра-авданная трансценде-ентность, — нараспев повторила Алиса. — Это все?

Энен уселась на диван, взяла сушку, задумчиво похрустела, взяла еще сушку, затем еще одну. Алиса захлопнула блокнот и закричала:

— Всё! Всё, всё, всё!

Но это было не всё.

— Как всё? — удивилась Энен. — А теперь — живопись. Ох, я так нервничаю, не знаю, с чего начать... С иконописи? Но, может быть, иконопись вам скучно... А если начать с двадцатого века: арт-нуво, экспрессионизм, абстракционизм, фовизм, кубизм... Супрематизм, сюрреализм, фантастический реализм, поп-арт, — весь двадцатый век *сокращенно*, — словно в забытьи продолжала Энен и вдруг схватилась за сердце. — ...Ох, что-то мне плохо, мне очень плохо... Это же *живопись,* я не знаю, как мы все успеем, я даже не знаю, с чего начать... А давай начнем с этимологии и семантики? В иконописи употребляется глагол «писать», так же как в греческом... Ох...

Она стонала, хваталась за сердце и наконец попросила меня сбегать в Аничкову аптеку за валокордином. Скотина увязался за мной. Аничкова аптека была закрыта, и когда мы, наперегонки пробежав по Невскому пару кварталов до следующей аптеки, вернулись с пузырьком валокордина, Энен не было.

— А где Энен?

— Энен увезли на «скорой».

Инфаркт? Инфаркт — она умирает — умрет — комок в горле — мы же *не попрощались!* Как будто она должна была сказать мне «до свидания, я умираю».

— Беги вниз, может, «скорая» еще там!

Я скатился по лестнице, выбежал на Фонтанку, — «скорой» нет! — помчался обратно к Алисе.

— «Скорая» уехала! Что делать?! Куда ее повезли? А ты не знаешь, от инфаркта обязательно умирают?..

Алиса взглянула на меня с жалостью, пожала плечами — ну что ты как ребенок, это инфаркт, все может быть, может, умрет, а может, выживет. И в комнату со словами: «а почему у нас входная дверь настежь?..» вошла Энен.

— У нее закончились сушки, и она пошла в Елисеевский, — пояснила Алиса.

— ...Сушки купила, «Малютку»... Знаете, я решила: у нас все-таки не курс истории искусств, начнем с кватроченто.

Когда-то на даче я прыгнул в пруд, чтобы спасти тонущего кота: захлебнулся, едва выбрался... бежал домой, плача по утонувшему коту, добежал — *а кот уже дома*, сидит на крыльце, целый и невредимый.

...Алису, конечно, хотелось убить: я прикидывал, как лучше убить Алису, задушить подушкой или подсыпать яд в чай, но решил — черт с ней, главное, что кот вернулся, сидит, рассказывает о кватрочento, целый и невредимый.

— Лучше всего о кватрочento сказал Муратов: «Там живут прекрасные птицы, драконы, восточные мудрецы, нимфы, античные герои и волшебные звери, и эта страна — просто страна сказки». Представьте, что через христианское искусство как бы просвечивает античность, представили?.. Муратов «Образы Италии», — читать обязательно!..

— Ага, сейчас... Культурный код, — напомнила Алиса, — культурный код давайте.

Энен погрустнела.

— Хорошо. Пиши пароли: «Из художников кватрочento я больше всех люблю Беллини, из позднего кватрочento — Боттичелли». Еще пароль: «Иногда забывают о его иллюстрациях к "Божественной комедии", а ведь Боттичелли — прекрасный рисовальщик, не хуже Да Винчи».

Алиса сказала: «Бе-е, какие длинные пароли», и Энен дала короткие: рубенсовские формы, рембрандтовская светотень, порочные юноши Караваджо, скульптурные тела Микеланджело, лица Эль Греко, чудовища Босха (Босх — *модно*!), инфернальные образы Босха.

— «Инфернальный» означает «демонический», Босх — это прорыв в подсознание, — торопливо произнесла Энен, как будто ей дали сказать последнее слово. — Босха называют сюрреалистом XV века, это ирония, так как сюрреализм возник только в начале XX века: Дали, Магритт, Эрнст. Я покажу вам одновременно Босха и Дали, и вы поймете, как перекликаются парадоксальные сочетания форм и аллюзий!

Мы с Алисой кивали, как два болванчика, — как же, как же, интересно... Живопись оказалось — скучно и *слишком много*, мы только начали, а *уже так много*...

...— Ну ладно, эта чертова живопись — это ее чертова профессия, но откуда она *все* знает?! — возмущалась Алиса. — И опять она завела свое — античность, христианское искусство, повторять, как считалку: «Готика, барокко, рококо, классицизм, ампир»... Черт, черт, черт!.. Я думала, что *всё отдельно*, как на полках в магазине: вот живопись, вот музыка, вот философия, а оказывается, все вместе и всего так много. Плохо, что всего так много. Но хорошо, что она не умерла. Где бы я взяла культурный код на все сразу, если бы она умерла от инфаркта?.. Инфаркт — это ведь сразу смерть, тем более она уже старая.

Иногда Алиса казалась очень взрослой, а иногда ребенком, которому забыли рассказать, что такое хорошо, что такое плохо.

КАК ЭТО БЫЛО

Алиса сказала Энен: «Ну, вы как ребенок прямо. Вы правда думаете, что я буду с вами смотреть картинки?»

Но было же понятно, что Алисе не победить Энен в открытом бою! Энен — твердый орешек. Она еще и хитрый твердый орешек. *Мы смотрим картинки.* Валяемся по диванам, передаем по кругу альбомы и кастрюлю с сушками, беседуем о живописи (сначала у нас был Ренессанс — долго).

Алиса Романовна теперь тоже ест сушки: Энен ради живописи согласилась на послабление сушками.

Энен придумала называть нас «любезный Петр Ильич, дорогая сердцу Алиса Романовна, уважаемый Алексей Романович», мы должны обращаться друг к другу так же и на «вы». Это смешно и почему-то придает нам уважения к себе.

Один раз мы сами рисовали: Энен попросила нас нарисовать стул. Энен сказала: «Любезный Петр Ильич изобразил стул таким, как мы его видим, — это реализм, а уважаемый Алексей Романович изобразил стул как Пикассо». У Скотининого стула были длинные ножки, короткая спинка, сиденье как облако.

Вкусы у людей разные: Алисе нравятся головки Ватто, они на нее похожи (это рококо), Скотине нравится Питер Брейгель Мужицкий.

— Все знают его «Охотников на снегу» по фильму «Солярис». Вы не смотрели «Солярис»?! Вы дикари, дорогая сердцу Алиса Романовна и любезный Петр Ильич... Хорошо, кино у нас будет отдельно.

— Ура, кино! Давайте смотреть «Аладдина» все вместе!.. — обрадовался Скотина.

«Аладдин» — его любимый мультик, мне тоже нравятся Аладдин, принцесса Жасмин и попугай Яго... Уважаемый Алексей Романович посмотрел пятьдесят три серии.

Алисе нравится Ватто, Скотине нравится Брейгель, маме нравится Пикассо, голубой период. Дома есть альбом «Импрессионисты», мы вместе с ней рассматривали балерин Дега, подсолнухи Ван Гога, портреты Ренуара. Я пересказывал ей то, что говорила Энен: Мане нужно смотреть под музыку Равеля, Сера и Синьяк — художники-интеллектуалы, Тулуз-Лотрек — гений безобразного, у Матисса динамичный мазок.

Мама расспрашивала меня, как дела на работе, как там все, глаза у нее были на мокром месте, не знал, что на нее так действует искусство.

Но ведь человек меняется. Раньше у нее всегда было спокойное настроение, а сейчас то вся сияет, то как будто заплачет. От чего зависит, непонятно.

То поет, обнимает нас, по телефону говорит разными голосами: то долго, обычным голосом, а иногда — два слова, и все, а голос тонкий, как у девчонки. Повесит трубку и поет: «Зайка моя, я твой зайчик». Как она может петь такую тупость?! Как она может постоянно говорить о браке Пугачевой и Киркорова, всерьез ли этот брак или для рекламы? Как будто ее это касается. Откуда у нее это любопытство к чужой жизни? Говорит, что это не любопытство, а история про то, что в жизни все возможно.

А то вдруг заплачет. Я ночью вышел на кухню, а она сидит там одна, не читает, не пьет чай, сидит одна за пустым столом, глаза заплаканные. Сказала, что читала книгу с плохим концом. Я спросил какую, она сказала, что не помнит. На следующее утро сделала гренки, а когда мы все сели за стол, посмотрела на нас и вдруг заплакала. Ларка иронически сказала: «Ты плачешь, чтобы папа стал спекулянтом?» Мама сказала: «Что ты, Ларочка, при чем здесь это? Просто нервы шалят». Ко мне мама очень внимательна: каждый день спрашивает меня о работе, как там Роман и остальные. Ларка обижается, говорит: «Она только тобой интересуется».

...Или вообще ни с того ни с сего! Вчера зазвонил телефон, она бросилась к телефону. Звонили не ей, а Ларке. Она сказала: «Лара, это тебя» — с таким лицом, как будто ее ударили. Но что обидного в том, что Ларке позвонила подруга, а не ей? Ларка сказала: «А может, у нее любовник?» Ларка еще маленькая.

Но почему у нее нервы шалят, почему от импрессионистов у нее глаза на мокром месте? Я проанализировал все и понял: может, она больна?

Мама поклялась мне, что здорова, просто ей нравятся импрессионисты.

А мне больше всего нравится «Мир искусства». Я внимательно рассмотрел, какие они, на групповом портрете Кустодиева: Бенуа и Дягилев, Бакст и Сомов, Добужинский и Лансере. Мне нравится русский авангард: «Бубновый валет», «Ослиный хвост». Гончарова — прекрасный колорист, Ларионов — перфекционист в композиции, Кандинский придал смысл абстрактному искусству, Малевич ассоциируется лишь с «Черным квадратом», но у него есть замечательный крестьянский цикл. Вот.

Оказалось, что про картины можно разговаривать. В разговоре всегда участвуют все.

— Посмотрите на «Крик»: одиночество, отчаяние, страх, — экзистенциальные проблемы, которые человеку невозможно преодолеть... — Это, конечно, Энен.

— Но ведь экзистенаци... экзистенализм... экзи-стен-циал... в общем, это можно преодолеть... — Это я, не могу выговорить, заикаюсь, как дурак.

— А пожалуй, ты прав, Петр Ильич... Экзистенциальные философы пытаются понять, как преодолеть отчаяние. Сартр и Камю предлагают спокойно делать свое будничное дело, не склоняясь под ударами судьбы. А Хайдеггер говорит о главных смыслах бытия человека: кто я есть, кем хочу быть, как отвечает мне мир — помогает, препятствует, сомневается?..

— Свинья! Алиса Романовна, вы свинья! Вы все сушки сожрали, так нечестно! — Это Скотина.

Энен сказала: не нужно бояться сказать о чем-то «я это не люблю». «Мне это не нравится» звучит беспомощно, а «я это не люблю» — решительно, например: «Шекспир для меня слишком громогласен» или «Толстой для меня слишком декларативен».

— А пароли-то, пароли? — Это Алиса.

Энен дала Алисе пароли:

— «Люблю русскую портретную живопись» и «Не люблю русскую портретную живопись» — можно и так, и так. «Люблю русскую жанровую живопись» и «Не люблю русскую жанровую живопись» — можно и так, и так. «Ну, это все-таки Репин...» — типа мы слишком умные, чтобы любить Репина, но все-таки это Репин.

КАК ЭТО БЫЛО

Мы с папой с шести утра стояли в очереди. Номер написали на руке, на папиной и на моей тоже, папа сказал: «Надо продублировать». Было темно и холодно. У нас был с собой чай в термосе, поэтому мы не так замерзли, как хотели в туалет.

Немецкое консульство открывается в девять. Пускают по десять человек. Мы уже думали, что не успеем, но нам повезло: папу пустили в половине двенадцатого с последней группой.

Папа вышел, и я сразу понял: все хорошо. Он направил в меня палец и сказал: «Хенде хох!», мы стали смеяться, и папа вдруг испугался и потянул меня подальше от консульства.

Папа сказал, что он три раза заполнял анкету, так сильно волновался из-за всего: что паспорт не тот, приглашение неправильное, фотографии не подойдут, а девушка в окне, которая принимает документы на визу, будет расспрашивать его, зачем он едет в Германию. В окне просто взяли его документы и сказали: «Через неделю приходите за паспортом», и папа удивился и сказал: «Как, и это всё?..»

Папа оглянулся по сторонам и сказал: «Ахтунг, ахтунг, русише шпацирен», мы опять засмеялись и пошли к метро «Чернышевская». Папа по своему характеру как все люди: веселый, когда все хорошо, и грустный, когда все плохо. Сейчас у нас все хорошо!

Во-первых, приехала Бабуля! При ней чемоданчик с медалями. Бабуля получила одну медаль как ветеран труда и другую как ветеран войны. Ветеран войны она потому, что в тринадцать лет работала на кухне в военном госпитале, перед приходом немцев госпиталь эвакуировали, и Бабуля вместе со всеми выносила на себе раненых.

Бабуля такая большая, что можно представить, что она выносила на себе раненых.

Ветеран труда она потому, что сто лет работает сестрой-хозяйкой в больнице № 1 в Полтаве, ее там называют «Увидеть тетю Клаву и умереть» за то, что она командует врачами и даже главврачом.

Но к папе она относится с почтением: он коренной ленинградец и первый в ее семье с высшим образованием. На каждый праздник Бабуля присылает папе отдельную открытку, открытки начинаются «Уважаемый Илья Михайлович...», в конце «С уважением, Клавдия Петровна». Папе с ней уютно, и он становится остроумным. Говорит с разными интонациями: «А вы, Клавдия Петровна, сидите, гремите медалями», и они смеются.

В первый вечер, когда стали смотреть телевизор, папа сказал: «Меня трясет от этих демократов, эта перестройка все соки из меня выжала», а мама: «Да, надоело до тошноты...»

— Вы что?! — испугалась Бабуля. — Не говорите так!

Она считает, что есть слова, которые вызывают болезни, как будто человек словами дает своему телу команду, и оно начинает болеть. Если говоришь: «Я это не перевариваю», будет язва, говоришь: «У меня сердце разрывается», будет инфаркт, а если скажешь: «Лопнуло мое терпение», будет приступ гипертонии. Мама говорит: «На мне вся семья», а папа: «Все на моей шее», это означает, что у обоих остеохондроз.

— Вы же медработник, Клавдия Петровна! Кстати, сами вы чуть что говорите: «Я уже голову сломала об этом думать», у вас голова не болит? — уточнил папа.

Бабуля задумалась и сказала:

— Да вроде не болит. Я последнее время все забываю, это да. То утюг не выключила, то счета на квартиру потеряла, а они на буфете... Сколько у меня на отделении постельного белья — помню, за любой год спроси, хоть в пятьдесят девятом, хоть в шестьдесят восьмом, а вот где счета на квартиру, забыла... А они на буфете.

И все засмеялись.

— А у Ларки прыщик выскочил на кончике носа, потому что она сказала мне: «Не суй свой нос в мои дела», — сказала мама, и все опять засмеялись.

— А мама сказала мне: «Не хочу тебя слушать», значит, она скоро оглохнет, — заметила Ларка.

Но мама не обиделась. Когда приезжает Бабуля, становится веселее. И наша семья укрепляется.

Во-вторых, через два дня после Бабулиного приезда папа нашел работу. Это настоящая работа, не то что возить посуду в клетчатых сумках. Один его знакомый предложил ему пригнать машину из Германии. И не один раз, а все время пригонять машины. Это не унизительно, это не стоять на рынке, это даже удовольствие, —

после того как нам пришлось продать «москвич», папа скучает по рулю.

— Оплата — пятьсот долларов, — скромно сказал папа. — Мне уже и приглашение в Германию дали, для визы.

— Хорошо, — удивилась мама. Как будто она не верила в папу.

Бабуля почтительно радовалась.

КАК ЭТО БЫЛО

Папа поехал в Германию на поезде. Через неделю вернулся на машине, машина — красный «опель» восемьдесят седьмого года. Папа приехал как Дед Мороз, привез всем подарки. Деньги он еще не получил, но ему дали немного марок на еду, и он сэкономил.

Мне и Ларке — футболки и шоколадки, маме — сумку, Бабуле — шарф, она чуть не расплакалась, сказала: «Я не заслужила такого шарфа...» Хорошо, что она присутствует при папином подъеме. Она и так его уважала, но теперь уважает еще больше. Он скоро получит пятьсот долларов за работу.

Про Германию папа сказал: был шок и сильная грусть, что мы никогда не будем жить как немцы, а ведь мы — победители. Но грусть прошла, когда купил нам подарки.

У папы отличное настроение, мама сказала Бабуле: «Он прямо воскрес». И через три дня опять уехал.

А мама совершила безумный поступок.

Еще при папе был обычный скандал, такой обычный, что скучно писать, но без скандала непонятен дальнейший безумный поступок.

— Лара, ты должна быть дома в девять.

— Ага, а почему не в восемь? Это не утренник в детском саду, это дис-ко-те-ка!

На дискотеку Ларку не отпустили. Ларка рыдала: у меня нет шубы, нет золота, у нас нет машины, так хоть на дискотеку отпустите! Папа сказал: «Не понимаю логики», мама сказала: «Быть дома в девять».

Папа серьезно поговорил с Ларкой (мама давно его просила, но у него не было сил, а сейчас он на гребне успеха, и появились силы поговорить с Ларкой).

Папа сказал речь: «Ларочка, почему у нас такие сцены каждый день? Если ты не просишься с ночевкой на дискотеку, то выпрашиваешь новые туфли. Если ни одного предлога не находится, то специально не сделаешь чего-нибудь по хозяйству. Тебя не заставляют мыть пол или посуду, но ты даже не уберешь чашку со стола, не соберешь свои вещи с пола. ...Что касается новых туфель... и тем более шубы и золота, то людей оценивают не по внешнему виду, ценность человека не в том, что он имеет, нужно стремиться достичь чего-то, а не обладать, к примеру, шубой...» Честно говоря, этого я от папы не ожидал! Вот что делает с человеком успех.

Папа не может знать, что от дискотеки зависит Ларкин престиж в Лучшей Компании. В Лучшей Компании важно — отпускают тебя на вечерние дискотеки или нет. Самых продвинутых отпускают даже на ночную дискотеку в кинотеатре «Художественный», с ежиками (ежики — это охранники). Ларка плачет — шубы нет, охранника нет, так хоть на дискотеку отпустите — и это нет! Оттого она так и взбесилась. От несправедливости общества, семьи и школы.

Папа раньше понимал Ларку. А сейчас просто говорит слова. Вот оно что: человек понимает другого, если он несчастен. А если человек не несчастен, он перестает понимать.

После этого — все. Ларка ненавидит маму. Папа уехал, Бабуля тут ни при чем, Ларка ненавидит маму.

Достаточно одного маминого присутствия, чтобы Ларка взвилась. Ларка сидит спокойно, смотрит телевизор. Как только мама входит в комнату, она напрягается. Начинает ерзать. Когда мама выходит, она успокаивается. Если мама присела, Ларка встает и выходит из комнаты.

Ларка больше не орет, как раньше: «Кто опять выпил мой чай?!» или «Где, блин, мое синее полотенце?!», она стесняется орать при Бабуле. Ларка тихо говорит маме: «Как ты можешь так одеваться, так говорить, так смеяться, у тебя такие ноги...» Мама говорит: «Но как же мне с тобой... если тебя раздражают даже мои ноги...» В общем, ужас.

И я уж не знаю, как они с мамой до этого дошли, но Ларка сказала маме. Она сказала, что у нее нет ничего, что она по-настоящему хочет. И что без этого она не может жить. Сказала: «Это разрушает мою жизнь».

И мама купила Ларке шубу. На все деньги, что заработал папа, и еще немного дала Бабуля. Мама сама мечтала о шубе, но купила Ларке.

Ларка целый час молча стояла в шубе перед зеркалом. И вообще как-то притихла — у нее шок от того, что ей купили что-то очень дорогое. Вот зачем говорить слова: людей оценивают не по внешнему виду, ценность человека не в том, что он имеет, не нужно стремиться обладать, — это не так. Ларка притихла и счастлива.

Мы все притихли и счастливы, Ларка, я, Бабуля, мама.

КАК ЭТО БЫЛО

Скотина отказался делать уроки. Сказал, что завтра не пойдет в школу. Кричал: «А вот и не пойду, а вот и ни за что, а вот и не хочу» и прыгал с идиотским лицом... Скотина!

Я хотел убить Скотину, но передумал и погладил его по голове. Когда я гладил его по голове, выяснилось, почему он не хочет ходить в школу: Скотина боится сдохнуть.

Скотину обижает пятиклассник. Пятиклассник подходит к нему сзади и ухает, дал ему пендель. Пятиклассник сказал, что Скотина сдохнет. Пятиклассник поймал его в туалете и показал ему свой член.

— Он сказал: «Теперь ты покажи мне свой член, а то сдохнешь... ты скоро сдохнешь!» Я убежал и теперь все время боюсь скоро сдохнуть.

Сказать Роману?

А что Роман? Он пойдет к директору, директор пообещает разобраться. Но даже если Роман придет такой важный, миллионер, в костюме, с охранником и водителем, директор не может разобраться с пятиклассником: ну, вызовет его родителей, и что? Может, его родители сами уроды. Тогда пятиклассник будет еще больше гнобить Скотину.

Нет. В таких случаях нужно действовать снизу.

Но если Роман будет действовать снизу, он изобьет пятиклассника, и его посадят в тюрьму. Роман ведь не умеет сдерживаться. А я с ним спокойно поговорю, объясню: пусть не думает, что Скотина маленький и беззащитный, у него есть защита — я.

Мы договорились: я встречу Скотину у школы, и мы будем караулить, когда выйдет пятиклассник. Скотинина школа на Графском. Скотина ведь давно уже ходит в обычную школу, не в частную, как Алиса. Вернее, ездит: его возит водитель.

Пятиклассник появился, ждать пришлось недолго. Но я не смог с ним поговорить.

Когда я к нему шел, я хотел разговаривать, но вдруг представил, как Скотина лежит ночью и думает, что он скоро сдохнет. И как он в школе терпит, чтобы не заходить в туалет. Мпс мама в детстве говорила, что мальчикам нельзя терпеть, а у Скотины нет мамы, его выменяли на диван.

И тут что-то такое во мне поднялось, что я даже не знал, что это во мне есть.

Я схватил этого пятиклассника за воротник, я тряс его, я так тряс, чтобы у него голова отвалилась! Тряс его! И повторял: «Урод, урод поганый, если ты, урод, еще раз подойдешь к моему брату, я тебя убью, ты понял, урод, гнида поганая?!» Ярость навалилась на меня и так завалила, что я не мог дышать! Какой же он гад, это же каким надо быть гадом, чтобы подловить в туалете первоклашку! Я сказал, что отрежу ему его поганый член. И тряс его как грушу, тряс! Чтобы у него оторвалась голова! Если бы я был драконом, я бы его съел.

Мы сели в «мерседес» и поехали домой. От школы на Графском до дома три минуты, а на машине минут десять, если нет пробок: нужно разворачиваться и выезжать на Невский или на другую сторону Фонтанки. Но Скотину возят на «мерседесе», это Скотинин опознавательный знак, что он сын миллионера. Только почему-то это его не защитило.

Папа считает, что я обязан рассказать Роману: история серьезная, отец Скотины должен ее знать. А если хулиган будет продолжать преследовать Скотину?! А если, не дай бог... ведь это было сексуальное домогательство! На месте Романа он перевел бы ребенка в другую школу.

Ну, и мне пришлось все рассказать Роману, чтобы он перевел Скотину в другую школу. В элитную школу. Пусть ходит в частную школу, как Алиса. Там к нему никто не будет приставать, там он не будет ругаться, как извозчик... Недавно (мы с ним как раз шили колпак для школьного спектакля, Скотина играет колдуна) сказал: «А я уже знаю, откуда берутся дети» и объяснил такими словами, что я даже покраснел.

А когда мы с ним купили тараканов?! Мы с ним пошли в Зоологический музей за тараканами, их там продают недорого в засушенном виде, офигенские тараканы! Скотина сказал: «А вот этот таракан — голубой лесбиян». Кто такой голубой лесбиян?! И почему именно этот таракан?.. Черт знает что у Скотины в голове, пусть лучше учится в элитной школе.

— Хрена ему, а не элитную школу, — сказал Роман.

Ему не жалко денег: Роман ничего не жалеет для Алисы и Скотины. Недавно принес Алисе мешок Гербалайфа, она отказалась есть Гербалайф, он заорал: «Ну и черт с тобой, живи уродом!», выбросил мешок за дверь и пнул его ногой с лестницы. А ведь Гербалайф очень дорогой. Внизу Гербалайф поймала Материя и забрала себе — ей не нужно худеть, но она его продаст.

Роман сказал:

— Я в пятом классе на уроке труда выточил из фанеры самострел, знаешь зачем? Чтобы не бояться шоблу со Щербака. Скотина будет учиться в моей школе на Графском, знаешь зачем? Он должен быть крепче. Должен уметь дать в... такому... должен научиться сам... а не чтобы его...

В общем, если перевести Романа на нормальный язык: Щербак — это Щербаков переулок, по соседству с Графским, Скотине нужно уметь взаимодействовать с разными людьми, уметь бороться за свою жизнь.

Роман считает: успешные люди вырастают в обычной школе, где есть разные люди, а не в элитной. То, что дети разделены на богатых и бедных, плохо для богатых: из них вырастут слабаки, которые просрут папашино богатство, и вообще... они не для жизни.

— Но все хотят, чтобы их дети учились в элитной школе...

— Все — дураки. ...К тому же в элитных школах лучше учат.

— Разве плохо, что лучше учат?

— Ну да. Плохо. Школа вообще вредна, растит неудачников. В школе ведь как: за неверный ответ двойка, за ошибку двойка, человек потом будет бояться действовать, чтобы не сделать ошибку. Только у школьной задачи есть ответ «верно» или «неверно», а в жизни у любой задачи много решений. Ты лучше учись сам...

195

Где?.. Ну, где, где... где хочешь. Сиди и размышляй в тишине.

— А почему тогда вы наняли для Алисы Энен, чтобы Алиса стала интеллигентным человеком? Почему Алиса учится в частной школе?

— Алиса?.. А зачем ей размышлять в тишине? Из нее все равно ничего не получится. Она толстая. В частной школе с ней просто не дружат, а в обычной ее сожрут... ха-ха, в переносном, конечно, смысле.

Все-таки Роман очень интересный человек. В его мировоззрении центральное место занимает идея, что все дураки. Но можно ли научиться думать, что все дураки? Мне кажется, это врожденное.

А самострел для шоблы — может быть, для него это как раз и было *размышлять в тишине*?

КАК ЭТО БЫЛО

Как все это рассказать?

У Романа и Жанны были гости. Знакомые Романа. Трое мужчин. Они сидели не с нами, а в одной из комнат. Пили и разговаривали. А мы, как всегда, по диванам, и Скотина с нами.

Скотина принес из Кучи все, что осталось от наших соседей. То есть нет, это звучит как будто он принес останки наших соседей. Скотина принес из Кучи много всего.

Справка, напечатана на машинке с прыгающими буквами: «...*работает в Головном авиационном складе с января месяца 1942 года. Работая в должности авиационного механика и, несмотря на то, что материальная часть при формировании склада была получена не новой, он умело организовал профилактический и средний ремонт...*» Это дядя Петя, он был шофером во время войны, это его справка! Баба Циля и баба Сима не говорили про блокаду, но они как-то так *не говорили,* что моя жизнь наполнена блокадой, как будто блокада во мне. А дядя Петя как раз любил рассказывать, как он был на фронте шофером, потом механиком, но война почему-то не во мне.

197

Я сказал Энен, что мой дед всю блокаду жил в этой квартире, сначала снимал Аничковых коней, потом устанавливал обратно. Она удивилась, почему я не сказал раньше. Но что бы тогда изменилось? Она сказала: «Просто это интересный факт».

Я согласен с Энен, что дяди Петина справка не хлам, а памятник истории. Но как передать памятник истории дяде Пете, если у меня нет его нового адреса?

Газета со статьей под заголовком «Выступление тов. Хрущева перед делегацией Мали», старые открытки про космос (спутник, Лайка). Это все-таки хлам.

Главное — старый проигрыватель и пластинки. Пластинки Апрелевского завода, из толстой черной пластмассы, в центре красный круг с надписью. На одной написано «Фокстрот. Исп. Л. Утесов», на другой «Рио-Рита. Исп. оркестр Госрадиокомитета». Одна пластинка была в конверте, Энен вытащила и сказала: «О-о, Вадим Козин, давайте поставим».

Мы слушали пластинку, там были слова: «Давай пожмем друг другу руки, и в дальний путь на долгие года!» Энен сказала: «Вы понимаете, о чем он поет? Его посадили, его отправляют в лагерь на долгие года». У меня по телу пошли мурашки.

А Алиса все прислушивалась к тому, что там происходит, за дверью. И, как обычно, когда Роман начинал пить, попросила меня принести ключи от машины. Я вышел в прихожую и взял ключи в кармане его куртки. Я уже привык лазать в его карманы за ключами. Лучше я залезу к нему в карман, чем он поедет на машине пьяный и разобьется.

Вышел Роман. Я зажал ключи в руке, он не заметил.

Он сказал:

— У тебя уже кто-нибудь был?

Я сначала не понял, а потом понял и сказал, что нет.

— Как странно, у меня в твоем возрасте... Нечего дуться, я просто хочу быть тебе как отец, ты мне нравишься.

Не знаю, как рассказать, просто расскажу, как было. В это время из спальни Романа вышел мужчина, один из его гостей. Я понял, что там, в спальне, Жанна. Я подумал, что ее надо защищать, и рванулся к спальне.

Роман сказал:

— Ты тоже хочешь? Если хочешь — пожалуйста.

Он предложил мне Жанну как проститутку!

Я постучал в спальню, закрыл глаза, приоткрыл дверь и сказал:

— Я тут, не бойся, я тут.

Она сказала:

— Это ты? Заходи.

Я понял, что ее не надо защищать. Роман предложил мне Жанну как проститутку. Но ведь она и есть проститутка. Я понял.

Я закрыл дверь и сказал Роману — нет, спасибо. Как будто он предложил мне бутерброд. А я не захотел, потому что не голоден. Все было как во сне. Как будто я во сне говорю себе: подумаешь, Жанна, подумаешь, первая любовь, подумаешь, проститутка.

— Я бы в твоем возрасте не отказался, — сказал Роман. И подмигнул. И так трогательно сделал губы трубочкой. — Ну, как хочешь.

Я хотел уйти домой, но ведь у меня Скотина, он для всего этого слишком маленький. И Энен, она слишком старая.

Я вернулся в комнату. Зачем-то вынул ключи из кармана и засунул их под Алисину подушку, на которой она держала ногу. Не знаю, Энен поняла, что там происходит? Или нет? Они довольно громко гремели бутылками, перекрикивались пьяными голосами.

Энен сказала: «А сейчас мы...» и огляделась вокруг, как будто хотела найти что-то шумное, чтобы заглушить, как они там топали по коридору, хлопали дверьми, а один крикнул: «А теперь я!» Наверное, она все-таки слышала, но что она могла сделать? Закричать: «Ромочка! Как не стыдно?!» Но они пьяные. Закричать: «Как не стыдно, в доме ребенок!» Так в том-то и дело, что у нас на руках Скотина.

Энен поставила пластинку и танцевала со Скотиной под пластинку «Рио-Рита. Исп. оркестр Госрадиокомитета». Две маленькие фигурки кружились по комнате, Энен кружилась с трудом, но было видно, что она умеет, а Скотина, конечно, топтался и хохотал.

Потом Энен запыхалась и больше не могла танцевать. Она поставила другую пластинку.

Пластинка началась с того, что сладкий мужской голос спросил: «Хочешь, я расскажу тебе сказку?» Скотина сказал: «Хочу», но дальше было только шипение и опять: «Хочешь, я расскажу тебе сказку?». На пластинке была царапина, но Скотина все надеялся, и ставил, и ставил иглу в начало, а там: «Хочешь, я расскажу тебе сказку?»

Потом мы услышали, что все собираются уходить, они очень шумели в прихожей.

Роман зашел к нам, достал из ящика Алисиного шкафа пистолет.

Алиса закричала: «Папочка, не надо! Остановите его!» Но как мы могли его остановить?

Роман забрал у Алисы ключи от машины. Откуда он знал, что ключи были под Алисиной подушкой для ноги?

Алиса начала плакать. Роман ушел с гостями и Жанной.

Энен не ушла. Она играла со Скотиной в волшебника, потом читала ему стихи. Стихи были странные.

Гахи глели на меня
сынды плавали во мне
где ты мама, мама Няма
мама дома мамамед!
Во болото во овраг
во летает тетервак
тертый тетер на току
твердый пламень едоку.
Твердый пламень едока
ложки вилки. Рот развей.

Скотина бегал и кричал: «Мама-няма-мамамед, мама-няма-мамамед!»

Странные стихи, но почему-то запоминаются. Энен сказала, это Хармс. Потом сказала:

— Когда-то давно я знала одну поэтессу, которая дружила с женой Хармса... Я всех знала! Еще я знала женщину, которая была влюблена в Мандельштама. Когда ее вызвали в Большой дом, она подписала какую-то придуманную чушь на Мандельштама... По глупости подписала, думала, что такую чушь *можно* подписать... Это было еще не самое страшное время, конец двадцатых годов... Она потом всю жизнь страдала, винила себя — по-моему, напрасно: эта ее бумажка не сыграла никакой роли в его судьбе... Она была очень красивая. ...

Кстати, она прожила очень достойную жизнь, в блокаду многим помогала... Сейчас мода на разоблачения, то одного разоблачат, то другого... Но нужно ли сейчас знать, что сделал кто-то, *не важный* для истории, обычная очень красивая женщина? Разоблачать сейчас, из других обстоятельств, рассуждать из другого времени — ах, какая она предательница! Мне не нравится судить людей. Мне больше нравится уважать людей, восхищаться ими, чем обвинять в малодушии, — чего и вам желаю. Тем более обвинять в том, что было давно, — ведь это было давно... а теперь, через столько лет, ты и сам уже не тот...

У Энен в голове запутанный клубок. Записал, но не знаю, зачем мне все это? При чем тут я?

— Я бы не предала любимого человека, хоть бы меня резали, — возмутилась Алиса.

Энен легко улыбнулась, пожала плечами:

— Но тебя же еще никогда не резали, так что ты не знаешь, не можешь быть уверена...

— Нет, я знаю, нет, я уверена.

— Ну, нет так нет.

— А что вы так волнуетесь?

— Я?.. Я, как любой человек, иногда вела себя хорошо, иногда нет, но ведь исправить уже ничего нельзя, мои нехорошие поступки уже встали в цепочку, стали причинами других поступков, плохих и хороших. Я не волнуюсь, нет.

Разве плохой поступок может стать причиной хорошего? Непонятно.

Потом Энен ушла. Перед уходом погладила Скотину по голове. Сказала: «Малыш, люди выживают даже в лесу, благодаря уму и отваге». Она имела в виду, что тут, на Фонтанке, лес?

Алисе она ничего не сказала. А что говорить, если все ясно: Роман уехал на машине пьяный и с пистолетом.

Я остался ночевать на работе.

Утром кто-то позвонил и сказал: «Можете его забрать, ментовка на Лиговке, у Московского вокзала, нужно принести его паспорт».

Ну, я пошел и забрал его. Я еще никогда не был в милиции.

В милиции было обычно: вошел, там комната, в комнате прилавок, за который нельзя заходить, за прилавком сидит рыжий милиционер. Я сказал: «Я за Романом Алексеевичем». Сказали ждать. Через пять минут вышел Роман. Веселый, злой. Сказал: «А-а, Петр Ильич, это ты...», а милиционеру: «Ну, мент поганый...» Тот дернулся, но Роман сказал ему: «Спокойно, рыжий, за все заплачено». И мы пошли домой.

Роман рассказал, что произошло. Они поехали по Невскому, совсем немного проехали, от Фонтанки до Садовой. На светофоре к ним подъехала машина ГАИ. Роман высунул из окна руку с пистолетом и стал орать: «Менты поганые!» Их забрали. Повезло, что стрелять не стали. Хорошо, что пистолет был не заряжен.

— А если бы был заряжен?

— Тогда бы так легко не откупился. Было бы дороже. ...Слушай, ты вот думаешь про Жанну... А ты не думай.

Откуда Роман знает, о чем я думаю?

— Ты же не дурак, не ребенок, чтобы думать о ней, распускать сопли — ах, ах... Все существует для чего-то. Ну, ты что-то ешь, что-то пьешь... используешь по назначению.

На Фонтанке у нашего дома нашли кавказца. Он подошел к нам и *посмотрел*, и Роман сказал: «Ладно, пошли с нами». Не каждый человек взял бы чужого огромного кавказца домой.

Роман сказал, что кавказец породистый и молодой, не больше года. Кавказские овчарки огромные! Ничего себе, этому не больше года, а такой огромный! А какой красивый! Рыжий, местами черный.

Роман назвал его Мент. Сказал, что у него все время перед глазами рыжий мент с Лиговки, потому что он еще не протрезвел. И собака поэтому будет Мент.

Это все.

Я стараюсь не думать о Жанне. Я не хочу быть дураком и ребенком. Я думаю о Романе. Он мог бы просто встречаться с ней как с проституткой, а ходить с ней в гости, в рестораны — зачем? Ему смешно, что он повсюду с проституткой? Или ему смешно, что он всех обманывает? Он делает это, чтобы думать, что все дураки?

ПРИСЕЛ

Будь это роман, можно было бы сказать, что в тот вечер начал разрушаться кокон, в котором существовал наш хрупкий альянс, не признающие своего родства Алиса со Скотиной, мы с Энен, то ли служащие, то ли друзья... Что начиная с этого вечера все пошло не так. Но мы были не в романе, а по конкретному адресу на Фонтанке, у Аничкова моста, и со следующего моего рабочего дня все продолжалось точно так же — плюс Мент.

Мент не просто прибавился к компании, с Ментом в доме стало больше семьи: он *физически* сблизил Алису и Скотину: ложился к Алисе на диван, следом забирался

Скотина, прижимался к большому теплому Менту, как будто тот его мама, — так они втроем лежали, гладили Мента в четыре руки и были похожи на семью, а не на впопыхах собранных по миру детей.

То ли Романа тоже притягивал Мент, то ли ему было стыдно за оргию на глазах у детей, за *смешение жанров*, но Жанна больше не появлялась, — а может быть, она просто ему надоела. Почти все вечера Роман чинно проводил с нами — с нами и своими женщинами. И в каждую я озабоченно вглядывался, чтобы не принять проститутку за ангела, но нет, ничего такого не было. Из череды женщин, прошедших перед нами, мне запомнились три: одна была *интеллигентная*, другая мать Скотины, третья Даша.

Интеллигентная (кажется, Роман звал ее Иркой) была дочерью университетского профессора (Энен сказала «профессорская дочка в третьем поколении»), она даже двигалась *интеллигентно*, не занимала много места в пространстве, не жестикулировала, не повышала голоса. Они с Энен подружились. Когда Роман привел ее к нам, Энен читала Скотине «Самовар» (Скотина все время требовал от нее «Мама Няма аманя», и она перечитала ему всего детского Хармса). Ирка сказала: «Здравствуйте... знаете, я в детстве не понимала, что в нем такого, в детстве же не понимаешь, как Хармс раздвигает сознание, тебе просто хорошо... А потом уже понимаешь — поэтика абсурда, но оказывается, с детства ты совсем не изменился, тебе просто хорошо...» Энен сказала: «Считают, что он придумал другой мир, но...», Ирка сказала: «Но это не придумывание, он не придумал другую реальность, это не описание другого мира, он жил в нем...», — в общем, они с Энен бросились друг к другу, как потерянные близнецы. А мы с Алисой увидели культурный код в *действии*, поняли, *как* говорят на одном языке.

Ирка была независимая и деликатная (нечастое сочетание): мгновенно, но без настойчивости подружилась с Алисой, со Скотиной обращалась как с разумным человеком, оставалась ночевать, не подчеркивая отношений с Романом, как будто пришла ко всем, засиделась и осталась ночевать, потому что рано на работу. Ирке не нужно было ни на завод, ни в сберкассу, она была аспиранткой в университете, ей не нужно было рано на работу, но *как будто бы* нужно, вот она и ночует.

С Иркой украшали елку. У Романа семейной новогодней коробки с игрушками не было, игрушки принесла Энен. Разложили игрушки на письменном столе, рассматривали каждую, привязывали нитки, потом совещались по каждой игрушке — примеряли на елку, прикидывали, какую куда. Наверх птицы на прищепках, вниз огромные морковки и шишки, в середину картонные игрушки пятидесятых. Для макушки у Энен были звезда и пика, на выбор, Скотина выбрал звезду и вдруг заплакал. Никогда не говорил о маме, а тут вдруг сказал: «У нас с мамой была звезда, пусть здесь будет звезда». Алиса надулась, она хотела пику, но Ирка без упрека, без всяких «ты взрослая, а он маленький, он же твой брат» попросила: «Ну, Али-иска...» Ирка была *хорошая*. Но не то, что называют «хорошая, но скучная», не то, что Роман был с ней, как будто пил кефир, полезно, но не зажигательно, нет. Он был с ней спокоен, нежен и как бы *заинтересован*. И она была очень красива, не «красивая девушка», а настоящая, редкая красавица с лицом как на картине Модильяни, с неожиданно при своей классической красоте современной фигурой, длинноногая, не хуже Жанны... Чем такую прекрасную Ирку привлек Роман? Ну, наверное, к Роману ее привязывала страсть, но страсть незаметная, ненавязчивая. Во всяком случае, при нас она ее не демонстрировала.

О том, что произошло, *куда делась Ирка*, мне рассказала Алиса. Они сидели втроем — Роман, Алиса, Скотина — и ждали Ирку, она должна была прийти после вечерней лекции. Ирка только начинала читать лекции и после каждой лекции летела как на крыльях, — ура, получилось!

— Ирка идет, — сказал Скотина, сбегав к домофону.

— Ну так открывай, — сказала Алиса.

— Не открывай, — сказал Роман.

— Звонок, Ирка звонит в дверь, ты что, не слышишь? — удивилась Алиса.

— Слышу, — сказал Роман.

Ирка звонила в дверь удивленно долго, ведь Материя внизу сказала ей, что все, и Роман, дома.

Ирка звонила, Мент лаял, Роман не открывал. Ирка звонила-звонила и ушла, больше мы ее не видели, Роман сказал: «Я ее выгнал, надоела».

Аня, мать Скотины, — с ней был договор, по которому она отдает Роману ребенка взамен на диван, — *запомнилась* мне навсегда, хотя я никогда ее не видел. Роман называл ее «дура-малолетка». Дура-малолетка была откуда-то из провинции, в Питере совершенно одна, — и вдруг собралась в Америку с целью выйти замуж (не знаю, почему в Америку, тогда каждый протаптывал собственные тропы). Роман не дал ей денег на билет, предложил: «Возьми диван, продай, купи билет и п...й нафиг в свою Америку и больше не появляйся». Она продала диван, купила билет, вышла замуж, приехала повидать Скотину. Материя сказала ей: «Роман Алексеевич велел вас не пускать». Условия обмена Скотины на диван были жесткими, в их устном договоре *мелким шрифтом* значилось, что она отдает сына навсегда. Воевать с Романом за Скотину было невозможно — силы неравны, она заплакала и пошла нафиг в Америку. Материя донесла Алисе: «Она хорошенькая, беленькая, как зайчик, где же тому зайчику против Романа Алексеевича», Алиса гордо ответила: «А то!» и, подумав, добавила: «Но лучше бы папа отдал ей Скотину... Не понимаю, зачем он папе». Скотина имел в ее глазах весьма сомнительную ценность: слишком крикливый, слишком прыгучий, слишком *Скотина.*

Ну, с Аней понятно, они *договорились*, и Роман действовал в рамках договора, но вот загадка — зачем было унижать чудную, милую, красивую Ирку? Почему бы просто не расстаться, как все люди? Почему ему обязательно нужно было *выгнать*, почему так глупо — слушать, как она звонит, не открыть дверь?

Можно было бы сказать — ну, просто ему нравилось унижать людей. Но в его отношении ко мне не было ничего, кроме добра. Даже когда я попросил у него денег взаймы, для отца: у отца в Польше угнали машину, он добирался чуть ли не пешком и остался должен за угнанную машину три тысячи долларов, для нас катастрофа космического масштаба, — Роман не дал, объяснил, что не хочет испортить со мной отношения — отец никогда не сможет отдать, и эта *подачка* встанет между нами, мы не сможем остаться друзьями. Пачки долларов валялись на Фонтанке повсюду, без счета, одна из них могла бы стать нашим спасе-

нием... В глазах Романа ясно читалось «какого черта
мне помогать твоему отцу-неудачнику?!», но он *объ-
яснял*, а не унижал меня. ...Тогда почему? О таких людях говорят «очень сильная энергия разрыва», но он,
мне кажется, не хотел разрыва отношений, — просто
ему со всеми было плохо, у него была такая рваная
душевная ткань, что он ни с кем не мог себя душевно
совместить. С Иркой их жизнь могла стать осмыслен-
ной, — но нет.

После Ирки была Даша, чужая жена: глаза в
пол-лица и тоненький голос. Даша не была *интеллек-
туальной*, она, как Наташа Ростова, не удостаивала
быть умной, не была картинно красива, нс была дру-
жественной с Алисой и Скотиной, чужие дсти были ей
интересны не больше, чем движущиеся фигуры. Она
бывала разной: то романтичной — вспыхивали глаза,
она говорила «а кем бы ты хотел быть, если бы...» или
«а давайте зажжем свечи и будем смотреть на Аничков
мост», то практичной, и всегда смешливой, смеялась
даже когда Роман показывал ей палец; это была их детская шутка: палец медленно вырастал из сжатого кула-
ка, она серьезно смотрела и наконец не выдерживала,
начинала хохотать, и за ней смеялся Роман, — в их
смехе было что-то волнующее, сексуальное, что сму-
щало меня больше, чем когда Роман с Жанной уходили
на наших глазах в спальню. С Дашей они много смеялись, и только с ней он разговаривал: не хвастался, а
рассказывал, *делился*. С ней Роман вел себя как снис-
ходительный мужчина ведет себя с любимой женщиной: однажды она потащила его по магазинам искать
ей сережки (не покупать, у нее был муж, а с Романом

у них была дружба), он поднялся и покорно пошел за ней, повез ее по магазинам, как *обычный* любящий мужчина. Она была единственной, кому он дарил подарки: обдумывал, искал по антикварным магазинам, нашел портсигар необыкновенной красоты, — и она вытащила из него тонкую сигаретку, повертела в пальцах, не декадентски тонких, как у интеллигентной Ирки, а в коротковатых живых пальчиках, сказала «какая прелесть, ну, я пошла, мяу», она всегда уходила внезапно — у него не было над ней власти, а у нее над ним была, самое лучшее в нем принадлежало ей. Но романа не было. Даша была не из тех, кто вляпается в плохую историю (а он был *плохая история*), она была из тех, кому *нужно счастье,* — а с ним какое же счастье? Он бы и ее выгнал. Роман был красивый и богатый, но *бедный*, как Синяя Борода, с той не мог и с этой не мог, ни с кем не мог. ...Материя сказала по-житейски, без затей: «Водит и водит женщин, водит и водит, да все без толку...»

Роман *водил женщин*, а Энен разговаривала с нами о любви: у Казановы — талант любить, Дон Жуан мстит всем женщинам за невнимание матери, у маркиза де Сада идея свободы без ограничений нравственности, а вовсе не причинение боли...

Ну, и раз уж зашла речь о любви и сексе, то она познакомит нас с Фрейдом.

Фрейд, конечно, сильно нас смутил, как будто нас познакомили с кем-то, кто ведет себя неадекватно: мы-то думали, он философ, *мы от него такого не ожидали...* Фрейдовские термины: оральная, анальная, фаллическая, латентная, генитальная стадии развития вызвали у нас приступ смущенного хихиканья. Можно было признать, что Скотина находится в латентной стадии и его либидо направлено на то, чтобы носиться по комнате и скакать по диванам под Хармса, но согласиться, что сами мы находимся в *генитальной* стадии и единственное, что нас занимает, это секс?!

— Это он находится в генитальной стадии, — ткнув в меня пальцем, сказала Алиса. — Это он только и думает о сексе, а я *нет*.

У меня образовалась еще одна обида на Фрейда: он утверждал, что все проходят через гомосексуальный период. Почему *все*? Я никогда не думал ни о ком в таком смысле, кроме одного раза: мамина подруга отказалась от гомосексуального сына, и мама спросила меня: «А если бы ты вдруг оказался этим самым?..» Я подумал: «С чего бы? Это как будто вдруг оказаться жирафом». Для верности я, мысленно перебрав своих друзей, попытался представить себя «этим самым», — нет! Я искал и не находил в себе тайные желания, а мама подумала-подумала и сказала: «Если бы ты оказался этим самым, я бы любила тебя не меньше». «Ты идеальная мать, — заметила Ларка, — идеальная мать для него. А для меня нет. Как будто ты — это две разные матери».

Энен объявила, что познакомит нас также с Фроммом и Франклом: мы должны *заранее* знать, что такое любовь.

Любовь по Фрейду — желание обладать любимым объектом, любовь по Фромму — умение любить самому, любовь по Франклу — духовная близость, которая не зависит даже от физического существования любимого человека, — ничто из этого мне не подошло. В любви по

Фрейду было слишком много секса, в любви по Фромму слишком мало секса, в любви по Франклу не важно было даже, чтобы любимый человек был жив, это было *как-то слишком*. Так мы с Алисой и не поняли, по кому нам любить.

Что же касается паролей, то Алиса должна *упоминать* «либидо», «оговорка по Фрейду», «океан бессознательного», «кушетка психоаналитика» и прочее *модное*.

КАК ЭТО БЫЛО

У нас Ларка в генитальной стадии. А мама не может смириться, что ее ребенок теперь сексуальный объект.

Дома был теплый откровенный женский разговор. Сначала мама кричала Ларке: «Тварь!», а потом был женский разговор.

Когда я пришел с работы, Бабули и Ларки не было дома. Была одна мама, вся на нервах. Нервничала молча, как будто лев готовился к прыжку. Сказала только, что шуба не помогла: теперь уже понятно, что шуба не помогла, и лучше бы мы просто жили на эти деньги, все равно Ларка как с цепи сорвалась.

Когда зашуршал ключ в замке, мама бросилась в прихожую. Ларка еще открывала дверь, а мама уже кричала: «Ты просто тварь!» ...А если мама войдет в дом под крик «ты просто тварь»? Ее тоже не настроит на мирный лад такое начало.

Мама стала кричать, и Ларка стала кричать. Повезло еще, что Бабули и папы не было дома (папа в это время ехал по Германии, а Бабуля гуляла по району).

— Он тебя тискал! Прямо на улице!

— Никто меня не тискал. Ни на какой улице.

— Я видела, не отпирайся, я видела, я чуть с ума не сошла!

— Вот я и говорю, у тебя галлюцинации...

Мама видела Ларку из окна троллейбуса. Троллейбус стоял на светофоре, мама смотрела на Ларку, но ничего не могла сделать. Мама просила водителя выпустить ее, стучала в водительское окошко зонтиком, но водитель не открыл двери. «Как ужасно чувствовать свое бессилие», — сказала мама. Мама бессильна, и в троллейбусе, и дома.

Поскольку Ларка кричит громче мамы, мама опомнилась и ласково сказала: «Прости меня за "тварь", давай поговорим откровенно и тепло, как две женщины, ты, я и Петя».

Но Ларка не особенно хотела разговаривать.

Когда Ларке была нужна свобода, она хотела разговаривать: спрашивала, почему нельзя на дискотеку или ночевать у подруги, обсуждала, почему нельзя именно ей, а всем можно, торговалась, во сколько вернуться — в 10 или в 10.15... Но сейчас у нее уже есть свобода, поэтому она не особенно хочет разговаривать.

Откуда у Ларки свобода? Да просто взяла, и все. Оказалось, что можно просто уходить, — а что ей за это будет?

И теперь она просто уходит и приходит, когда хочет. Когда папы нет. Когда папа дома, Ларка стесняется. Но папы все время нет, и Ларка сорвалась с цепи.

Женский разговор был такой:

— Ты взрослеешь, скоро будешь девушкой...

— Я *скоро буду девушкой*?.. Ладно, как скажешь: я скоро буду девушкой.

Между прочим, Ларка последнее время задает странные вопросы: а презервативы помогают? а травка возбуждает? Как будто она уже не девушка, а я гуру по сексу.

— Поверь моему женскому опыту, в твоем возрасте любовь — это не тискаться, это ходить, разговаривать по душам...

— Вот сама и ходи! По душам!.. Я не хочу, чтобы он меня бросил, я хочу, чтобы меня любили.

— По-твоему, можно понравиться мальчику, только если дашь себя тискать?

— А как иначе можно понравиться мальчику?..

Фрейд считает, что Ларкин возраст — это время бурно пробуждающейся сексуальности, а мама — что Ларкина пробуждающаяся сексуальность — трагедия. Мама считает, что главное — душа, а Фрейд, что главное — сексуальный инстинкт. Похоже, Ларка на стороне Фрейда.

— Может, ты и спать с ним будешь?! — бесстрастно спросила мама.

— Буду, если нужно. Ты что, правда не знаешь, что секс укрепляет отношения? Дожила до седых волос и не знаешь?..

— Лара... — прошептала мама, как будто ее убили, — ты что, с ним... уже?.. Лара?! Тогда я лучше сразу умру... Я не могу представить, что ты с кем-то, ты ведь мой ребенок... А где ты видишь у меня седые волосы?!

— Ага, ага! Ты опять говоришь про себя, ты всегда про себя! ...Так ты живи сама, и я буду сама, буду делать что хочу, захочу — буду пить, захочу — буду курить, захочу — вообще буду травку курить!.. Я свободный человек.

— Ты свободный человек?! Ты не свободный человек, ты моя дочь!

— Найди себе другую дочь, чтобы мучить...

— А ты найди себе другую мать. Другую. Другую, — твердила мама, — другую, другую... У меня нет седых волос!..

Я спросил Ларку: «Может, хочешь пирога?», и тут все мы, собеседники женского разговора, спохватились, что пирог-то испекла Бабуля, а Бабули-то нет!

Где она ходит так поздно? Что, если она забыла адрес? Она у нас все забывает, вчера забыла выключить газ и спустить воду в туалете, а до этого вообще было смешно: долго смотрела на папу и сказала: «Ты кто?» Папа засмеялся и сказал: «Пушкин», а она: «Не-ет, ты Илья Михайлович».

Мы с Ларкой побежали на улицу встречать Бабулю. И быстро нашли ее у соседнего дома: она заблудилась. Тут, на проспекте Большевиков, все дома похожи. Хорошо, что Бабуля заблудилась: не слышала, как мама кричала «тварь». Плохо, что она все забывает и без спроса гуляла до вечера, как Ларка.

При Бабуле мама не стала продолжать теплый женский разговор, просто пили чай с пирогом. В пироге брусничное варенье.

Улучив минутку, когда Бабуля отвернулась за добавкой пирога, мама примирительно прошептала:

— Все-таки, Ларочка, ты меня очень разочаровала... Ты должна быть гордой, недоступной, как была я, тогда тебя будут любить...

— О-о, ты... А что тебе дало, что ты такая гордая, правильная?.. Не хочу я быть как ты, не буду как ты, я не буду такой... обыкновенной, дурацкой, чтобы суп варить, и копейки считать, и в старых сапогах ходить... Ты по жизни лузер, вот ты кто! Если хочешь знать, это ты меня разочаровала...

На месте мамы и Ларки я бы не выяснял отношения, раз уж они так друг друга разочаровали. Зачем выяснять отношения с теми, кто тебя разочаровал? Просто их нужно оставить. Но они не могут: любят друг друга. Жуткая ситуация.

— А какое ты со своими подругами смотришь кино — насилие, мат... Это же грубо, а ты должна быть женственной... — От желания немедленно сделать Ларку лучше мама не могла остановиться.

— Это прикольно.

— О господи, «прикольно»... Ты была трудной, а теперь ты становишься плохой, Лара...

— Хорошо, я плохая, а ты?.. Может, ты живешь лучше всех? Может, ты счастлива? — не отступала Ларка. Ларка — фокстерьер, бульдог, крокодил, как сожмет челюсти, так все.

— Я?.. Я счастлива? — Мама сделала Ларке знак «не забудь, что тут Бабуля» и громко сказала в Бабулину сторону: — Конечно, я счастлива.

Она боится Бабулю. Когда мы были маленькими, перед приездом Бабули мама нас мыла, одевала в самое красивое и велела стоять столбом в прихожей: мы должны были показаться Бабуле во всей красе. Она не боится саму Бабулю, она боится показать ей, что у нее что-то нехорошо.

— Счастлива?.. А что же ты все время спрашиваешь: «Кто мне звонил?», «Мне кто-нибудь звонил?». А что же ты все время бегаешь к телефону? Я все вижу, ты стараешься сама к телефону подойти. А если тебе звонят, ты разговариваешь скучным голосом... Так, может, ты кого-то ждешь, а он тебе не звонит?

— Господи, Лара... Как ты можешь, Лара, я же твоя мама...

— А я твоя дочь, так что давай жить мирно и не мешать друг другу.

Ларка хочет сделать маме больно. У Ларки комплекс Электры: считает мать соперницей в борьбе за отца. Она ни за что не обидит папу, а маму — пожалуйста, сколько угодно. Фрейд все знал про нас, как будто проник в нашу семью. ...Между прочим, комплекс Электры бывает у девочек с трех до пяти лет. Значит, у Ларки он *когда-нибудь* пройдет.

...Мне наплевать на Ларкину пробуждающуюся сексуальность. Наплевать на то, какое Ларка смотрит кино с подругами, насилие, мат — наплевать. Но вот если травка?..

К нам в школу приходил психолог. Меня не особенно интересует, как узнать по глазам и по поведению, что человек принимает наркотики, но он оказался клевый, я его слушал.

Он сказал: каждый думает, что он-то не перейдет от легких наркотиков к тяжелым, но тот, кто пробовал легкие наркотики, никогда не забудет, какое голубое было небо. Вот так-то: если Ларка курит траву, то она в группе риска.

— Ларка? Глупо курить траву, чтобы уесть маму...

— Ты что?! При чем здесь мама? Я похожа на дуру? ...Мне *не нравится* курить. Мне не нравится, как я себя чувствую после этого. Мне и пить не нравится. Меня чуть не вырвало от «Маргариты»: бармен залил текилу спрайтом, прикрыл стакан салфеткой, ударил им по барной стойке, я выпила эту пену залпом... гадость!.. Но мне *надо* пить. Мне *надо* курить.

Оказалось, у Ларки есть цель.

Оказалось, Ларка сорвалась с цепи из-за шубы. Оказалось, шуба помогла.

Шуба помогла: Ларку взяли в Лучшую Компанию. Но Ларка не собирается на этом останавливаться. У нее есть цель: стать там главной.

В этом вся Ларка, ей мало получить что-нибудь и успокоиться, ей нужно добить. Она хочет быть смелей всех в Лучшей Компании, вот и стала все пробовать: текила, травка, самый главный мальчик в компании.

...Ну, нормально: Ларка была трудной, потому что у нее не было шубы, теперь Ларка становится плохой, потому что у нее есть шуба...

— Не отступлю, пока не добьюсь своего.

— А учиться ты будешь?

— Я буду учиться лучше всех, потому что я так хочу. Они еще увидят, кто главный, — я.

Что мне делать? Сдать Ларку маме бессмысленно. Решил, буду каждый день заглядывать ей в глаза, незаметно проверять зрачки, расширенные или нет. Вечером обязательно и утром на всякий случай.

Грустно, мне очень грустно: вот до чего мы дошли! В нашей комнате с Аничковым конем такого бы не было, чтобы я незаметно проверял Ларке зрачки. Или было бы?..

— Не бойся, я не теряю контроль. Я себе ничего плохого не сделаю. Если хочешь, можешь проверять мне зрачки каждый вечер незаметно, — заявила Ларка. Как она догадалась, что я собираюсь проверять ей зрачки? Все-таки она очень близкий мне человек.

Но даже очень близкому человеку нельзя сказать про себя все. Я мог бы спросить у Ларки, как зовут девочку-тень. Но я не хочу, чтобы Ларка знала, что я, как дурак, влюбился в силуэт в окне напротив.

Совсем не так давно я говорил «я люблю Жанну», но это было другое: как если бы я сказал «я люблю рыбу», люблю как предмет, который хочешь иметь. Теперь я влюбился в силуэт в окне напротив, я просто радуюсь, что предмет моей любви живет. Такая любовь редкость. Правда, моя любовь-тень в окне этого не знает.

Может, я и не хочу знать ее имя. Назвать ее по имени — как будто перейти грань: она сразу же станет конкретным человеком, в шубе, с сумкой, а так она может быть любой. У нее тонкие руки, тонкая шея, тонкие коленки, тонкие щиколотки. Я думаю, что тонкие, в окне ноги не видны.

Я смотрю на нее и говорю: «Обещай не влюбляться в меня, иначе тебе будет больно». Чувствую себя при этом мужественным и порочным. Она отвечает: «Это ты влюбишься в меня, и тебе будет больно».

Если Ларка начнет рассказывать мне о ней, я скажу: «Не говори мне, как ее зовут».

ПОДПРЫГНУЛ

Кажется, это был уже февраль — и на Фонтанке, и дома что-то скрытно происходило, и там, и там чувствовалось радостное возбуждение, как бывает, когда взрослые, планируя кардинальные перемены в жизни, держат планы от детей в секрете; и там, и там ничего не объясняли, но если дома при нашем с Ларкой появлении родители замолкали, прятали какие-то бумаги и делали вид «а что такое?.. мы тут просто так...», то на Фонтанке ничего не скрывалось намеренно, просто было не до нас.

На Фонтанке стало очень оживленно: по квартире бродили люди с общим названием «партнеры по бизнесу»... По какому бизнесу — строительство, инвалиды? Все дела Романа назывались одним общим словом — «бизнес», а что там?.. все. По обрывкам разговоров можно было понять, что Роман занимается «укрупнением бизнеса», что он с кем-то объединяется, но прежде чем объединиться с новыми партнерами, ему нужно сначала разойтись со старыми, — с чего бы он стал объяснять нам, с кем и зачем?.. Очевидно, территория для Города Солнца была жирным куском, и военный завод был жирным куском, очевидно, там все было запутано: Роман обсуждал с новыми партнерами, кто из его старых партнеров безопасен, а кто враг, со *старыми* партнерами — кто из *новых* партнеров тайный враг, кому можно верить, кому нельзя, в общем, кто дракон, кто овца, — Роман и сам не знал этого в суматохе дел, он однажды сказал: «Время покажет, кто кому Вася». Должно быть, *все* бродящие по квартире партнеры по бизнесу сами не всегда знали, кто они кому в этом клубке интересов.

Роман говорил: «Выхожу на другой уровень», иногда он уже с утра уходил на другой уровень — не в рваных джинсах, а в костюме, белой рубашке и галстуке. Выглядел он немного слишком парадно, как будто его выдернули из естественной среды, нарядили и посадили где-то заседать или отправили ходить по кабинетам, — очевидно, он и *заседал*, и *ходил*, у него все время что-то *решалось*, и все решалось как надо. Иногда он говорил, как секретарь райкома в старом советском кино: «Я в Смольный», при этом в его лице появлялась начальственная важность, как у человека, добившегося большого успеха. Если бы Романа спросили, почему ему, *независимому от всего*, было сладко произносить «Смольный», он бы покрутил пальцем у виска и сказал: «Вы чего, о...и? Нафига мне Смольный?», но ему *было* лестно.

Он нервничал, по-своему, — не замирал в ожидании, как все решится, а стал злей и веселей. И не пил. К тем, бродившим, проявлял чуть покровительственную щедрость, ящиками приносил дорогой коньяк, виски, икру, был таким возбужденным, словно уже праздновал победу и все бродившие — его гости, но не пил.

— Близость к власти до добра не доводит... или, наоборот, *доводит*, — сказала Энен. — ...Может статься, мы включим телевизор, а там Ромочка — мэр или президент.

Роману теперь понадобились охранники, для престижа. Он сказал: «Охранять меня не от кого, я сам кого хочешь охраню, но *у всех есть*», — как Ларка, когда просила у мамы Барби, джинсы, кроссовки. Охранников было двое — Петюн и Колян (как будто специально персонажи-маски девяностых, но так их звали). Охрану организовал один из бродивших, полковник КГБ и одновременно владелец частного охранного предприятия «Элегия».

Энен, увидев эмблемы «Элегия» на груди Петюна и Коляна, хихикнула, спросила полковника:

— Почему ваша охранная фирма называется «Элегия»?

— Красиво, — объяснил полковник. — Я люблю, когда красиво. Я и про вас придумал: вы все сидите тут, посреди всего, как хризантема на помойке. Красиво я сказал...

— Элегия — это стихи, когда жалуются на что-нибудь или печалятся о жизни, — как дрессированный кот, вступила Алиса.

Петюн и Колян ни на что не жаловались, не печалились о жизни, приступали к службе утром, уходили с Романом, — он не доверял им водить свой «мерседес», Петюн и Колян сидели сзади и глазели по сторонам, а когда Роман был дома, пили пиво в прихожей. Им нельзя было оставлять Романа без присмотра, и они приносили пиво с собой на целый день. Иногда Роман давал им поручение — к примеру, ввернуть лампочку на лестнице, и они сосредоточенно вкручивали лампочку вдвоем, трудились в паре, Петюн на стремянке, Колян на полу. Это было смешно и дико, как все тогда, но казалось *нормальным*, как все тогда, например, однажды Роман собрался полететь «по бизнесу» в Екатеринбург и полетел в Екатеринбург через Франкфурт — почему? потому что так звучало круче?..

Вокруг нас клубилось нарастающее возбуждение перед «великими делами», до нас доносилось «бабло туда — бабло сюда», «его крыша против моей крыши», или «эта сука», или «стрелка с бандитами», и мы, новые эпикурейцы, сидели посреди всего этого как хризантема на помойке. Мутные люди играли в мутные игры, им было не до нас.

Им было не до нас, а нам было не до них, у них были свои дела, а у нас свои — нуар, итальянский неореализм, французская новая волна.

Алиса по-прежнему лежала на диване с поднятой кверху ногой (ей должны были уже снять гипс, но обнаружились осложнения), я по-прежнему работал братом Скотины, Энен — профессором Хиггинсом, — сидели над Аничковым мостом, посреди хаоса, и жили своей жизнью: смотрели кино (у нас был большой телевизор, видеомагнитофон и коробка кассет, кассеты по списку Энен Роман брал в видеопрокате), жарили на плитке сушки, проверяли уроки у Скотины. Мой новый педагогический метод был такой: сделал уроки — получай мороженое, трубочку. Энен не меньше Скотины любила мороженое, я приносил две трубочки, одну для Скотины, другую отдавал ей, как цветок, и она угощала Мента куском вафли.

Мы смотрели кино. Энен сказала: «По кино я не специалист», никакой продуманной системы нашего погружения в кинематограф у нее не было, она любила кино, как ребенок, как Скотина мультфильм «Аладдин», и мы просто *смотрели кино*. Роман сказал: «Повезло вам, что она хоть по чему-то не специалист... Она вас так задолбала культурой, что у вас культура скоро изо рта полезет», и действительно, «научный» курс истории кино не пошел бы нам на пользу, философия и живопись *уже* лезли у нас изо рта.

...— Дайте пароли на кино, — как обычно, попросила Алиса.

Энен непонимающе посмотрела на нее и скороговоркой, без всякой системы, словно выполняя долг (в конце концов, она была *на работе*), перечислила:

— ...Эйзенштейн, Чаплин, немецкий экспрессионизм, французский авангард, нуар, французская новая волна, итальянский неореализм... Хичкок, Феллини, Антониони, Бергман, Бунюэль, Годар, Куросава... Давайте уже смотреть кино!.. А давайте посмотрим «Дети райка»?

«"Дети райка", поэтический реализм», — записала Алиса и свирепо сказала:

— Пароли! А то я натравлю на вас бандитов!..

Происходящее вокруг нас внесло в наш обиход кое-что новое, например присказку «я натравлю на тебя бандитов». Алиса говорила: «Еще сушку, а то я натравлю на вас бандитов!», Скотина: «Или вы со мной поиграете, или я позову бандитов», Энен: «Бунюэль снял "Андалузского пса" вместе с Дали, в фильме, снятом художником, эстетика важнее, чем сюжет... Нет, не скучно, нет, вы досмотрите до конца, или я обращусь к бандитам...». У всех бродивших были свои бандиты, а некоторые бродившие сами были вылитые бандиты, но были и *приятные* — например, журналист, между собой мы называли его Юркий Юрочка. Юркий Юрочка был *юркий*, нанят для связи с прессой (говорили ли в то время «прикормленный журналист»?), пришел раз и остался: на Фонтанке было *интересно* — огромная квартира, мужская компания, красавец Мент, драйв, запах удачи, предчувствие большого успеха, — и он очень старался, писал все что нужно куда нужно.

— Не надо привязывать меня к подзорному столбу за то, что я хочу пароли на кино. Я практичная, в папу: мне не стать интеллигентным человеком, если вы уйдете от нас или умрете, — заметила Алиса.

— Так не говорят... — поморщилась Энен. — ...Нужно говорить «к позорному столбу»... Хорошо, вот тебе пароли...

Алиса записала пароли: «лестница Эйзенштейна», «вода Тарковского», «птицы Хичкока», «невротики Бергмана», «белые кони Вайды», «клоуны Феллини».

— Достаточно?

— Нет. Что мне говорить в обществе про сложное кино? Если это не «Аладдин», что мне говорить?

— Что тебе говорить в обществе про кино, если ты вдруг посмотрела кино *в обществе?* ...Ну, скажи иронически: «Для меня это слишком заумно». Но только если все уже знают всю сложность твоей натуры и огромность твоего образования.

— А если не знают? Можно мне парочку примеров культурных фильмов?

— Так, ладно... Годар, «На последнем дыхании»: там такое огромное количество цитат и отсылок — все может знать только сам режиссер... Антониони: главная проблема в его фильмах — это неспособность людей выразить себя словами, поэтому у него паузы более значимы, чем слова. ...Ну, все? Давайте смотреть, и вы сами увидите, где хунд беграбен.

— Нет. Можно что-нибудь про «нуар»? Красивое слово...

— Нуар — атмосфера отчаяния, страха... Если ты видишь что-то мрачное, можешь сказать: «Это почти нуар»... На всякий случай говоришь «почти» — никто не придерется. ...Нуар я не люблю, персонажи нуара не бывают приятными людьми, они всегда разочарованы в настоящем и равнодушны к будущему, они... как шпион Дырка.

Мы только что читали Скотине «Приключения Карандаша и Самоделкина», где шпион Дырка, разочарованный в настоящем и равнодушный к будущему, в плаще с поднятым воротником в атмосфере страха интриговал против всех хороших персонажей.

— Шпион Дырка — типичный персонаж нуара. Теперь мы уже можем смотреть кино? Мы все посмотрим, все... — сладко вздохнула Энен.

И мы стали смотреть кино. Но Энен по своему обыкновению нас обманула: мы-то думали, что будем тупо смотреть кино, — что может быть проще, чем смотреть кино. Мы смотрели кино и говорили про кино; оказалось, самое интересное было не смотреть кино, а обсуждать кино с Энен: вот где был необходим культурный код, вот где «хунд беграбен»!

Но, конечно, мы не могли оставаться совсем уж в изоляции от бродивших по квартире: они приоткрывали дверь, заглядывали, — а у нас кино, кидали взгляд на экран — и замирали, начинали *смотреть кино*, потом спохватывались — их ждали великие дела. Особенно часто к нам заходил полковник, он оказался настоящим любителем кино. Полковник был первым, на ком Алиса опробовала свои новоприобретенные навыки: Элизу Дулиттл вывели в свет, где она притворялась светской дамой перед множеством гостей, Алиса вышла в свет на своем диване, притворяясь интеллигентным человеком перед полковником КГБ. *Одного* человека обмануть трудней, чем толпу, именно поэтому Энен задумала попробовать на полковнике — перед полковником Алисе не так трудно будет притвориться интеллигентным человеком, легче, чем, к примеру, перед журналистом, и хотя дружба с людьми из органов небезопасна и никогда ничем хорошим не кончается, но в данном случае будет *безопасней*... с полковником Алиса *справится*... в общем, попробуем на нем.

Так Алиса впервые вышла в свет — лежа на диване. Полковник заглянул к нам на огонек, когда мы смотрели «Головокружение». Энен попросила Романа принести нам из видеопроката «всего Хичкока, что у них есть», и мы уже посмотрели «К северу через северо-запад», «Психо» и «Птицы». На некоторых сценах мы закрывали Скотине глаза, не бесплатно, конечно, за мороженое, а «Психо» посмотрели, когда Скотина спал.

Полковник вошел на самом драматичном эпизоде, когда Мадлен убегает от Скотти на колокольню: Скотти не может подняться за ней и видит, как она падает на крышу церкви и погибает. Полковник присел к Энен, сказал: «Я на минутку, меня там все ждут». Злоключения Скотти продолжались: он попадает в психиатрическую лечебницу, выходит оттуда, посещает места, где бывала Мадлен, — полковник смотрел, забыв про то, что его ждут. Скотти знакомится с Джуди, следует за ней по пятам, — полковник смотрел как зачарованный... Скотти наряжает Джуди, преображая в Мадлен, и заставляет ее подняться на колокольню, становится ясно, что они любят друг друга, и вдруг — Джуди падает с колокольни... Полковник досмотрел с нами до конца.

Все молчали, шокированные тем, как все уже было хорошо и вдруг резко стало плохо, наконец полковник сказал:

— Дрянь, а не искусство! Смотришь — не оторваться. А конец?! Почему такой конец?! Все должно кончаться хорошо, а плохие должны были наказаны. А здесь?! Главный злодей не наказан. Это неправильно. Преступник должен быть наказан, иначе это не искусство.

Энен подмигнула Алисе и прошептала:

— Пуск!

Алиса молчала.

— Я сказала пуск! — прошипела Энен.

— Э-э-э... — сказала Алиса и замолчала.

Энен, улыбаясь полковнику, незаметно ущипнула Алису.

Алиса молчала.

— Режиссерский стиль... — подсказала Энен. — Я кому говорю — режиссерский стиль!..

— Режиссерский... — повторила Алиса тонким голосом. И замолчала.

Энен поднялась, обошла диваны, встала за спиной полковника, напротив Алисы, и показала Алисе лицом — начинай!

— Режиссерский стиль Хичкока — это... — начала Алиса и, подумав, повторила: — Это.

Энен взмахнула рукой, словно дирижировала, и *показала сушку*.

— ...Это влияние экспрессионизма, — сказала Алиса. — Да. Влияние. Экспрессионизм — это течение в немецком искусстве в начале двадцатого века. Экспрессионизм выражает эмоциональное состояние режиссера. Это в кино. Еще бывает экспрессионизм в литературе и в живописи. Шиле и Мунк. Предтеча экспрессионизма в живописи — это Эль Греко и Питер Брейгель... Да, в живописи.

— В живописи?.. — повторил полковник.

— А что?.. — испугалась Алиса. — То есть нет, в литературе. Эль Греко и Питер Брейгель — это экспрессионизм в литературе.

— Да, — подтвердил полковник.

Алиса приободрилась.

— Фильмы Хичкока про подсознание. Про подсознательный страх перед несправедливым обвинением. Подсознание — это Фрейд. Фрейд жил в начале века. В начале века еще было арт-нуво.

— Арт чего? — спросил обалдевший полковник.

— Нуво.

— Понимаю, — кивнул полковник.

Раскрасневшаяся от волнения Энен за спиной полковника делала Алисе знаки — все, закругляйся! Алиса кивнула — поняла, закругляюсь, и напоследок заметила:

— А Хичкок, знаете, сам боялся всего, он полицейских боялся, он боялся даже яиц, представляете, — боялся обычных яиц, как псих какой-то. Я хочу яичницу.

Полковник вышел на цыпочках, бормоча: «Вот что значит дать ребенку воспитание-образование, так сказать, знание всех богатств, которые выработало человечество...» Полковник прикрыл дверь, и сразу же, как в пьесе, — один персонаж вышел, другой вошел, — появился улыбающийся Роман.

— Что ты полковнику наговорила? Он сказал: «Ну и девка у тебя!..» Умная, говорит, у тебя дочь. Молодец, говорит, что так ее воспитал. ...Я тобой доволен.

Алиса расцвела, и Энен улыбнулась, как папа Карло, если бы его похвалили, как ловко он вытесал из полена говорящего человечка.

— Папочка, а я сказала, что Эль Греко и Питер Брейгель — писатели.

— Это ничего, это ерунда, — рассеянно отозвался Роман и, потрепав Алису по плечу (он никогда раньше ее не касался, между ними не было принято проявлять нежность), вышел из комнаты.

— Не провал, не провал!.. Папа доволен, папа доволен!.. — кричала Алиса, дрыгая незагипсованной ногой. — ...А в следующие разы я буду еще лучше!

Следующих разов было много: к нам забредал то один, то другой, — кинув взгляд на экран, замирали, присаживались, смотрели кино и вели беседы с Алисой. Алиса волновалась, как Элиза Дулиттл на светском приеме, немела-напрягалась-запиналась; Энен, удачливый кукольник, дергала ее за ниточки: дирижировала рукой, подмигивала, хмурилась, показывала большой палец, *подавала знаки*. Эти люди были молчаливыми партнерами, для Алисы это всегда был монолог, в сущности, она могла нести что придется, никто из них не мог поймать ее на чем-то, исправить или даже понять. Они не были тупыми или необразованными, у всех было высшее образование, техническое, все они терялись при слове «метафизика» (у Энен был особый знак: она прищуривалась, и Алиса говорила: «Метафизика образа») и уходили ошарашенные Алисиным интеллектом.

Вот только один, прикормленный журналист... с ним Алиса чуть не провалилась.

Юркий Юрочка впервые забрел к нам, когда мы смотрели «Профессия: репортер».

Посмотрев легендарную сцену (Николсон пытается откопать завязшую в песке машину и остервенело ударяет лопатой по колесу, встает на колени и, подняв руки к небу, орет: «Хорошо, мне плевать!» — Энен сказала, что это *про всё*), Юркий Юрочка сказал: «Люблю, когда начинают in medias res... Ладно, мне нужно идти». Энен сладким голосом предложила остаться и досмотреть кино, — у нее были на него планы: это вам не полковник, с человеком, оперирующим понятием in medias res, Алиса сможет по-настоящему проверить себя.

— Спасибо вам и Антониони, но я знаю этот фильм наизусть... Вы уж смотрите без меня.

Энен взглянула на Алису с выражением «держи его!».

...— Знаете, я восхищаюсь Антониони, но я *никогда* до конца его не понимаю... — небрежно, неоконченной фразой, как учила Энен, сказала Алиса. Это был *первый* фильм Антониони, который мы смотрели.

— Ну уж такой он, Антониони, — всегда ни о чем, но с подробностями... — небрежно, неоконченной фразой, будто его тоже учила Энен, отозвался Юркий Юрочка. Но ведь он, в отличие от нас с Алисой, был интеллигентным человеком.

— Да, но у Антониони остается место для интерпретации... не навязываются смыслы... как будто не существует объективной реальности... задаются вопросы, но не даются ответы... для автора (можно подставить писатель или художник, все равно) реальность непостижима, автор (писатель или художник, все равно) — агностик...

Провал. Алиса прокололась.

— Какой автор подставить писатель или художник? — удивился журналист.

— Метафизика образа... — глубокомысленно ответила Алиса.

— О чем ты? ...Знаешь, Алиса, смотри-ка ты лучше Хичкока: у Хичкока хотя бы в финале поймешь смысл фильма, а у Антониони под конец все становится еще более непонятным... Так что ты имеешь в виду под метафизикой образа?

Алиса посмотрела на Энен, в угол, на потолок, опять на Энен, та беспомощно развела руками.

— Что я имею в виду?.. Я имею в виду, что вы правы: Антониони — это не Хичкок. Да. А Хичкок — это не Антониони. Это два *разных* режиссера.

На этом Юркий Юрочка потерял интерес к Алисе, пришлось Энен немного поговорить с Юрким Юрочкой самой.

— Вот что интересно у Антониони: как наше сознание фильтрует реальность — нужная информация отбирается, а часть информации пропадает.

— Я всегда беру ту часть реальности, которая мне в данный момент подходит, — и пишу, иначе я бы ни рубля не заработал.

— По-моему, искаженная реальность страшней прямой лжи... Но я старомодна. Знаете, кто бы ни зашел в эту комнату, я всегда оказываюсь самой старшей...

— Вы и в старости лучше всех, — сделал комплимент Юркий Юрочка.

Что чувствует человек, когда ему говорят: «Вы и в старости лучше всех», — радость, что лучше, или горечь, что в старости? Энен сникла, загрустила, ушла раньше обычного.

А мы с Алисой обсудили Юркого Юрочку. Я сказал: «Он умный», на что Алиса ответила: «*Лучше уж быть* таким, как ты», из чего мне стало ясно, что я дурак.

Весь февраль и март мы запоем смотрели кино по выбору Энен: Бертолуччи, Бунюэль, Росселлини, Гринуэй, Феллини, Трюффо, Годар, Висконти, Бергман... А разговаривали большей частью не об искусстве, а «про жизнь», про жизнь вообще и про жизнь Энен. Почти все фильмы вызывали у нее ассоциации, часто неожиданные, например «Сладкая жизнь» навела ее на рассуждения о мужчинах.

— Меня упрекали, что все мои мужья были богатые...

— Вы же сами сказали — о деньгах не говорят, — удивилась Алиса.

— А я не о деньгах, я о любви. Давайте разберемся — кто бедный? Какой-нибудь вялый инженер... нет! Я не могла бы полюбить инженера, инженеры могут быть хорошими любовниками, но о чем с ними говорить после?.. Нет, я любила людей талантливых. ...Может ли быть талантливый, но бедный? Да, конечно, но непризнанные таланты, как правило, плохие любовники... Я любила успешных мужчин.

А после того как мы посмотрели «В джазе только девушки», где в финале Джерри, объясняя влюбленному миллионеру, почему их брак невозможен, в качестве последнего аргумента говорит: «Я мужчина» и миллионер отвечает: «У каждого свои недостатки!», улыбнулась:

— А у меня был похожий случай... Однажды меня вызвали в Большой дом... Это очень смешная история. Утром я была в кино, в «Октябре», посмотрела «В джазе только девушки» для настроения, и пошла на Литейный. Сначала было страшно: кабинет, стол, следователь или как он у них называется... Потом был *ужас*. Он мне говорит: «У вас такой большой круг общения, вы всех знаете»... — Энен задумалась. — ...Потом был *почти совсем ужас*. Он говорит: «Подпишите бумагу о сотрудничестве». Я старалась рассуждать здраво: что делать — выпрыгнуть в окно, притвориться сумасшедшей, завести с ним роман?.. Но он мне не понравился, он бы меня и в постели расспрашивал — кто да что... И вот между нами такой диалог.

Энен не обозначала события точными датами, все, что с ней происходило, словно плыло во времени, но сопровождалось диалогами, как будто это было вчера.

Она воспроизвела диалог со «следователем», как всегда, артистично: дрожащим голосом за себя, невозмутимо за него.

— Помогать нам — ваш долг.

— Я не смогу, у меня плохая память...

— Все так говорят.

— У меня рассеянное внимание, я хожу во сне, путаю сны и явь...

— Все так говорят.

— Но мне нечего будет вам сообщить... Мне *правда* нечего будет вам сообщить, мне никто ничего не рассказывает, я как старый Джемс... Он спрашивает: «Какой Джемс?», и я — я-то уже разошлась, разыгралась — наклоняюсь к нему через стол и тихо говорю: «Я мужчина». И что бы вы думали он ответил?.. Он сказал: «У каждого свои недостатки». Такой вот попался, с чувством юмора... А может быть, он тоже в «Октябрь» ходил перед работой.

— А потом что? — спросил я.

— Потом? О-о, ну... мне удалось его убить, — скромно потупилась Энен. — Шучу, его кто-то другой убил, или он сам умер, я его больше не видела. Но я по нему не скучала. ...Мне повезло, что меня больше не вызывали. Во мне очень много страха. Не знаю, что бы я смогла сделать от страха, не знаю... Кто такой старый Джемс?.. Мой любимый старик из «Саги о Форсайтах», он все время говорит: «Мне ничего не рассказывают...» В общем, мне повезло, что это был не *совсем ужас*.

Ей повезло: все в мире действовало ей на пользу, и ее веселость хранила ее от *совсем ужаса*. Но почему она говорила с нами о своих любовниках, о вызове в КГБ? Ну, это же понятно: когда ты старый, когда *все твое* уходит, когда *твое смешное* уходит и так хочется, чтобы все твое еще хоть немного побыло с тобой, нужно кому-то рассказать. Так почему бы не нам?

...Пазолини, Уайлдер, Форман, Вайда, Любич. Энен дала пароль: «Нет никого выше в искусстве парадокса, чем Любич». Алиса сказала: «Поняла, я больше всего *люблю Любича*». Ни одного фильма Любича нам не удалось посмотреть: о Любиче в кинопрокате не слышали.

Все, кто заглядывали к нам, бросали взгляд на экран, присаживались, замирали, смотрели кино, разговаривали с Алисой, все они подходили потом к Роману и хвалили ему Алису: умная девочка, удивительная, одаренная девочка и даже гениальная девочка, — *откуда она столько знает, а речь, откуда у нее такая интеллигентная речь, как будто это искусствовед говорит, а не девчонка-подросток...*

Роман тут же бросался к Алисе, чтобы притворно небрежно сказать: «Я думал, что ты не очень, но *ты у меня ничего, все говорят*... Я доволен», Алиса взрывалась румянцем, отвечала: «Я буду еще лучше, папочка... мне главное — тренироваться...» Смотрела на Романа, не сдерживая любви, как будто теперь, когда он был ею доволен, имела право его любить.

Алиса тренировалась почти каждый день, с новыми партнерами, со старыми партнерами, — все любили кино, с прикормленным журналистом, который большей частью просто болтался по квартире, чаще всего с полковником, он был настоящий киноман.

«...Не провал?..» — спрашивала Алиса Энен после каждого разговора. «Не провал. Иногда ты себя выдаешь, говоришь что-то вроде "кто шляпку спер, тот и тетку пришил", но в целом я тобой довольна: ты *хорошо* притворяешься интеллигентным человеком», — отвечала Энен. Алиса старалась держаться как *интеллигентный человек*, скромно пожинающий заслуженные лавры, но то и дело срывалась на щенячью радость. Она была так горда своим успехом, так счастлива одобрением Романа, что счастье брызгало из нее, попадая в самые неожиданные места, и даже на Скотину, который обычно вызывал у нее интерес больший, чем сушка, но меньший, чем бутерброд: однажды Алиса даже назвала его «Скотиночка».

...Мы, конечно, ничего не знали.

Откуда нам было знать, что у Романа неприятности? Роман был не из тех, кто скажет: «Дети, у папы неприятности» и ляжет на диван... Но, скорей всего, он и сам не знал, что у него неприятности. Узнал, когда столкнулся с ними лицом к лицу.

Я пришел на Фонтанку, как обычно, а меня не пустили. Матсерия сказала: «Туда нельзя, там обыск» и с успевшей развиться за год сидения в будке классовой неприязнью добавила: «Теперь Роман Алексеевич поймет, что не все коту масленица».

Ждал я довольно долго, часа два или три, — что уж там искали, не знаю, но через два или три часа вынесли телевизор. По лестнице спустилась процессия: впереди люди в форме (милиция, ОБЭП, все эти слова остались в том времени), с пустыми руками. За ними наши охранники, Петюн и Колян, перли телевизор (не найду другого слова), а также видеомагнитофон и ящик с кассетами. Петюн и Колян выносили конфискованные у Романа телевизор и видеомагнитофон, и это было их самое *тяжелое* дело за время работы охранниками.

Это кажется гротеском, но только *кажется*, посреди общей бешеной дикости, рассеянной в воздухе, это было логично: ментам было лень самим тащить изъятые при обыске вещи, они велели хозяйским охранникам, те отнесли. Из ящика вывалились кассеты, загрохотали вниз, к будке Материи. Материя выглянула из будки, сказала: «Смотри-ка, телевизор экспроприировали». Почему она сказала «экспроприировали» — из засевшего в подсознании понятия справедливости: «отнять у буржуев и разделить»?

Больше ничего не «экспроприировали». Не взяли ни одной бумаги, ни одного документа, — обыск был ходом в игре, чтобы изменить соотношение сил, чтобы Роман понял, что не все коту масленица, хотели не разобраться, а напугать, намекнуть, в общем, как-то вмешаться. Территория, на которой Роман собирался строить Город Солнца, — на Васильевском острове! На территории — военный завод. Завод уже не работал, но еще был, — кому территория, кому завод, сколько там клубилось интересов! У бродивших по квартире партнеров были *разные* интересы: снести завод, оставить завод, перестроить, а кто-то хотел тихо, по-стариковски, сдать в аренду заводские помещения... Не были представлены только интересы отца, который хотел, чтобы *все было как раньше*... но установки «Град» никому не были нужны. ...Я и теперь ничего не знаю, кроме того, что у Романа был конфликт со старыми-новыми партнерами. Да и кому важно, кто в чьих интересах действовал, не был ли друг-полковник врагом, работали ли старые партнеры на новых, а новые на старых, кому теперь интересна истории, которую назвали бы «а-а, понятно, какая-нибудь жуть 90-х»?

Забрали только телевизор, видеомагнитофон и кассеты. Как будто за этим и приходили, — чтобы там у себя, в милиции, посмотреть Бергмана и Феллини.

Вслед нашему телевизору и видеомагнитофону бешено лаял Мент, — какому кавказцу понравится вынос имущества? В характеристике породы написано: кавказские овчарки недоверчивы к посторонним. Мент, 73 см в холке, вес 80 кг, был недоверчив к посторонним, но все эти бродившие по квартире партнеры его дезориентировали; Роман говорил: «Мент, это свои», он и поверил, что все приходят с добром, а зря. Он бы легко мог отбить у ментов наш телевизор, видеомагнитофон, Бергмана и Феллини.

КАК ЭТО БЫЛО

Какая она глупая тетка, типичная учительница! Материя сказала: «У Романа Алексеевича обыск. Иди-ка ты домой от греха подальше». Я что, предатель, чтобы идти домой?!

Я вышел на Невский, долго искал автомат, позвонил маме: сказал, у нас тут обыск. Просто привычка, просто я привык с мамой делиться. Если что-то важное, но не секрет.

Она долго молчала, как будто это обыск у близкого человека, потом спросила: если она приедет поддержать всех нас, это будет глупо? Я сказал, что да.

Они забрали телевизор. Как же мы теперь будем смотреть кино?

Вслед за телевизором по лестнице сбежал Роман. Я спросил, может, ему нужна моя помощь? Может, у него есть враги? Роман фыркнул: «Я же не Чебурашка, конечно, есть враги. Да что они могут — так, подтявкивать издалека. Иди домой!», и я пошел к Скотине.

Дома никого не было: ни одного партнера. Алиса сидела в инвалидной коляске в коридоре, как будто ждала меня. Утром ей сняли гипс, а потом сразу был обыск. Алиса сказала: «Обыск — это смешно, пока они тут шлялись по дому, папа все время шутил».

Алиса привыкла лежать и теперь хочет передвигаться по дому в коляске. Она врет, что не может ходить. Скотина подложил в коляску кнопку, Алиса бухнулась прямо на кнопку, встала как миленькая и погналась за ним.

Без кино было скучно.

Скотина рано заснул. Как говорит мама, «может быть у меня в жизни хоть что-нибудь приятное?».

Мы с Алисой сидели на велосипедах у окна, смотрели на Аничков мост, как в первый вечер. Без Энен было непривычно, как будто мы можем делать все, что хотим.

— А ты заметил, что я похудела?

Я сказал «да», хотя это неправда: я не заметил, потому что не очень-то на нее смотрю. И с чего бы ей похудеть? Она ест как слон.

Потом мы говорили про интересное, как Зинаида Гиппиус с Мережковским. Она ведь, наверное, и со своим мужем говорила только про интересное, а не про хозяйство. Мои родители никогда не говорят про интересное, это совершенно другой вид брака.

— Энен сказала, что всегда просыпается с резким ощущением трагичности существования? У тебя так бывает? — спросила Алиса.

— У меня нет, а у тебя?

— У меня тоже нет. Может, интеллигентный человек *должен* просыпаться с ощущением трагичности?.. Но я-то нет, вообще ни разу.

Я сказал:

— Она еще сказала, что просыпается и еще хочет спать, но не хочет больше спать, потому что интересней проснуться и жить. А у тебя так бывает?

— У меня нет. Я, если хочу спать, так сплю дальше. ...А знаешь что? Я тут кое-что смешное про нее узнала!.. Помнишь, она рассказывала: ее вызывали в Большой дом и все такое?.. Черт, «и все такое» нельзя говорить... Так она тогда подписала! Ну, это, как там это называется — заявление, что она сотрудник. Ха!.. Смешно, правда? Мы-то думаем, она такая правильная, самый интеллигентный интеллигент на свете, а она испугалась и подписала. Тоже мне сыщик... Я знаменитый сыщик, мне помощь не нужна, найду я даже пры-ыщик на теле у слона-а... а нюх, как у соба-аки, а глаз...

Алиса узнала, что, когда Энен вызывали в Большой дом, она подписала бумагу о сотрудничестве. Ну и что? Она же хотела их обмануть. Хорошо, что ей повезло, от нее отстали. Если бы было не так, она бы нам не рассказала, это и козе ясно. Какой козе?.. Дурацкое выражение.

...А как Алиса узнала? Оказывается, она попросила полковника, он же работает на Литейном.

— Он посмотрел в архиве — ага, есть она, эта бумажка!

— Зачем? Зачем ты его попросила?

Зачем лезть в тайны человека? Зачем?

— Да просто было интересно. Тебе разве не интересно, что у кого внутри?

Ага, вот именно — все женщины *ужасны* (кроме мамы). Любопытство и др. пороки.

Но в основном любопытство: Ларка, когда была маленькая, выкручивала у кукол ноги, чтобы посмотреть, что там внутри. Я один раз заглянул в кукольное тело через дырку от ноги. Там пусто.

Потом мы поговорили о том, о чем стеснялись говорить при Энен, — об объективной реальности. Алиса считает, что объективная реальность является онтологически первичной, она ярый материалист.

— Вот Аничков мост, он одинаковый для тебя и для меня.

Ничего подобного! Алиса видит свой Аничков мост, а я свой. У моего коня не такое выражение лица, как у остальных, а для Алисы все кони одинаковые. Я вижу, что на мосту у моего коня стоит девочка-тень. Алиса не видит девочку-тень. А для меня вот она, стоит.

— А мне кажется, что существует только то, что я вижу...

— Ты солипсист. Шопенгауэр сказал: «Солипсизм может иметь успех только в сумасшедшем доме».

— Это Кант сказал.

— Нет, это Шопенгауэр.

Так мы сидели и разговаривали, как Хайдеггер и Ханна Арендт. Как вдруг Алиса говорит:

— Мне нравится, как ты одеваешься.

А как я одеваюсь? Я никак не одеваюсь, на мне всегда джинсы и свитер или джинсы и рубашка. В свитере плечи кажутся шире.

— Мне нравится говорить с тобой.

Я сказал:

— И мне нравится говорить с тобой.

— Мне нравится, что тебе нравится говорить со мной, — сказала Алиса, как будто это была игра. — Мне нравится, что ты добрый, мне нравится, что ты красивый, мне нравится, что тебя зовут Петр Ильич.

Я не хотел слушать Алису. Алиса — дура, втягивает меня в дурацкий как бы роман.

Я смотрел на Аничков мост и говорил про себя: «Девочка-тень, мне нравится смотреть на тебя, мне нравится смотреть на тебя, нравится смотреть на тебя, смотреть на тебя, на тебя». Не обязательно говорить «я тебя люблю».

— ...толстая задница.

— Что?

— У меня толстая задница. У меня толстая задница и все остальное. У меня двадцать лишних килограммов. Ты мне сейчас не отвечай. Я похудею, я буду другим человеком, тогда ты посмотришь, как я тебе... когда я буду другим человеком.

И почему она раньше не показывала, что она в меня влюбилась? Или она влюбилась только сейчас? Потому что Роман ее хвалит и она от этого счастливая? Но какое мне до всего этого дело? И какое мне дело до ее лишних двадцати килограммов?! Она думает, что похудеет, и все начнут ею восхищаться, и я ее полюблю.

Алиса смотрела на меня как-то совсем безнадежно, как будто я прямо сейчас могу ее спасти, но она знает, что я ее брошу.

Дрянь, ну какая же происходит дрянь! Как будто я ее наказываю за двадцать лишних килограммов. Как будто смотрю на нее с горы и так, презрительно: ну, давай, худей, а там посмотрим... Она *может похудеть,* и тогда у нее есть в жизни шанс, а *может* не похудеть, тогда у нее нет шанса.

Ну, допустим, она похудеет. Хотя я не верю — она ест как слон.

Допустим, она похудеет, и кто-нибудь ее полюбит. Но вот что я понял: это все равно будет плохо! Это ее не спасет.

У нее все равно будет ныть старая рана, у нее *всегда* будет мысль: если вдруг опять поправится хоть на пять килограммов, над ней опять начнут издеваться, ее разлюбят и бросят за эти пять лишних килограммов. И еще она будет думать: ну ладно, за пять, а если разлюбят за три лишних килограмма или за два? Она будет думать, *за сколько лишних килограммов* ее разлюбят и бросят. Вот ведь ужас!

Значит, чтобы по-настоящему помочь ей... Я же хочу ей помочь?

Чтобы по-настоящему помочь ей, нужно сказать, что я влюблен в нее такую, как сейчас, в толстую. Чтобы она поняла: любовь — это не килограммы. И поверила, что *можно* влюбиться в нее. И поняла, дура такая, что ее *можно* любить. Что не нужно взвешивать человека, прежде чем влюбиться.

Вот что получается: я *прямо сейчас* могу дать человеку будущее, как будто я бог. Могу дать Алисе плохое будущее или хорошее, из сострадания, как будто я бог.

Но ведь она мне не нравится, я люблю тень в окне... Но ведь жалко ее, сколько раз она слышала от Романа «дура жирная!». Сначала Роман ее мучил, а теперь я... А если бы меня кто-нибудь называл «дурак жирный!»... А если бы меня так называла *мама*?.. Ох.

Я сказал: мне нравится говорить с тобой, мне нравится, что ты умная, мне нравится, что ты материалист, мне нравится, что ты... Больше я ничего не смог придумать, что мне в ней нравится, потому что мне в ней ничего не нравится.

Надеюсь, с нее этого хватит, чтобы она поверила в себя. И тогда у нее будет хорошее будущее.

Теперь Алиса думает, что она мне нравится. А я люблю девочку-тень в окне, — как ее зовут?

Теперь у меня два романа: тень в окне и Алиса из сострадания.

Но ничего, оба мои романа в идеальной реальности.
В идеальной реальности и в разных частях города.

И ИСЧЕЗ

Великие дела были немного отложены: партнеры
сильно подставили Романа. Мы не знали, знает ли Роман, кто именно его обманул.

Предатели должны были бы перестать бывать у Романа, но невозможно было понять, кто убавился, кто
прибавился, по квартире все так же бродили люди, на
мой взгляд, они все были похожи — дядьки... Полковник, кажется, перестал бывать, а журналист по-прежнему *бродил*, но он и не мог быть предателем, он ничего
собой не представлял. Алиса подозревала полковника.

Должно быть, там шла какая-то борьба, какая-то ве-
лась игра, в которой у Романа были сиюминутные победы и поражения, побед было больше — он не уны-
вал, во всяком случае, так это выглядело. Убегал, при-
бегал — взгляд в одну точку, подойти страшно, опять
убегал... по вечерам бешеная активность сменялась
мрачной апатией, словно к вечеру в нем заканчивался
завод. Он приходил к нам полежать: ложился на диван,
молчал, думал, иногда говорил, ни к кому не обращаясь:
«Фигня это все, прорвемся». Глаза у него были, как у
ребенка, — обиженные, и губы складывал трубочкой.

Не нужно быть особенным знатоком человеческих
душ, чтобы понять: самым болезненным для Романа
была не временная задержка «великих дел», а — *как*

это меня обманули?! такое может быть только с другими, не со мной, я же *умный*... Это и правда было унизительно — он всех принимал, всеми управлял, они ходи-
ли-бродили по *его* дому, пили *его* коньяк — и за его спиной вели *свою* игру, обманули, как глупого заносчивого
мальчишку, уверенного, что он умнее всех, а он *как дурак*... Я и вполовину не так уверен в себе, но я это чувство
знаю — как будто у тебя вытащили кошелек: не денег
жалко, а унизительно, *растерянно,* что ты *как дурак.*

Конечно, его бы отпустило, если бы он мог сказать
кому-то: «Слушай, мне так обидно, я к ним всей душой,
я им доверял, а они...» Конечно, у него таких не было.
Интересно, у кого-то из мужчин есть такие, кого *не
стесняешься*? У меня нет, что уж говорить про тех, кто
ни на минуту не может перестать быть самым сильным,
самым крутым.

Алиса говорила, что иногда ночью он заходит, садит-
ся на велосипед у окна, гладит сидящего рядом Мента,
молча смотрит на Аничков мост. И, если она шевельнет-
ся, оборачивается и раздраженно бросает что-нибудь
обидное, вроде «Отвали от меня, ты, дура жирная! Я-то
думал, что ты нормальная, а ты жирная!..». Он, конечно,
обращался не к ней, а к партнерам, — он-то думал, они
хорошие, а они плохие.

Зачем было срывать злость на Алисе, совершенно
перед ним беззащитной?.. Но такой уж он был: ему нужно было кого-то обидеть, — как в «Неуловимых мсти-
телях»: «В бессильной злобе красные комиссары...»
Алиса его жалела.

...За дверью нашей комнаты бурлила и пенилась не-
понятная нам история, волнами обтекала нас, не вы-

плескиваясь за порог, — мы, теперь уже одни (к нам больше никто не забредал, мы ведь больше не смотрели кино — не было телевизора), по-прежнему сидели над Аничковым мостом хризантемой посреди хаоса. Работа Энен закончилась: сдав экзамен полковнику, журналисту и прочим, Алиса стала интеллигентным человеком, но Энен продолжала приходить на Фонтанку — бесплатно, мы по-прежнему располагались по диванам, и между нами прыгал Скотина. Но внутри хризантемы тоже происходила история.

Вот тут придется сказать кое-что, *о чем не говорят*.

Ну, во-первых, тогда я не понимал, что происходит. Что началось после того, как Алиса призналась мне в любви.

Во-вторых, я все же не буду ходить вокруг да около.

У нас образовался любовный треугольник.

Писать об этом *неприятно*. Нет ничего *глупей*, чем рассказывать, как за тебя боролись, но было бы нечестно это опустить. Правда, одна важная деталь полностью меняет смысл, и все выглядит уже не таким самонадеянным... Я пытаюсь сказать, что Алиса и Энен боролись за меня не потому, что я был для них такой уж большой ценностью. Энен была очень одинока, Алиса была очень одинока, обе были очень одиноки, и у обеих центр жизни был тут, на разномастных диванах над Аничковым мостом, вот и... В этой истории я не был самостоятельной ценностью, я был просто предлогом. ...Уфф! Кажется, объяснил. И дальше уже можно просто описывать, как это было.

Образовался любовный треугольник: Алиса — я — Энен. Это был несомненный любовный треугольник: два человека стремились завоевать третьего, не важно, что именно завоевать — любовь, восхищение, в нашем случае интерес.

Алиса *первая начала*. Между нами не было никаких «отношений», мы не вели себя как влюбленные подростки: не держались украдкой за руки, не пытались друг друга коснуться, Алиса даже была мне физически неприятна, — между нами *ничего не было*, — но она всячески подчеркивала, что *у нас с ней появилась тайна*, а Энен вне этой тайны, лишняя. Это были совершенно неуловимые изменения, тихие и кроткие любовные волны, в которых чувствуешь себя абсолютно беспомощным: можно не ответить на призывную записку, не прийти на свидание, можно в конце концов отказаться от секса, но то были — взгляд, движение ресниц, мелькнувшая улыбка: не скажешь ведь «Не смотри на меня так! Не улыбайся так!» — «Как *так*? Я и не смотрю, я и не улыбаюсь».

Это были *неуловимые любовные волны*, но Энен почувствовала: прежде мы были *втроем* и в нашей тройке она была главной, а мы словно сидели по обе стороны от нее, заглядывая ей в глаза, и вдруг соотношение сил изменилось, она пришла туда же, а ее не узнают. Думаю, Энен в своей прошлой, *основной* жизни привыкла, что ее *любят больше*, и сейчас, в теперешней, *маленькой жизни* естественным образом создала ситуацию, в которой каждый из нас любит ее *больше*. Ну и, конечно, ей было больно — ведь у нее были только мы, никого, кроме нас, — а мы от нее уходим — в будущее... а она остается в прошлом, и зачем ей тогда просыпаться?..

Скажу еще раз: на самом деле они боролись не за меня, а за себя — Алиса боролась за свое *отдельное место* в жизни, за то, что она *уже есть*, и Энен — за то, что она есть, *еще есть*.

...Внешне все происходило как прежде, Энен рассказывала, мы слушали, мы были все та же хризантема, но внутри хризантемы гулял ветер: Алиса ревновала меня *к рассказам Энен* («Ты слушаешь эти ее тухлые истории, как будто тебе три года!»), сгорала от обиды, нервничала и язвила. Секс мог бы стать решающим аргументом в борьбе: любой подросток мгновенно бы *бросил рассказы ради любви*, но между мной и Алисой ничего не могло быть.

Каждый пустил в ход свое: Алиса злилась, а Энен соблазняла меня культурой.

Энен перешла к тому, что она называла «петербургская культура». Придумала курс «Питерские поэты»: читала нам Мандельштама, Заболоцкого, Ахматову, Бродского.

И как-то раз, не помню к чему, сказала: «Мой покойный друг Иосиф Бродский...»

— Мне это не надо!.. Зачем мне — кто чей друг, что здесь такого? — вмешалась Алиса. Как только Энен сворачивала к своей жизни, Алиса говорила «мне это не надо».

— ОН ваш друг? — переспросил я, мне показалось, что меня впустили в волшебный сад.

— Он мой друг... — повторила Энен. — ...Я, можно сказать, была знакома со всей русской поэзией...

— Расскажите с самого начала, пожалуйста... — попросил я.

— С начала?.. С начала, с начала... С начала. Тогда начнем с того, как я познакомилась с обэриутами.

Энен рассказала нам, как пришла в Дом печати на Фонтанке на вечер обэриутов «Три левых часа», где выступали Хармс, Введенский, Заболоцкий... Дату она, как всегда, опустила.

— Вы *видели* Хармса?! — сказал я. — Вы сами видели Хармса, *своими глазами*?!

С Хармсом у меня были особенные отношения: меня от него тошнило.

Скотина, с подачи Энен, выучил наизусть почти все детские стихи Хармса, это было полезно и культурно, но надо было знать Скотину: он был *очень живой ребенок*. Для каждого дела у него завелось свое стихотворение: он прыгал по диванам, крича «Ха-ха-ха да хе-хе-хе, хи-хи-хи да бух-бух! Бу-бу-бу да бе-бе-бе, динь-динь-динь да трюх-трюх!», засыпал, бормоча «мама-няма-аманя», делал уроки, приговаривая: «Ну! Ну! Ну! Ну! Врешь! Врешь! Врешь! Врешь! Еще двадцать, еще тридцать, ну еще туда-сюда, а уж сорок, ровно сорок — это просто ерунда!» ...Он прыгал на диване, я подшлепывал его, придавая ускорение, он взлетал еще выше, кричал: «Ха-ха-ха да хе-хе-хе!.. Ну! Ну!», я подшлепывал, он взлетал... *конечно,* меня тошнило.

— Выступали обэриуты. Люди не поняли их стихи, стали шуметь. Хармс забрался на стол и закричал: «Я в бардаках не читаю»...

— А дальше что?

— Дальше?.. Ну, мы с ним разговаривали об искусстве: о художниках, о Филонове, о Малевиче. Вы же понимаете по стихам, что Хармс был необыкновенный человек? Он писал: «Меня интересует только „чушь“, только то, что не имеет никакого практического смысла. Меня интересует жизнь только в своем нелепом проявлении...»

— А какой он был?

— Какой?.. Ну... курил трубку, у него всегда была трубка в зубах. Одевался не как все: короткие брюки с пуговицами ниже колен, серые шерстяные чулки, клетчатый пиджак, иногда носил пилотку с ослиными ушами... Что еще? На пальце большое кольцо. Он выделялся на фоне других поэтов и художников. Введенский сказал: «Хармс не создает искусство, а сам есть искусство». Хармс ненавидел детей. Он писал: «Травить детей — это жестоко. Но что-нибудь ведь надо же с ними делать!» Ребенка мог назвать «гнидой». Но он так замечательно выступал перед детьми, веселил их и веселился сам, дурачился — думаю, это была форма абсурда, поза, что он ненавидит детей и старух: «Старух, которые носят в себе благоразумные мысли, хорошо бы ловить арканом»... и вообще всех: «Всякая морда благоразумного фасона вызывает во мне неприятное ощущение».

Алиса одобрительно кивнула:

— Я буду называть Скотину гнидой.

— А он в вас сразу влюбился? — У меня не было сомнения, что Хармс был влюблен в Энен, в нее все были влюблены.

— Он? Да, сразу. Как и все остальные. Говорил мне комплименты, просил что-нибудь подарить на память, писал мне записки... Я их рвала... Жаль, что я их рвала, у меня их нет... Что еще? Он всегда разыгрывал сценки: мы идем по Невскому, на нем передник детский, на голове чепчик, на шее соска. И он придумал, чтобы я вела его за руку. Он сам был частью мира абсурда... Мне кажется, что он умер как персонаж Кафки, не понимая, за что он в тюрьме... В мире Кафки зло иррационально, все устроено по *непонятным* правилам, и от непонимания еще страшней.

— Кафка тоже был в вас влюблен? — перебила Алиса.

Энен рассеянно улыбнулась, как будто это было *не исключено*.

— Пароль на Кафку дайте, — мрачно попросила Алиса и, записав «кафкианское зло», «кафкианский сюрреализм», «модно говорить сюр», едко сказала: — ...Вы говорите, что в вас все были влюблены, но ведь это *вы* говорите. Я вот что-то не очень верю: если бы Хармс был в вас влюблен, вы бы в этом своем знаменитом дневнике это написали! А вы не написали! Так, может, вы все придумали, прямо сейчас?

Энен удивленно на нее посмотрела, улыбнулась, пожала плечами.

А в следующий раз сказала: «Вот мой Дневник», достала из сумки кипу пожелтевших смятых листов, разгладила на коленях и принялась читать: «В моде была такая игра — вести куда угодно человека с завязанными глазами. Обижаться было не принято. Тем более что можно было по очереди отыграться. Я как-то сказала, что с отвращением отношусь к боксу. Это было немедленно отмечено в записной книжке Даниила Ивановича. Когда настала моя очередь, я с забинтованным лицом вышла на улицу — меня вели под руки мой муж... и Даниил Иванович. Мы долго ехали на трамвае, без конца шли и наконец пришли, как мне показалось, в зоопарк. Сильно пахло животными. Потом мы сели, и было очень жарко. Потом заиграли марш. Потом долго ничего не было, и я считала, что это всё. Потом совсем недалеко началась какая-то возня и непонятные звуки, потом Даниил Иванович сказал елейным голосом: "Разрешите снять?" ...Оказалось, что мы сидели в цирке в первом ряду, и двое голых и толстых людей убивали друг друга по правилам перед моим носом. ...Я ему отомстила, поставив между двумя громыхающими трамваями, и очень была довольна, видя, как ему плохо. Он весь дрожал, а я его предупредила, что малейшее движение — смерть или увечье».

Энен перевернула лист, улыбнулась победительно: ну что?..

— ...А вот еще, диалог Хармса и Введенского по поводу предполагаемой невесты Даниила Ивановича.

«А.И. Я слыхал, что интереснейшая дама ваша невеста?

Д.И. Благодарю, будто бы она действительно недурна.

А.И. Прошу вас описать мне ее наружность. Какие у нее глаза?

Д.И. Очень узенькие — щелки, почти бесцветные.

А.И. Какая редкость. А скажите, какой цвет лица?

Д.И. Щеки очень бледные, даже зеленоватого оттенка, зато нос — лилово-красный.

А.И. Изумительно. А как зубки?

Д.И. Совсем черные, то есть почти скорее коричневые.

А.И. А волосы?

Д.И. Такого же цвета, как и глаза, бесцветные.

А.И. Это самое ценное. А как фигура?

Д.И. Фигура-дура.

А.И. Счастливый вы человек, Даниил Иванович, но по тому, что вы говорите, вижу, что красавица, а воображаю, как она хороша в действительности.

Д.И. Да, я забыл сказать, она косит.

А.И. Не знаю, где только вы таких находите, — счастливчик»[1].

Энен читала, мы слушали: у Алисы больше не было сомнений в правдивости Энен, ну, и конечно, мы очень смеялись.

КАК ЭТО БЫЛО

Мама сказала: «Ты же всегда вел себя как ангел...» А я не ангел! Не ангел я! Привыкли, что Ларка трудная, а я ангел! Думают, со мной можно как хочешь! Как хотят!

Они меня предали. Рылись в чемоданах, перебирали бумаги, говорили «нету, потерялось...», обрадовались — нашли! Нашли водительские права моего деда, который ставил коней на Аничков мост.

Я сказал папе: «Я от тебя такого не ожидал». Мама сказала: «А от меня, значит, ожидал?»

Не в этом дело! Просто я всегда считал папу благородным человеком. А про маму я так не думал. Про женщину ведь не говорят: «Она благородный человек», к женщинам благородство неприменимо: они у себя на первом месте, а все остальное, люди или философские идеи для них не важны. Я ей все прощал. Но теперь — нет.

Теперь она задумала отъезд!

А со мной и Ларкой, и с Бабулей — самое подлое! — даже не посоветовалась. Просто вдруг начала обсуждать с папой: сын еврея — этого *достаточно* или нет?

У евреев национальность считается по матери, а у немцев по отцу.

— Во время войны немцы не разбирались, кто еврей по матери, кто по отцу, — всех отправляли в концлагеря. Значит, и для эмиграции в Германию должно быть достаточно быть сыном еврея, иначе несправедливо, — сказала мама.

— А где вообще в мире справедливость? — сказал папа.

После того как у него в Польше украли машину, он совершенно разуверился в жизни.

В общем, так: они хотят уехать в Германию.

Получается, папа наполовину еврей? А я на четверть? Почему нам раньше не говорили?

— Потому что не нужна вам еврейская кровь, — сказала мама.

Ага, раньше была не нужна, а теперь оказалось, нужна, чтобы эмигрировать?

Ага, в Польше у папы угнали машину, мы должны отдать за нее деньги, и мама от отчаяния сразу нашла в папе еврейскую кровь. Метрика деда потерялась (а может, они ее выбросили? чтобы мы не знали про еврейскую кровь!), а теперь где-то в чемоданах нашли дедовы права, там написано, что он еврей... Надо же, раньше даже в правах писали национальность.

В общем, теперь папа — наполовину еврей, и они хотят эмигрировать. Все мы, и Бабуля, эмигрируем в Германию по папиной еврейской половине.

— Почему ты хочешь уехать? Я же знаю, это ты хочешь уехать. Это ты придумала, — сказала Бабуля маме.

— Потому что мы евреи, — неуверенно сказала мама.

— Ну, и куда ты собираешься эмигрировать? — саркастически сказала Бабуля. Бабуля часто использует сарказм для борьбы с враждебными явлениями действительности.

— Не в Израиль, конечно, — уточнила мама.

— Почему же не в Израиль?

— Потому что мы не евреи, — ответила мама.

— Куда же?

— В Германию. Нам сказали, что Германия принимает евреев.

Мы не поедем в Израиль, потому что мы не евреи, но Германия принимает евреев, поэтому мы поедем в Германию. Где у этих людей простая логика?

— К немцам? — сказала Бабуля. — ...Ну, нет. Лично я к ним не поеду. Они мой дом сожгли.

— Это было давно, — мягко сказал папа. — ...У вас избирательная память: вы помните, что в начале войны немцы сожгли ваш дом, но не помните, что живете на третьем этаже, вчера ушли гулять от нас, а вернулись к соседям.

Я спросил, предприняты ли уже конкретные шаги.

— У дяди Сени есть один знакомый, у него родственник уехал в Германию... Он посмотрел водительские права и сказал: «Там написано — «еврей», этого достаточно», — сказала мама.

Это меня окончательно от них отвратило: если уж они хотят эмигрировать, почему бы не прийти в консульство Германии с этими водительскими правами? Нет, они слушают дяди Сениного знакомого! Почему у них на все есть «знакомые», которым они верят? Как будто вокруг них не настоящая большая жизнь, а маленькая, как в песочнице, где сидит дядя Сеня со своими знакомыми.

И учит всех, как жить, и дает советы. Как только дядя Сеня стал владельцем ларька, он превратился в человека, который Знает Как Надо. Он, конечно, мой родственник, но, говоря объективно, дядя Сеня воплощает в себе всю пошлость мира!

Есть, конечно, возможность, что они образумятся: Бабуля. Она единственная в семье с ними разговаривает.

Бабуля приводит аргументы:

— она проклянет маму,

— как она будет в Германии работать сестрой-хозяйкой?

Но Ларка считает, что Бабуля поворчит, а потом поедет как миленькая: она же не останется одна, без нас.

А Ларка — за Германию. Говорит: «Эти люди впервые в жизни придумали что-то *не идиотское*».

Дело в том, что у Ларки картезианский ум: она рационалист и все переводит в цифры. Подсчитала плюсы и минусы своей жизни в Петербурге и за границей. При подсчете баллов пришла к выводу: за границей мы никто, но дома мы еще больше никто. Так что Германия — это шанс.

У Ларки уже есть план: в Германии она поступит в одиннадцатый класс гимназии, абитур (чтобы попасть в гимназию, Ларке нужно сдать немецкий на самом высоком уровне), после этого можно идти в университет.

Где Ларка успела все это узнать? Уж точно не у дяди Сениного знакомого.

Ларка купила самоучитель немецкого и зверски учит. Уже знает плюсквамперфект.

Неужели Ларка правда считает, что я как Бабуля — тоже поеду как миленький, не останусь один, без них? Я-то как раз останусь.

Ларка пусть едет со своим картезианским умом, а я никуда не поеду. Я не могу уехать в чужую культуру: у меня есть своя культура, свой город, знакомый до слез, до прожилок, до детских припухлых желез. У всех питерских детей припухшие железки от нашей сырости. А мне даже не смогли удалить гланды, потому что я был все время простужен. В общем, я никуда из Петербурга не уеду, я сумею найти адреса, о которых твердят мертвецов голоса.

Замечу, что в нашей семье оба ребенка не разговаривают с родителями. Я прихожу, молча ем, ухожу. Ларка приходит, молча ест, уходит. Но Ларка не разговаривает с ними не из-за Германии, а потому что не хочет.

Если подумать, мы ведем себя странно: не разговариваем с мамой, но едим мамину еду, особенно котлеты.

Но они тоже ведут себя странно: у них оба ребенка с ними не разговаривают, а им хоть бы хны. Шутят, смеются.

Мама больше почти не плачет без повода. Иногда плачет, потом встряхивается и шутит с папой. Похоже на человека, который взял себя в руки и старается не плакать без повода. Ларка сказала: «У нее климакс, климакс наступает в возрасте от сорока восьми до пятидесяти двух лет». Но ведь ей тридцать семь.

И ДОЛГО Я СТОЯЛ У РЕЧКИ

...Весь апрель Энен приносила нам листки из своего Дневника. Читала стихи, и к каждому поэту у нее был свой рассказ из Дневника, например:

«...Он зашел в гостиную и завалился на стул — даже не сел, просто рухнул, как мешок! Дерзкий, хамовитый, чуть ли ноги на стол не положил... Маяковский произвел на меня тогда очень странное впечатление. Весь такой нескладный, громадный, как глыба, с волевым подбородком и тяжелым взглядом, которым, мне казалось, он хотел произвести впечатление, и, почему-то казалось, что именно на меня. Он сердился и язвил, и вдруг становился мягким и спокойным... Он вышел на середину комнаты и стал читать.

> *Хотите —*
> *буду от мяса бешеный*
> *— и, как небо, меняя тона —*
> *хотите —*
> *буду безукоризненно нежный,*
> *не мужчина, а — облако в штанах!*

...У него, как у настоящего творческого человека, настроение менялось каждые несколько минут — он то жаловался, то негодовал, то издевался, то требовал, то впадал в истерику, то делал паузы...»

— Хорошо, что вы все записывали... — нехотя признала Алиса, — а то бы никто и не узнал, как это было.

— Конечно, хорошо.

Или так:

— В кафе «Бродячая собака» человечество делили на людей искусства и остальных, их называли фармацевты... Ахматова посвятила «Бродячей собаке» стихи «Все мы бражники здесь, блудницы»... Так вот, мы сидели в «Бродячей собаке», и вдруг — представьте —

вплывает Ахматова! Она не была красавицей, она была больше чем красавица, я не могла отвести от нее глаз! Вот я вам сейчас прочитаю из Дневника:

«...Ахматова сидит у камина. Она прихлебывает черный кофе, курит тонкую папироску. Как она бледна!

...Ахматова никогда не сидит одна. Друзья, поклонники, влюбленные, какие-то дамы в больших шляпах и с подведенными глазами».

— А вы кто там были, фармацевт? — спросила Алиса.

— Я — человек искусства... Что ты так смотришь, сушку хочешь?

Алиса протянула руку за сушкой, и я вдруг заметил: что-то *не так*. Алиса не интересовала меня настолько, чтобы рассматривать ее, но мы много времени провели рядом и глаз вдруг сам отметил — что-то *не так*. Рука, протянутая за сушкой, была не Алисина, не жирная лапа, а обычная девичья рука.

С Алисой происходило странное: она худела, ни на минуту не переставая есть, — теперь она уже не зависела от нас, могла взять еду сама и закидывала в себя все без разбору, — жевала без остановки и стремительно худела. За то время, что мы были вместе (звучит, будто у нас был роман, но мы все трое и Скотина *были вместе*), она перепробовала много диет, каждой хватало на несколько часов: в начале вечера объявляла «сегодня сижу на яблоках», съев все яблоки, говорила «перехожу на кефирную диету», выпив бутылку кефира, переходила на белковую диету — «съем колбаску и кусочек курочки», и затем вполне искренне «съем что-нибудь на ночь и завтра снова начну». А сейчас теряла килограммы, как осыпается новогодняя елка, каждый день, каждый час, незаметно, по иголочке, и вдруг смотришь — превращается в палку. «Так и должно быть, ты хорошеешь и хорошеешь... и хорошеешь...» — заметила Энен, а Роман сказал одобрительно: «А ты уже не такая туша...»

Алиса злобно худела, Энен зачитывала записи из своего Дневника.

Например, так:

«Я помню ту ночь, перед самой зарей, когда Блок впервые прочитал "Незнакомку"... Это было белой ночью, в знаменитой Башне на Таврической... Мы все вышли на крышу, стояли под открытым небом, и Блок — представьте, такой красивый, загорелый, встал на железную раму и начал читать "И каждый вечер, в час назначенный..."...Он всегда читал глухим голосом, так монотонно, трагически, — мы слушали и молили, чтобы чтение не кончалось, и как только он закончил, запел соловей...»

И так: «...Осип Эмильсвич в ту пору жил под знаком "выхода из литературы". Он не хотел быть писателем. Он не считал себя писателем. Он ненавидел письменный стол. Он небрежно обращался с ненужными ему книгами: перегибал, рвал, употреблял, как говорится, "на обертку селедок".

...А я знаю еще случай, когда Осип Эмильевич влюбился не в строфу и не в строку и даже не в слово, а в одну букву — в букву "д" в одном определенном сочетании.

...В тот день Осип Эмильевич был очень маленького роста. Это с ним случалось. Вообще-то он был классического среднего роста, но иногда выглядел выше среднего, а иногда — ниже. Это зависело от осанки, а осанка зависела от внутреннего состояния.

Для Мандельштама не было разницы, кто сочинил стихотворение — он сам или другой поэт: если стихи были настоящие, он гордился поэзией. Зависти он не знал».

И так: «...И вот к Мандельштаму в редакцию пришел человек и стал жаловаться, что его стихи не печатают, и тут я слышу, как Мандельштам ка-ак закричит: "А Будда печатался?! А Иисус Христос печатался?.." »

И так: «В толпе, хоронившей Ахматову, был еще один по-настоящему осиротевший человек — Иосиф Бродский. Среди друзей "последнего призыва", скрасивших последние годы Ахматовой, он глубже, честнее и бескорыстнее всех относился к ней. ...Мне случалось слышать, как Иосиф читает стихи. В формировании звука у него деятельное участие принимает нос. Такого я не замечала ни у кого на свете: ноздри втягиваются, раздуваются, устраивают разные выкрутасы, окрашивая носовым призвуком каждый гласный и каждый согласный...»

Прежде, чем полюбить Мандельштама, я полюбил *самого* Мандельштама («к сорока годам он был похож на старика, но глаза сияют»), пристрастился к Хармсу, пленившись самим Хармсом, — вот он, рядом с Энен, в своих коротких брюках, с соской на груди, а вот и Заболоцкий («похож на бухгалтера, не скажешь, что поэт-абсурдист»), — он тоже читал ей свои стихи... Энен была талантливым свидетелем: не называла дат — все, от Блока до Бродского, находились в питерских вневременных декорациях, обращалась с великими в меру почтительно, в меру фамильярно, о себе говорила не больше, чем «я слушала» или «я видела».

Мама так любила Райкина, что начинала смеяться, как только он выходил на сцену (по телевизору, не в театре, родителям не приходило в голову купить билеты в театр): он еще не начал говорить, а она уже смеется. А у меня образовался условный рефлекс на Энен: достаточно было услышать ее голос, как мне уже становилось *интересно*: она еще ничего не сказала, а я уже на старте — приготовился совершить скачок из реального мира в эти ее живые картины, испытать восторг от поэзии и гордость, что я занят *таким интеллектуальным делом*.

Обида Алисы только на первый взгляд кажется странной: обидно, когда нам предпочитают другого человека, ну, а если нам предпочли *другое, интересное*?.. Если, к примеру, у любимого человека загораются глаза лишь при виде формул, — это еще обидней, ведь это сводит нас совсем уж к захудалой несущественности, как будто мы *хуже формул*... Алису *можно* понять.

Алиса догадалась.

Энен, конечно, нас совершенно запутала, всего — поэзии, поэтов, фрагментов из дневника — было так *много*, что у Алисы, как и у меня, все спуталось в голове. Но Алиса догадалась.

— Хочет врать, пусть врет, мне наплевать. Если не хочешь испортить отношения с человеком, не мешай ему врать...

— Что врет?

— Не знаю что, но точно врет. *Я по глазам вижу*.

Не знаю, что могла Алиса разглядеть за очками Энен, скорее просто врун вруна видит. Алиса начала врать одновременно с Энен, может быть, у нас там воздух был такой, что все закружились в вихре вранья... Алиса сочиняла с размахом, не стесняясь: в прошлом году она плыла на теплоходе, теплоход чуть не утонул, и от стресса она стала толстой. Или другой вариант: на теплоходе ее изнасиловал капитан, и от *этого стресса* она стала толстой... Прежде Алисе не требовалось оправдание, а теперь, когда из нее уже выглядывала красавица, понадобилась легенда, разъясняющая, почему *была* толстой. Наверняка этому есть какое-то психологическое объяснение.

Прошел, пролетел апрель. В волшебном калейдоскопе, который Энен прикладывала к нашим глазам, мельчайшие штрихи повседневности связывались с высоким, а тем временем в нашей повседневности Алиса похудела на двадцать килограммов без диет, а у меня — у мамы... у мамы было выражение «да-а, хорошего мало...», обманчивое выражение: произносилось озабоченно, словно хорошее есть, но его недостаточно и нужно бы пойти докупить. На самом деле означало, что хорошего вовсе нет.

Ну, и когда же я понял? Когда прочитал воспоминания художницы Алисы Порет о Хармсе? Она-то, в отличие от Энен, *была* подругой Хармса, это *ее* он водил в цирк, *она* записала диалог Хармса и Введенского. А 24 января 1928 года, когда Хармс, с трубкой в зубах, в коротких брюках с пуговицами ниже колен, в серых шерстяных чулках, в клетчатом пиджаке, в пилотке с ослиными ушами *сразу же* влюбился в Энен на вечере обэриутов «Три левых часа», Энен *еще не родилась*.

Или когда встретил *знакомые строки* в воспоминаниях Надежды Мандельштам, Чуковского, Эммы Герштейн, Георгия Иванова, прочитал воспоминания Лили Брик? Или когда понял, что в ее *воспоминаниях* нет ничего, что нельзя вычитать из *других* воспоминаний (кто же не знает, как одевался Хармс и как ненавидел детей), что ее рассказы были просто культурной мозаикой... Или когда произвел простейший подсчет: чтобы присутствовать при чтении Блоком «Незнакомки» на башне Иванова белой ночью 1906 года, Энен должно быть 120 лет. Не помню, чтобы я когда-либо производил эти унылые подсчеты. Просто понял, как понимаешь все: что Деда Мороза не существует, а волшебник не принесет мне в подарок пятьсот эскимо.

...Зачем она присвоила чужую жизнь, зачем придумала роман с Хармсом? Я знаю (тот, кто никогда не врет, не знает, но я-то знаю), что, начав врать, остановиться сложно: врешь и врешь. Энен любила играть, придумывать, вот и придумала. Представляю, как она радовалась: а давайте играть, что это было — роман!.. с Хармсом! Энен *могла* быть подругой Хармса, она *умела* играть, и он ходил бы с ней по Невскому с соской на шее... Она слушала бы «Облако в штанах», и Ахматова вплывала бы в «Бродячую собаку» *при ней*, но она в то время еще не родилась, — ей всего-то нужно было родиться раньше!

Врать Энен начала случайно. Можно сказать, я сам подтолкнул ее к вранью. Когда она сказала: «Мой *покойный* друг Иосиф Бродский», она имела в виду профессора матлогики в университете, Иосифа Бродского.

Увидела, как у меня восторженно загорелись глаза, — как, вы его знали?! — и соврала.

Между прочим, Бродский-поэт был еще жив. Тогда я этого не знал: Бродский жил в Америке, его стихи только начали появляться в общей доступности, единственным моим проводником в мир культуры была Энен, и если бы она сказала мне, что вчера пила чай с Лермонтовым, я бы и не подумал ее проверять. К тому же мне казалось естественным, что Бродского уже нет: ведь Пушкин, Блок, Ахматова умерли, и я, как простодушная медсестра из «Покровских ворот», считал, что *все* поэты умерли.

Энен любила Бродского, знала наизусть — и объявила живого поэта умершим, не закричала: «Ты что, он жив!» Но ведь она не предсказала ему раннюю смерть, у нее просто вырвалось... Мы никогда не знаем, в каком отчаянии может быть человек и что он сделает *для себя;* она, напоминаю, была совершенно одинока, и кроме моего восхищения у нее ничего не было. Грустно думать, как она сидела, одна, старая, старой своей рукой переписывала — для нас, набивала себя чужими воспоминаниями, как плюшевого медведя опилками.

Может, *немного нехорошо присвоить себе чужую жизнь* — Алисы Порет, Лили Брик, Надежды Мандельштам?

Может, и нехорошо — *немного*, но ведь ее ум, ироничность принадлежали ей, и она расшвыривала свои богатства всего-то для двух подростков: я уже не мог отделить Блока от волшебства белой ночи, Хармса от этой его соски на шее... Некоторые считают, что воображение — это и есть правда... Жаль, что она не успела *рассказать о Пушкине,* Энен могла бы ввести себя в круг Пушкина и Вяземского, показать письмо, написанное ей Пушкиным о Керн, — и мы бы не удивились: она всех знала, она была всегда... В общем, с моральной стороной вранья уже можно покончить, — не стоит ни осуждения, ни обсуждения, — ну, врала, и что?.. И спасибо ей за вранье.

Энен переписывала свои «воспоминания» на тетрадные листы в клеточку: постмодернист цитирует без кавычек, называется другим, сдвигает реальность, вводит себя в историю как нового персонажа в пьесу, утверждая «я там был», — она и не подумала состарить листки. И мы не подумали, почему воспоминания о событиях почти столетней давности написаны на листках в клеточку, таких же, на каких Скотина писал «2+3=5». Энен — постмодернист. ...А на обратной стороне листов были ее личные записи, это были *очень личные записи*, — вот в них-то и дело.

«Отдохни, помолчи. Загляни в себя: там, внутри, спрятано много интересного», — говорила Энен Скотине, когда он слишком долго бегал, слишком громко кричал. Скотина затихал, заглядывал в себя и сообщал что-то вроде: «У меня внутри сидит интересный Аладдин, нет, два или три интересных Аладдина, а у вас что у кого внутри?» Я не заглядывал в нее *без спроса*, я хотел перечитать ее «воспоминания» и на обратной стороне тетрадного листа с переписанными воспоминаниями Алисы Порет о Хармсе прочел вот что: «Моя жизнь кажется блестящей: я была в гуще событий, рядом с талантливыми людьми, меня любили... Красивая женщина должна быть счастлива любовью, это так, но бывшая красивая женщина — чем должна быть счастлива, прошлой любовью?!

То, что вокруг меня были таланты, сыграло со мной плохую шутку, с этим трудно жить: все талантливы, а я?! Меня не принимали всерьез как творческую личность, только любили, только дружили. А ведь у меня есть талант! Я тоже мечтала, я всегда мечтала оставить след в искусстве. И вот те, кого я знала, оставили свой след в искусстве, а я нет. Все, кого я знала... А я?!

У меня есть талант. Мои стихи очень хороши, иногда мне кажется, что не хуже, чем у Ахматовой... и уж точно лучше, чем у многих... И моя проза хороша!.. Мне нужно было серьезней относиться к своему дарованию, к своему таланту. Если бы обстоятельства сложились так, а не эдак, я бы прославилась или хотя бы стала известной. Горько думать, что талант есть, но слава не смогла меня разглядеть. В плохие минуты думаю: я была слишком любима, слишком успешна как женщина, вот и потратила свою жизнь на ненастоящее. Думаю: все было — зачем? И что делать, как с этим жить дальше?..»

Я как-то иначе ее себе представлял, без странностей и слабостей, как образ, морально-социальный тип: Гарпагон — скупой, мещанин Журден — тщеславный, а она была безупречно *интеллигентной*, но оказалось, в ней спрятано много интересных Аладдинов. В драматургии это называется «усложнение образа»: персонаж вдруг становится более хаотичным, сложным, в нем открываются совсем другие качества...

А на обратной стороне листа с переписанными воспоминаниями Надежды Мандельштам: «Все, кто меня знает, удивились бы, узнав о моих претензиях на талант: в костре собственных амбиций горят одинокие угрюмые честолюбцы, а я в своем жизнерадостно практичном подходе к собственной жизни, кажется, не должна была бы что-то себе доказывать, договариваться с самой собой, рассуждать, на что я потратила жизнь, есть ли у меня талант и какого он качества... Но мой костер амбиций горит ярко, в хорошие минуты я думаю: "У меня талант!" В плохие минуты думаю: "Раз нет успеха, значит, нет таланта..."

По вечерам я уверена: мои стихи очень хороши, моя проза хороша, лучше, чем у Х... и много лучше, чем у ХХ!.. А по утрам я думаю: "Что, если *самой* признать, что мои стихи и рассказы вовсе не «моя поэзия» и «моя проза», а... А что? Да ничего, просто самой признать, что нет таланта и не было! Сказать себе: "Ну, раз нет, так нет... Зато было много веселья!"»

Наверное, в *плохие минуты* каждый думает: «Раз у меня нет успеха, значит, нет таланта». Или просто: «У меня нет таланта...» Другое дело — как быть с этим дальше. По-моему, это сильная мысль сильного человека: ну, раз нет, так нет. Позже я и сам писал на обрывках что-то подобное: «Если понять, что у тебя нет таланта, то вдруг почувствуешь, что можешь жить свободно...» — в оправдание скажу, что живьем я совсем не ныл, честное слово.

Мой приятель, врач-психотерапевт, говорит, что у него все больше и больше пациентов с депрессией. Говорит, не так давно появился новый термин — «эмоциональный интеллект». Тот, кому повезло иметь высокий эмоциональный интеллект, меньше подвержен депрессии: он умеет управлять негативными эмоциями, как бы производить уборку своего внутреннего помещения. Ну, а тем, кому не повезло, можно предложить депривацию сна, фитотерапию и магнитную стимуляцию. Не могу представить Энен пациенткой психотерапевта, выписывающего ей препараты от депрессии, не могу представить, что ее лечат депривацией сна, фитотерапией или магнитной стимуляцией, чтобы она была весела, как птичка.

И последнее из *интересных Аладдинов, что у кого внутри*: внутри Энен — какая-то извернутая гордость. В сумочке у нее была обернутая в папиросную бумагу фотография — она с Ахматовой. И аккуратно вырезанная страница из журнала «Звезда»: в статье «Из Ленинграда в Петербург» ее назвали культовым персонажем ленинградской культуры. Имя, фамилия — культовый персонаж ленинградской культуры. Она носила фотографию и вырезку в сумочке, — она ведь так гордилась своим *кругом*, своей жизнью, эта статья была ее триумфом, *наградой «За жизнь»*, — почему она нам не показала?.. Как ребенок: врать про Блока и Хармса — мы первые, а показать статью, где мы *честно* названы культовым персонажем, — нет. Это *интересный Аладдин*.

КАК ЭТО БЫЛО

Я плакал. Стоял у своего коня, как дурак, и плакал. Люди шли мимо меня, а я плакал, но ведь никто другого человека не видит.

Главное, чтобы не узнала Ларка.

Она сказала ему: «Ты не думай, что я к тебе пристаю со своей любовью, это не любовь, просто секс... у нас будет просто секс». Моя мама.

Моя мама!

Обида такая, как будто проглотил ежа и он застрял в горле. Как он смеет ее не любить?! За что он ее не любит?! Почему у моей мамы, такой доброй, красивой, такая жизнь? У нас дома то одно, то другое, у папы проблемы с работой, он то и дело ложится на диван, и Ларка ее расстраивает. Она такая красивая, но ее жизнь проходит в нерешенных проблемах. Почему у нее такая жизнь, а у Романа совсем другая жизнь?!

Когда я услышал ее разговор по телефону, я сразу посмотрел на прошлое другими глазами: сначала она была счастливая, пела, потом все время плакала. Лучше бы мы жили на Фонтанке! Лучше бы не переезжали на проспект Большевиков! На Фонтанке мама разговаривала по телефону в коридоре, далеко от меня, и вообще все жили на расстоянии, а на проспекте Большевиков между всеми нами нет никакого расстояния, каждый вздох, каждое слово, каждое чувство — все общее.

Я не знаю, что было: они встречались или только один раз встречались. Но все это время я как будто стоял за сценой. Я ведь присутствовал в жизни обоих: видел ее дома, она то пела, то плакала, а на Фонтанке видел Романа. Я знаю главное, чего она не знает: у них ничего не было! Она думала, что у них отношения, а ничего не было, вообще ничего. Он вообще ее не заметил. Она о нем думала, пела, плакала, а он ее не заметил.

Она говорила: «Он разговаривает с тобой, учит тебя, ты ему небезразличен», а сама думала: «С чего это ему был бы интересен чужой мальчишка, это потому, что он мой сын». Она не понимает! Роман не интересовался мной из-за того, что я ее сын, он даже не связал меня с ней. Она не понимает: он такой человек, видит в картине только деталь, которую в данный момент разглядывает, и не видит целого. Ну, как это объяснить: он смотрит на меня и думает «это Петр Ильич», смотрит на нее и думает «красивая». А потом забывает. Он же забывает людей, когда они ему не нужны.

Я смотрел на Фонтанку и вдруг вспомнил про странные дощечки и непонятные крючки. Когда я прочитал эти стихи три раза, мне стало легче. Я перестал плакать и смог думать.

И принять решение.

Я принял решение: раз так, я поеду в Германию. Наша семья летит в тартарары, я вынужден согласиться.

Наша семья как-то пошатнулась: она думает, что живет второстепенной жизнью и Роман ее не полюбил, папа лежит на диване, Ларка курит травку. Ларка сказала: «Перестань заглядывать мне в глаза! Все проверяешь, не курю ли я травку, а я знаю, как скрыть». Значит, курит и скрывает.

Главное, чтобы Ларка не узнала про измену. Папа-то не узнает, он ничего не видит, а Ларка умная. Черт с ними, я поеду.

Но я вот что: не знаю, как мне ее теперь любить. Она сказала: «Не думай, что я к тебе пристаю со своей любовью, это не любовь, просто секс». Если бы она его полюбила, мне было бы очень плохо, но я хотя бы ее пожалел. Ведь любовь сильней всего на свете, человек не виноват, что полюбил, тем более Романа, его легко полюбить. А она — «просто секс».

Я не злюсь на нее, не обижаюсь, просто я ее не понимаю, как будто она не моя родная мать, а чужой человек. Я даже не могу называть ее мамой. Не знаю, как мне теперь ее любить.

И ДОЛГО ДУМАЛ, СНЯВ ОЧКИ

Алиса больше не хотела Энен.

— Я скажу папе, что она мне больше не нужна. Раньше она мне была нужна. А теперь она мне не нужна. Пусть она больше не приходит. Я скажу папе.

Но оказалось, говорить некому. Роман исчез.

Перед майскими праздниками Роман исчез — умный мозг просчитал варианты событий быстрей, чем что-нибудь плохое могло бы произойти. Это не было объявлено торжественно, с поцелуем детей в лоб и обращенным к Алисе «береги себя, а Скотину я доверяю тебе», нет, это произошло совершенно буднично: сказал «пока» и вышел, заперев дверь, — и оказалось, что он *их* запер. Алиса со Скотиной оказались взаперти, с охранниками.

Последним, кто его видел, был я. Я ждал Романа на Фонтанке, у его машины, с отрепетированной фразой «я больше не смогу работать» и трусливым дополнением «потому что скоро экзамены». То есть сначала я хотел просто не прийти на работу, но подумал, что это будет трусливо, как будто я заяц. И я стоял на Фонтанке у его «мерседеса» и повторял про себя: «А я не заяц! Не заяц я!»

Роман вышел из дома, перебежал Фонтанку, сел в машину. Заметив меня, опустил стекло, я наклонился и сказал в окно: «Я не заяц... а вы... вы... Нельзя так поступать с людьми. Она ведь тоже человек», он сказал: «Ты чего, с дуба рухнул?», улыбнулся, сложил губы трубочкой, поднял стекло и нажал на газ. А я вдруг почувствовал, что люблю его, несмотря ни на что.

Роман уехал, а я поднялся наверх: я хотел как-нибудь обмануть Скотину, как взрослые обманывают детей, уходя навсегда, — «мы обязательно увидимся». Придумывать утешительное враньё для Скотины было совестно, но ещё хуже было бы просто исчезнуть — почти год я работал его братом, а братья просто так не исчезают.

Наверху я застал панику. Петюне и Коляну было поручено сообщить: Алиса со Скотиной проведут взаперти дня три-четыре, пока все *не решится*. Они будут охранять их круглосуточно, приносить продукты. Гулять с Ментом будут сами. Звонить по телефону запрещено, подходить к телефону запрещено. Алиса бормотала: «А как же папочка, мой папочка?!», потом бросилась к Шкафу Бесплодных Надежд собирать вещи, как будто охранники в любой момент могли сказать ей «нам нужно уходить», и все должно быть готово. Скотина смотрел испуганными глазами и жался ко мне, потом сказал: «Пойду тоже соберусь: бегемотиков возьму и кассету с "Аладдином"».

Не то чтобы я смело решил, что не брошу Скотину (и Алису, черт с ней), — я был уверен, что никакой опасности нет. Мне не хотелось идти домой, было мучительно представить, что увижу маму. К тому же это было приключение — побыть отрезанными от мира, под охраной. Петюн и Колян разрешили мне сделать один звонок, я позвонил домой, сказал: «Еду в командировку на все майские» (когда не разговариваешь с родителями, можно не спрашивать разрешения) и остался на Фонтанке.

Если бы все это было всерьез, то можно сказать, что Петюн и Колян действовали непрофессионально. В первый же день успели нарушить все правила: разрешили меня и впустили в дом Энен, — она пришла, как обычно, и, узнав, что мы остались одни, ушла и вскоре вернулась с небольшим клетчатым чемоданчиком и пакстом сушек, затем Петюн и Колян вдвоем ушли за продуктами, оставив нас без присмотра... Петюн и Колян со своими эмблемами «Элегия» были настроены элегически: пить пиво, играть в карты и ночью, когда охраняемые крепко заснут, привести девушек, — квартира-то огромная, охраняемые не услышат. Петюн и Колян были *охранники не всерьез*. Не думаю, что они взялись бы за эту работу, если бы Алисе со Скотиной действительно грозила опасность. Многие не умеют представить, что дело может пойти *не так*.

Они охраняли нас не всерьез, но и мы остались под охраной Петюна и Коляна не всерьез. Чего нам было бояться на Невском, у Аничкова моста: если что-то пойдет не так, можно прошептать с балкона «помогите...». Нам даже не нужно кричать, наш шепот будет услышан, ведь толпа снует по Аничкову мосту *прямо под нами*.

В этот первый день без Романа, под охраной Петюна и Коляна, мы все время ели. А для создания большей драматичности говорили при этом о *конечности* нашей еды. Охранники принесли продукты: яйца, хлеб, макароны, масло, картошку и по просьбе Энен запасной пакет сушек, она любовно на него посматривала, поглаживала, блестя кольцами, звеня браслетами. Энен сказала, что очень тщательно выбирала украшения, в которых пришла сидеть в заточении: быть все время в одних и тех же украшениях — это невесело, но принести с собой много украшений очень тяжело. На ней были разной длины бирюзовые бусы, от больших до мелких, разноцветные браслеты, а среди колец выделялось огромное кольцо с бирюзой.

— Это что, по-вашему, еда? — беспокойно спросила Алиса. — А где же сыр, колбаска?..

— А картошка, макароны — это тебе не еда?.. Колбаса и сыр дорого стоят... Ничего, в блокаду люди жили без колбасы, и ты три дня проживешь... — отозвался Петюн.

— Петюн, где мы, а где блокада... Почему *я* должна голодать?! — проворчала Алиса.

— Знаете, как нужно голодать?.. — вступила Энен. — Мне папа сказал в первую блокадную зиму: «Читай». И я все время читала. Однажды я так хотела есть, что уже даже не хотела, просто отупела от голода. И вот я лежала и читала Хармса. Мне папа дал от руки переписанные кем-то листы, мне кажется, это были переписанные черновики, потому что некоторые строки и слова были написаны в двух вариантах... и целые куски были зачеркнуты... И вот я читаю: «Машкин убил Кошкина», читаю: «Товарищ Машкин нахмурился. Товарищ Кошкин пошевелил животом и притопнул правой ногой»... читаю-читаю, а сама думаю: зачем мне этот абсурд, не понимаю, за что мне все это, зачем так жить, нет смысла в такой жизни... И *вдруг* — как будто я уже не голодная, и такое счастье, как будто я улетаю... С одной стороны, это, безусловно, был приступ голодной эйфории, но, с другой стороны, я поняла, в чем смысл жизни, — просто жить. А абсурд — чтобы понять то, что понять нельзя, чтобы защититься от страха.

— А вы что, в блокаду жили? — спросил Петюн, как будто увидел ожившего динозавра. Петюн был не ленинградец. От него все это было так далеко, как любая строчка из учебника, хоть про войну, хоть про палеолит.

Энен кивнула:

— Я в блокаду в этом доме бывала, с папой... Папа покупал книги в «Лавке писателей».

— В блокаду были книги?.. Да ладно, — удивился Петюн.

— Книги были всегда, — объяснила Энен. — Мы из-за книг в эвакуацию не уехали, у папы была большая библиотека, он *не мог* оставить книги.

— Ну ничего, выжили... А как вы выжили? Что вы жрали-то, книги?

— Да. Мама меняла книги на еду: за редкую книгу можно было получить сто граммов крупы... или семьдесят граммов сахара.

— Неужели были дураки, которые отдавали жратву за книги?

Энен не особенно хотела говорить о блокаде, но Петюн не отставал, и ей пришлось.

— Вам кажется, что в блокаду не было жизни? Была жизнь. Мама с папой в филармонию ходили, к нам приходили гости слушать пластинки: оперу слушали, Вертинского, Козина, Лещенко... Мне иногда разрешали с ними посидеть.

— Да?.. А нам в школе говорили: «Героические ленинградцы не сдавались». А вы, оказывается, пластиночки слушали.

— Но ведь это и есть не сдаваться... Папа говорил: «Немцы нас не победят, если мы сохраним стандарты жизни. Сохранять стандарты жизни означает бороться до конца». У каждого своя борьба до конца: у меня, например, были романы один за другим, вымышленные, конечно... Но я все время была влюблена, то в одного, то в другого. Один раз влюбилась прямо в очереди за хлебом... Такой смешной мальчик с мамой, она ему повязала платок на шапку, а он посмотрел на меня и снял платок... она опять повязала, а он снял, она повязывала, он снимал... Он потом отщипнул мне крошку хлеба, пока его мать не видела... Он был благородный человек, я его *очень* любила.

— До чего же все у вас получается весело, вы в блокаду и книжки читали, и влюблялись... Интеллигенция, все вам нипочем, — сказал Петюн. И немного напел: «...Один интеллигент разлегся на дороге и выставил в проход свои худые ноги, и кое-что еще, и кое-что иное...» ...Ладно, по лагерю объявляется отбой. Начинаем мечтать о завтраке: на завтрак яичницу поджарю...

— А он влюбился в вас за то, что вы ему тоже дали крошку хлеба? — насмешливо спросила Алиса, она все время задирала Энен. Из рассказа Энен про блокаду было ясно, что в то время она была ребенком, но мы и тут не связали нити воедино.

— Я — нет, не дала... — честно ответила Энен, — я взяла у него и съела. ...Я не дала, нет. Но, видишь ли, женская и мужская любовь разная: женщина не может любить неблагородного мужчину, а мужчина *может* любить неблагородную женщину. Такова природа любви. На мой взгляд. В Древней Греции женщины вообще считались низшими существами, это даже в языке отражается: у мужчин есть друзья, а у женщин — родственники.

— Вот и я говорю — бабы не люди, — довольно подтвердил Колян. — Все, пошли спать... а утром я макароны сварганю.

— А Петюн говорил про яичницу, — напомнила Алиса. И уточнила: — Ладно, считаем, что договорились: на завтрак и яичница, и макароны.

Так, в приятном единомыслии, мы скоротали первый вечер без Романа.

А утром... мы мирно завтракали (яичница, поджаренная Петюном, макароны, сварганенные Коляном), поглядывали в окно, на Аничков мост, и в другое, на Невский: по Невскому шла толпа — первомайская демонстрация. Первое мая, весна, солнце, музыка, дети с шариками, — настроение было праздничным, и у нас, и у толпы на Невском, — солнце яркое, музыка бравурная, дети с шариками веселые. И вдруг...

Ну, я не знаю, как писать о страшном: «мы испугались» или «мы онемели от ужаса»? Просто представьте, что вы завтракаете (яичница, макароны), и вдруг *входят* четверо, без звонка. Как они открыли дверь — *своим* ключом или отверткой?! Четверо, один за другим: первый, второй, третий, четвертый. И все четверо *несимпатичные*.

Первое, что я подумал: Роман поменял охранную фирму. Но я ошибся, это уже были не наши, не красные, а белые.

— Ваши уходят — наши идут, — сказал номер 1.

Заурчал Мент с дивана, Алиса прикрикнула: «Мент!» Номер 1 сказал: «У вас тут мент?! Мент нам ни к чему», а номера 2, 3, 4 как-то подобрались, и каждый *полез в карман*, но мы все еще не верили, что это всерьез, — неужели они *всерьез* собирались устроить у нас перестрелку?

— Не стреляйте, не надо! Мент — это не мент, а вот — кавказец, — объяснил Колян.

— Кавказцы? У вас тут кавказцы? Кавказцы нам ни к чему.

Энен прошептала мне:

— Я знаю модное слово — «отморозки», они и правда как отмороженные огурцы, внутри вода, — ну как можно ничего не понимать? Может быть, они нервничают?..

— Да понял я, Мент — это собака. Собака нам ни к чему, — сказал номер 1.

Он сказал это страшно, как говорят фашисты в старых фильмах про войну, когда точно знаешь, что за этим последует выстрел. Мент угрожающе заурчал, он не хотел быть *ни к чему*, и мы втроем, с Алисой и Скотиной, с разных сторон бросились к Менту, только одно у них было общее — любовь к Менту.

— Место! — как собакам, сказал нам номер 1 и *вытащил пистолет*.

Я почувствовал, как напряглась Алиса и обмяк Скотина. Ну, и хотелось бы сказать «а я не испугался», но это неправда, я испугался: подумал: «Я не успел стать интеллигентным человеком» и прижал к себе Скотину... Какая там храбрость, просто шок.

— Ладно, живите пока, — сказал номер 1 и убрал пистолет. — Шутка, ха-ха.

— Вы нам пока нужны живыми... — добавил номер 2. Номер 2 тоже был человек не без юмора.

Наши охранники не бросились защищать нас: Колян привстал и неожиданно тонким голосом сказал «только без рук», Петюн подтвердил его намерения, сказав «спокойно, братва, мы уходим». Их можно понять: а вдруг номер 1 решил бы, что в сложившейся ситуации Петюн и Колян им ни к чему?

Охранников из фирмы «Элегия» никто не вышвыривал, они ушли сами, тихо прикрыв за собой дверь: порученные им дети Романа пока нужны живыми, так что все нормально и они могут идти.

А мы остались с нашими новыми стражами.

Смена караула объяснялась просто и страшно: Роман в беде. *Все решилось*, но не в пользу Романа. К нам пришли нанятые врагами Романа бандиты или же сами враги Романа. Неизвестно, что лучше: у бандитов нет личной злобы к Алисе и Скотине (это *лучше*), но они могут оказаться полными отморозками (это *хуже*). Если же номера 1, 2, 3, 4 — враги Романа, то у них есть личная злобная заинтересованность в Алисе и Скотине.

Спустя какое-то время стало ясно: это бандиты. Ни один из номеров 1, 2, 3, 4 не обладал способностями к осознанным действиям, у них не могло быть общих интересов с Романом.

— Будете сидеть смирно, все будет тип-топ... — предупредил номер 1.

— И еда? Еда тоже будет тип-топ? — спросила практичная Алиса.

— Если пикнете — папашу убьют, — сказал номер 2.

Номера ушли *устраиваться,* мы остались одни. Вот мы, на разноцветных диванах вокруг письменного стола, онемевшие от абсурда нашего положения, сидим взаперти — на Невском, у Аничкова моста! — под нами — первомайская демонстрация. Внизу — праздничная толпа, а наверху — мы под стражей номеров 1, 2, 3, 4. Можно высунуться в окно, выбежать на балкон, крикнуть «спасите!» — не убьют же они нас... Но крикнуть нельзя, нам *сказано*: нас не убьют, убьют Романа. Мы заложники.

...Номера не ответили на вопрос, как их зовут, захотели остаться для нас номерами 1, 2, 3, 4, — не знаю, сами додумались или начальство запретило, чтобы между нами не возникли дружеские отношения (а с номерами какая может быть дружба).

Вот теперь нас по-настоящему заперли: из охраняемых мы стали заключенными.

В первый день нашего заточения они поленились вывести Мента. Это оказалось самым тяжелым — смотреть, как он мучается, не понимает, и терпит, и затем стыдится. Когда запах окружил нас, стало понятно, что все это не приключение... Когда номера при нас переговаривались, какую из комнат отведут под туалет Мента, стало страшно: это означало *забвение норм*, означало, что *все можно*.

— Я понял, им *все* можно, — сказал Скотина. — А нам что можно? Меня больше всего волнует Мент, чтобы у него не было инфаркта от стыда.

Скотина как-то сразу понимал суть, но иногда вот так глупил: почему инфаркт?

— Ты идиот, Скотина. Меня вот больше всего волнует, что с папой, — сказала Алиса.

— На мне кольцо, — вдруг сосредоточенно сказала Энен, повертев рукой перед нами, — это дорогое кольцо. Если его продать, то я смогу целый год кормить и вооружать нас.

Энен вела себя мужественно, но, как мне казалось, странно: не сказала ничего ободряющего вроде «нужно держаться» или «если не бояться, то все закончится хорошо», вообще ни слова не сказала всерьез.

— Давайте играть, как будто мы живем в замке, а они наши привратники. И сами решают, кого пускать в дом, а кого не пускать... — И нелогично добавила: — Или можем попробовать их подкупить. Нужно узнать, какая у них мечта. У каждого человека есть мечта, даже у Сырника и Пельменя.

Главным среди номеров был номер 2: у всех были пистолеты, но у номера 2 был еще мобильный телефон — у кого телефон, тот и главный, — и он связывался с начальством. Связь в квартире была капризная, по иронии судьбы лучше всего было слышно с балкона из нашей камеры. Каждое утро номер 2 входил к нам и, стоя на балконе над Аничковым мостом, орал на весь Невский:

«Все тут: ребенок, старуха, ребята!..» Прохожие поднимали глаза — кто там орет на весь Невский? — и шли дальше по своим делам, кто мог представить, что там, над Аничковым мостом, сидят взаперти ребенок, старуха, ребята... В голове у меня бесконечно прокручивалось, как кадр из фильма: я выбегаю на балкон, отталкивая номер 2, кричу: «Милиция!», номер 2 стреляет в меня (промахивается, конечно), прыгает с балкона в Фонтанку, я за ним... Он не пристрелил бы меня на глазах у толпы на Невском, не спрыгнул бы с балкона, он был не Джеймс Бонд, но и я бы не выбежал, не крикнул: во-первых, не хотел спастись ценой жизни Романа, а во-вторых, я тоже был не Джеймс Бонд.

Номера 1 и 2 были приятели, называли друг друга Сырник и Пельмень, номер 2 был вылитый Сырник, с плоским непропеченным лицом, у номера 1 было более извилистое лицо и уши как пельмени. У номера 2, Сырника, были все полномочия по нам.

Ночью ко мне пришла Алиса.

Скотина, Алиса и Энен остались спать на диванах, номера разошлись по комнатам бабы Цили и бабы Симы, номер 2 направился в спальню Романа, а я — в комнату Скотины с найденным в Куче надувным матрасом. Наша Куча была как портал «найдется все!». Матрас, конечно, оказался дырявый, иначе его бы не выбросили.

Ночью ко мне пришла Алиса. Мне снилось, что кто-то пинает меня ногой: открыл глаза — Алиса, стоит надо мной, пинает меня ногой. Пнула меня еще раз, для верности, и сказала:

— Проснулся?.. А я не спала, мне страшно. Но ведь это хорошо, что мы заложники. Если мы заложники, если его ловят на нас, значит, папочка жив! А ты почему спишь, тебе что, не страшно?.. Знаешь что... Если хочешь, у нас будет секс... *Хочешь*, у нас будет секс? Ну?.. Ты что молчишь? Ты хочешь?.. Ты что, вообще ничего не чувствуешь?..

Я чувствовал очень много чего — и страх, как Алиса, и беспокойство: когда срок моей «командировки» закончится, мама пошлет за мной папу, и что же, он прибавится к нам, запертым здесь?..

— Ты не думай: я тебя не люблю... Я тебе предлагаю просто секс. Ты *понимаешь,* что я говорю? Когда у человека стресс, нужен просто секс. Это не любовь, это просто секс.

Алиса сказала мне в точности то же, что мама — Роману.

— Просто стресс? Просто секс? — глупо повторил я. — ...У тебя всегда все просто.

— А у тебя всегда все сложно. ...У тебя все сложно, а у меня все просто: просто стресс, просто секс...

Писать о первом сексе двух подростков — зачем, каждый может сам представить весь этот набор: и неловкость, и недоумение, и гордость, и восторг, и ощущение, что ты родился заново, и разочарование — как, и это все?! — и взрослое равнодушие *к партнеру,* и детская мысль: «Что скажет мама?»

Дело в другом. После того как у нас был *просто секс,* Алиса сказала:

— А вдруг наша любовь навсегда?.. Так ведь бывает, что влюбишься один раз и навсегда.

— Но ты же сама сказала... — Я не торговался, просто удивился, ведь Алиса *сама сказала...*

— Что сказала? Что это не любовь, а просто секс?.. Ну сказала... на всякий случай. Чтобы ты надо мной не посмеялся... если что. Если бы ты вдруг надо мной посмеялся. Если я тебя люблю, а ты меня нет, то мне будет стыдно. А секс предлагать не стыдно... Ну, если вдруг ты меня пошлешь.

На всякий случай, если вдруг... Потом, взрослым, я и сам иногда говорил вместо «я люблю тебя» «это просто секс» — просто отчаяние, обман, говоришь, чтобы не опозориться, если тебя отвергнут.

Алиса сказала мне то же, что мама — Роману. Неужели все это — любовь, отчаяние, надежда, робость, все эти «он меня не любит, но, может быть, все-таки...» могло происходить с *моей мамой*? Неужели у нее было *столько чувств*, неужели смешение чувств было таким пугающе сложным?.. Представить, что у нее вообще могли быть чувства, не относящиеся ко мне, было трудно, и я мысленно отступил, и она вдруг стала как будто не *мама*, а просто *другой человек*.

Я не *думал* об этом, не было такого — «и долго думал, сняв очки». Но это сидение взаперти, оно как-то пришлось вовремя. Наверное, меня нужно было запереть, чтобы я понял. Мысль, конечно, *ничего особенного*, но нужно было самому понять: я могу любить ее как *тоже человека*, отдельного от меня. В этом была какая-то печаль, как будто кто-то от тебя уходит, но и радость, ведь тогда и ты можешь уйти. И я все крутил и крутил в голове расхожее выражение, меняя ударение, и от этого неуловимо менялся смысл: она *тоже человек*, она *тоже* человек, она тоже *человек*. Моя мама.

Утром было больше похоже на жизнь, утром *после чего бы то ни было* все больше похоже на жизнь. Номера 3 и 4 все же вывели Мента на Фонтанку, нам выдали картошку из запасов Петюна и Коляна, мы поджарили ее на плитке и привычно расселись с тарелками по диванам. Внешне со сменой караула ничего не изменилось: кто бы ни был снаружи, собственные охранники или чужие бандиты, те, кто внутри, все равно сидят взаперти.

А вот *внутри* кое-что изменилось, мы мгновенно вернулись к прежнему состоянию: подспудное противоборство между Алисой и Энен прекратилось, и Энен снова заняла свое место главной... Наше положение, как говорила баба Сима, было *неважнецкое*, мы боялись и подсознательно считали, что в случае настоящей опасности именно Энен как старшая будет первой иметь с ней дело, поэтому лучше пусть снова будет главной.

— Может быть, дадите пароли для литературы? Литературу-то мы не успели, — сказала Алиса.

— Литература — везде. Как воздух. Я не могу научить тебя дышать, — рассеянно сказала Энен. — Впрочем, можно попробовать.

— Не нужно пробовать. Мы выберем одну книгу и одно стихотворение, и все. Нужен парадокс типа «я считаю лучшим писателем двадцатого века...» Кого?..

— Толстого и Пушкина... Ладно, пиши пароль: «Я считаю лучшим русским писателем двадцатого века Добычина»... Он мало кому известен, так что...

— Так что я буду выглядеть изысканно. А если спросят: «Неужели выше Толстого?», я скажу: «Ну, в некотором роде, безусловно»... Ой, вот я ляпнула! Толстой жил раньше? Ладно, неважно, «Добычин в некотором роде, безусловно, лучше Толстого» и точка.

С литературой у нас не получилось: ну, какой Добычин, когда нас окружал спертый воздух (иногда номера все-таки забывали вывести Мента), когда перед обедом мы озабоченно прикидывали, на сколько нам хватит макарон и картошки и будут ли номера нас кормить, когда наши запасы закончатся. Ну и, конечно, о чем бы Алиса ни говорила, она говорила о Романе.

— Петюн и Колян — предатели. Папа приедет и накажет их.

— Ну уж, предатели, — сказала Энен. — По-твоему, они должны были отдать за тебя жизнь? А если не отдали, значит, предатели? Если человек малодушный трус, это не его вина: никому нельзя ставить в вину отсутствие моральной устойчивости... и тем более физической.

— А по-моему, можно... ставить. Вам-то хорошо, вы старая, а нас могут убить.

— Мне хорошо, — подтвердила Энен. — Если ты намекаешь, что мне уже не страшно умереть, то мне очень хорошо.

— Сразу-то не скажешь, что вы собрались умирать... Оделись как на бал, — проворчала Алиса.

Энен и правда выглядела нарядно, из чемоданчика каждый день доставались новые джинсы и пиджаки, украшения были все те же. Но сегодня на ней в дополнение к бусам висело что-то длинное, ярко-голубое, похожее на хвост, но из перьев. Номер 1, увидев ее, сказал: «Это что у нас за чудо в перьях...», Энен ответила: «Это я в боа».

У каждого человека есть мечта. Какая мечта у наших привратников, мы узнали довольно скоро, несмотря на то что наши жизненные пространства были строго разделены (мы на своих диванах, а номера распространились по всей квартире) и сталкивались мы только в коридоре, когда проходили в ванную и туалет. Тогда я слышал их разговоры — они говорили о машинах, сколько кто скопил из зарплаты за то, что кого-то охранял, сопровождал, наказывал, — все они душегубствовали за машины. Номера 1, 3, 4 имели «восьмерки», у номера 2 была вишневая «девятка», но он считал, что она уже не полагается ему по статусу, мечтал о «приличной иномарке» и прикидывал, какую машину купит после окончания операции с Романом. Сомневался в выборе, повторял: «По душе мне нравятся американцы — "крайслер" и "понтиак", я уж не говорю о "кадиллаке" или "линкольне", это вообще...» Я помню (почему запоминаются такие вещи?): по душе ему нравились американцы, у американцев и мощность, и стальной кузов — дополнительный шанс выжить при перестрелках, а можно пригнать из Финки «Вольво 940» или «Сааб 9000», они и престижные, и с запчастями проще. Ну, или не выделываться и приобрести «джип чероки» — проходимость, двигатель 5,2 л, салон подходит телок возить, но есть и недостаток, много жрет бензина, хотя бензин стоит копейки, но все же нужно учитывать... И, конечно, «гелик» — трясучий, но вообще неубиваемый. Ну, и потом, когда он вырастет (он говорил: «Когда я вырасту большой»), — «крузак»: машина с повышенной посадкой, что позволит ему уклоняться от пуль во время перестрелок. Хотя он не зацикливался на «крузаке», также рассматривал «кабан» — «мерседес» в кузове W140. Кольцо Энен было старинное, с бирюзой и бриллиантами, кольца хватило бы на мечту, ведь речь шла о подержанных автомобилях.

Дни, проведенные под стражей, были моими самыми веселыми днями за всю жизнь, ни до ни после я так не смеялся, как тогда, — известно, что страх обостряет чувство юмора. В чемоданчике Энен, бездонном, как у Мэри Поппинс, нашлась самиздатская книжка — Хармс. Детские стихи Хармса Скотина и все мы давно уже знали наизусть, Энен сладострастно сказала: «А это взрослое». «Взрослое» оказалось таким смешным, что мы даже не смеялись, а *издавали звуки*: Алиса хрюкала, Скотина квакал, я ухал филином.

— Папа неизвестно где, а вы заставляете меня смеяться, — отхрюкав, сказала Алиса. — ...Ну, смешно, и что?.. Просто нам сейчас страшно, вот мы и смеемся. А если все нормально, зачем абсурд? Зачем нормальному человеку абсурд?..

— Почему *сейчас* страшно? Во-первых, нам не страшно, во-вторых, человеку *всегда* страшно. Абсурд увеличивает несоответствие неправильного положения правильному и одновременно уменьшает. Понятно?

— Что тут может быть *понятно*? — удивилась Алиса.

— Не будешь смеяться, я натравлю на тебя бандитов, — сказала Энен, и мы покатились от хохота.

Наша присказка приобрела новый смысл, бандиты-то были за дверью. Они называли Алису, Скотину и меня «Эй, ты», а Энен называли «Вы»: «Вы, идите в комнату, не задерживайтесь тут».

...Энен читала нам из своей самиздатской книжки: «Жил один рыжий человек, у которого не было глаз и ушей. У него не было и волос, так что рыжим его называли условно. Говорить он не мог, так как у него не было рта. Носа тоже у него не было...», Скотина прыгал между нами, носился по диванам, кричал: «Не было! Рта! И носа! Тоже! Не было!», Алиса, осатанев от его воплей, столкнула его с дивана, он ударился о ножку стола, Алиса закричала: «Да заткнись ты!.. Папа в опасности, а ты тут ржешь, как скотина!..», Скотина укусил Алису и заплакал, Алиса взвыла и бросилась к нему, я дернул Алису за волосы, Алиса шлепнула Скотину по попе, а меня по руке... В общем, типичный Хармс... Считается нормальным, что у заключенных развивается агрессия друг к другу. Запах окружал нас (Мента выгуливали небрежно), мы дозировали еду на случай, если номера собираются морить нас голодом, Алиса со Скотиной подрались... наше истерическое веселье грозило вот-вот превратиться в истерику.

— А давайте устроим театр, — предложила Энен.

Энен решила поставить спектакль всерьез. Она выбирала текст, бормотала: «Так... Одна старуха от чрезмерного любопытства вывалилась из окна... Нет, это не поставить на сцене... Товарищ Кошкин танцевал вокруг товарища Машкина. Товарищ Машкин следил за товарищем Кошкиным. Товарищ Кошкин оскорбительно махал руками и противно выворачивал ноги... Это лучше, это можно...»

У нас получился не совсем театр, скорее, живые картины — *очень живые картины*. Алисе досталась роль товарища Машкина, это была простая роль — в качестве товарища Машкина она *следила за мной*, а я все не мог понять, как это — *оскорбительно* махать руками и *противно* выворачивать ноги... Оказалось, нужно не бояться, что над тобой будут смеяться, нужно *хотеть,* чтобы смеялись, — и у меня получилось, Алиса хрюкала, Скотина квакал.

Номера 1 и 2 заглянули к нам — чего вы тут так ржете? Им было скучно, номер 1 спросил номер 2: «Зайдем поржать?», тот не нашел в этом ничего страшного, они зашли, заслушались: «Однажды Орлов объелся толченым горохом и умер. А Крылов, узнав об этом, тоже умер. А Спиридонов умер сам собой. А жена Спиридонова упала с буфета и тоже умерла...», и номер 1 сказал завистливо: «А у вас тут ржачка». Номера 3 и 4 тоже хотели зайти поржать, но они были в этой их иерархии низшими, им было велено оставаться за дверью и охранять.

— Нам обращаться к вам по номерам? Или вы все-таки представитесь? — спросила Энен.

Номера отказались, сказали: «Не положено», но, когда охранники и заключенные вместе смеются, между ними что-то меняется... А когда охранники и заключенные *ставят вместе спектакль*...

Энен пригласила их в наш спектакль. Объяснила это тем, что заботится о нашем будущем: когда узники и тюремщики ставят вместе спектакль, они уже не узники и тюремщики, а коллеги... К тому же это не кафкианское зло, а всего лишь Сырник и Пельмень... К тому же она приглашает охранников в наш спектакль в рамках абсурда, абсурд для того и существует, чтобы защититься от страха... Думаю, ей просто не хватало актеров.

— Они наши враги, — сказала Алиса.

— Враги. Но ведь они никогда не посещали драмкружок... — И Энен глубокомысленно добавила: — Не забывайте ходящих и путями неправедными.

Ходящие путями неправедными Сырник и Пельмень присоединились к нашей труппе. Энен сказала, что сначала она сама прочтет нам текст, потом будет распределение ролей, потом мы будем читать по ролям, это называется «читка», а уже потом настоящая репетиция. Но есть один важный момент: читка должна быть в костюмах. Для того чтобы не просто слушать, а *услышать* Хармса, мы должны быть правильно одеты, загримированы. И нужен реквизит.

«Ну, в рамках абсурда...» — просительно сказала Энен надувшейся Алисе, и мы нарядились кто во что — костюмы и реквизит нашлись в Куче: Скотина в рваную скатерть бабы Цили и Ларкин младенческий чепчик, в руках эмалированный бидон, я в довоенный мотоциклетный шлем, Алиса в белый халат бабы Симы без одного рукава и одноухую ушанку дяди Игоря, и Энен в своем голубом боа уселась на режиссерское место посреди комнаты. Охранники сначала стеснялись наряжаться, но, после того как Энен повязала поверх боа мой старый пионерский галстук, сбегали к Куче и выбрали для себя кое-что. В рамках абсурда.

А затем разыгрались и стали полноправными участниками драмкружка: прикатили кроватку Скотины, и Сырник уселся в нее, — представьте огромного детину с *несимпатичным* лицом в драной жилетке бабы Цили и шапочке с завязками под подбородком, скрючившегося в детской кроватке, в руках чайник и сковородка в качестве погремушек.

Пельмень был более сдержан в одежде, но придирчив к месту — сидеть хотел непременно в инвалидном кресле, инвалидное кресло вообще играло большую роль в реквизите, за него шла борьба между Скотиной и Пельменем: победил Пельмень, бухнулся в инвалидное кресло и взял Скотину на руки.

Когда все расположились кто где — в детской кроватке, инвалидном кресле, на диванах и велосипедах (Мент на диване), Энен сказала, что прежде всего нужно придумать название спектакля. Скотина вертелся, гремел бидоном, мяукал кошкой, шипел ужом, — охранник пересадил его на стул и завесил простыней, так, завешенный, он участвовал в обсуждении названия.

Энен велела каждому по очереди сказать, что придет в голову. Алиса фыркнула, я сказал почему-то «красота», Скотина из-под простыни — «гав», а Сырник сказал «студень» и объяснил — жрать охота. Энен сказала, что в слове «студень» ей слышится негативная коннотация, и Сырник, подумав, предложил «холодец».

Решили, что спектакль будет называться «Холодец», и приступили к читке.

...— Я писатель! — заявил из кроватки Сырник.

— А по-моему, ты говно, — заржал Пельмень.

Самиздатскую книжку держал в руках Сырник, а Пельмень наклонился над ним в кроватке, как над младенцем, посматривая в текст.

Алиса мрачно заметила:

— Это нелитературное слово, вы сами говорили, что мне нельзя...

— Литературное-литературное, — отмахнулась Энен. — Давайте читайте!

— Я художник! — завопил Сырник.

— А по-моему, ты говно! — радостно отозвался Пельмень.

В совместном с бандитами веселье незаметно прошел вечер. Энен сказала: «Театр закрывается, нас всех тошнит». Пельмень спросил: «Да, вы что-то бледная, а что вы сегодня ели?», Сырник, взглянув на часы, сказал: «Скотине пора спать» и отправился в спальню Романа, с телефоном и пистолетом: если Роман придет ночью и бухнется на свою кровать, то там Сырник с пистолетом и телефоном, застрелит и позвонит. Сейчас все это кажется смешным, но тогда — нет.

В репетициях пролетели два дня (в целом, считая с Петюна и Коляна, мы находились взаперти уже шесть дней), и наутро нашего седьмого дня мы, как обычно, расселись по диванам и велосипедам для завтрака и репетиции. Сырник — в нем жил актер — так хотел «поскорее ржать», что завтракал *уже в шляпе бабы Цили*. Энен читала: «Фадеев, Калдеев и Пепермалдеев однажды гуляли в дремучем лесу. Фадеев в цилиндре, Калдеев в перчатках, а Пепермалдеев с ключом на носу... И долго, веселые игры затеяв, пока не проснутся в лесу петухи, Фадеев, Калдеев и Пепермалдеев смеялись: хаха, хо-хо-хо, хи-хи-хи!» Сырник сокрушался, что в Куче, вероятно, не найдется цилиндра, прикидывал, где взять перчатки и что приспособить под цилиндр (цилиндр можно сделать из картона, но обувные коробки, которые были в Куче, не подходят, слишком жесткие и не того размера)... И тут Энен сказала, что не может начать репетицию без должного запаса сушек.

— Пошлите кого-нибудь в магазин. Сушки должны быть несладкие. И мне нужна пресса, мы уже неделю оторваны от мира.

— Закупки, в принципе, не сакци... не сакцини... не разрешены... — сказал Сырник.

Сырник не разрешил бы закупку сушек, но — цилиндр!.. Цилиндр можно было сделать из обложек журналов, которые как раз обладают достаточной плотностью, не слишком тонкие и хорошо скручиваются... Можно послать за сушками и прессой низших чинов, что околачивались под нашей дверью, номер 3 или 4. К примеру, номер 3 пойдет за сушками и прессой для цилиндра, а номер 4 останется стеречь нас или, наоборот, номер 3 останется стеречь нас, а номер 4 пойдет.

— А мне мороженое, трубочку, — сказал Скотина.

— А мне бы докторской колбаски, — попросила Алиса.

— А пусть он позвонит из автомата маме... — сказал я.

— Моей маме? — спросил Сырник.

— Нет, моей. Пусть скажет, что я еще немного задержусь.

— Сушки — да, пресса — да, из нее сделаем цилиндр, мороженое малому — ладно уж, колбаса — черт с тобой, жри, позвонить маме — нет. И тихо мне тут, никаких мне тут «ха-ха-ха, хо-хо-хо, хи-хи-хи».

Послали номер 3, а номер 4 остался стеречь нас.

Номер 3 вернулся через полчаса с сушками и прессой для цилиндра, все заняли свои места: Пельмень, как всегда, уселся в инвалидную коляску, Сырник забрался в детскую кроватку, в шляпе и с цветком во рту — пластмассовый нарцисс нашелся в Куче, не знаю, кому он изначально принадлежал. Сырник планировал прицепить его на цилиндр.

И вдруг... Почему-то все главное происходило утром, приблизительно в одно и то же время, как будто враги Романа приходили к девяти на работу и *все решалось*. И вдруг у Сырника зазвонил телефон.

Связь была плохая, Сырник, сидя в кроватке с поджатыми ногами, кричал: «Але, але, я тут, у меня все под контролем!», но начальство его не слышало. Начальство его не слышало, но, кажется, кричало, Сырник нервничал, не мог выбраться из кроватки и, как младенец к маме, тянул руки к Пельменю. Все же человек, сидящий в детской кроватке в шляпе и с цветком во рту, не расположен к мгновенному выполнению служебных обязанностей. Представьте, что вы сидите в приятной компании в детской кроватке, в шляпе и с цветком в зубах, беззащитные перед внешним миром, — и вдруг из внешнего мира кричит начальство.

А Пельмень — у него было меньше склонности к прекрасному, но больше дисциплинированности в выполнении служебного долга — сказал: «Встань, встань вверх!», как будто можно встать вниз. Сырник все больше нервничал, не мог встать вверх, но связь вдруг волшебным образом установилась, и начальство его услышало, и он услышал начальство. Выслушав начальство, Сырник сказал: «Понял», отключился и встал. Стоял в кроватке и молчал.

И мы молчали, смотрели на него.

Алиса заплакала, сказала: «Папа? Что с моим папой?», а Скотина спросил: «А меня куда денете? В детдом, что ли?»

И я подумал: его мать в Америке, ни у кого нет ее телефона, и что скажет мама, когда я приведу Скотину домой. А Энен попросила Сырника:

— Пожалуйста, говорите осторожней, здесь его дети... Что с Ромочкой, что вам сказали?

— Сказали — все решилось. Сказали нам уходить. Во дают... то у них то, а то раз — и это...

— Как уходить? Куда уходить? У нас же репетиция? — удивился Пельмень.

— Решилось, решилось, папа победил! Мой папа победил, а вы дураки! — закричала Алиса. — Дураки, дураки, тупые дураки!

Она сориентировалась быстрее всех и теперь держалась боевым петухом, жаль, что триумф отчасти потерял смысл: к тому времени Сырник и Пельмень были нашими коллегами по драмкружку. Она могла бы выйти в коридор и торжествовать там, перед низшими чинами, но кому нужны низшие чины?

— ...А как же цилиндр? С полями можно сделать... из журнала, — сказал Сырник.

— Да уж теперь все, забудь... Я вынул из головы шар, я вынул из головы шар... — пробормотал Пельмень и сам себе ответил, печально, словно прощаясь навсегда с чем-то хорошим: — Положь его обратно, положь его обратно.

— Нет, не положу, нет, не положу! — огрызнулся Сырник.

Пока все судили-рядили, Энен просматривала журналы, подозвала Сырника, показала ему рекламу американских машин, — когда они успели так подружиться? Сырник сказал: «Я уже *не так* хочу "седан"...»

— Вот этот красивый, мне нравится... — сказала Энен и, как мне показалось, без паузы: — Puis-je jouer avec une nouvelle poupée... Maman j'ai la nausée et le vertige... Maman de bon matin, nous irons aujourd'hui la marche...

Но, конечно, пауза была. Я не успел понять, что она говорит по-французски, я *еще ничего не успел понять*, а мой мозг все понял быстрей меня, я подумал: «А как же я? Литературу-то мы не успели!.. Что же мне теперь, самому все читать?..»

— Эй, чуваки, у нее рот скособочился! Голова набок! «Скорую», «скорую» вызывайте! Старуха-то кайфовая, пропадет к чертовой матери! — кричал Пельмень и, смутившись своей горячности к *кайфовой старухе*, пояснил: — Я медбратом работал, я знаю... Вот она жизнь, то хо-хо-хо и хи-хи-хи... а то кердык котенку.

КАК ЭТО БЫЛО

Дрянь, гадина! Какая же Алиса гадина!

Врач со «скорой» сказал: с инсультами главное начать лечение в первые три часа. Мы сразу вызвали «скорую», так что надежда есть.

Врач спросил нас: «Бабулька ваша интеллектуально сохранная?» Бабулька! Как будто, если у человека инсульт, о нем можно говорить что хочешь. Неужели Энен превратилась в человека, о котором каждый может говорить что хочет?

У Энен в сумке был паспорт: она родилась в 1298 году.

То есть в 1928, конечно. Ничего себе, какая она старая, 67 лет.

Когда «скорая» уехала, я хотел сразу пойти домой. Роман победил, и я могу попрощаться со Скотиной. Я буду скучать по Скотине, особенно когда он засыпает и держит меня за руку.

А перед уходом я заметил, что у Алисы странный вид. Не радуется, что Роман победил, о чем-то думает.

Но о чем? Она не может расстраиваться из-за инсульта, ей, в общем-то, наплевать на Энен. Она не хочет страдать из-за других людей. У меня тоже бывает такое чувство, что мне безразличны другие люди. Например, я как-то видел, как человек попал под машину, и во мне выросла стена, я не хотел страдать из-за него.

А потом все выяснилось.

Я сказал:

— Ты гадина.

— А ты идиот. Она же говорила, что не хочет болеть, хочет — раз, и все. Все, как она хотела, — раз, и все. Она ничего не понимает, как будто умерла.

Алиса набычилась и стала похожа на Романа. Я представлял, как сейчас схвачу ее и буду трясти, пока у нее голова не отвалится.

— Может быть, ты ненормальная?

— А ты идиот.

Врач сказал, что ценное нельзя брать в больницу, и мы взяли из сумки Энен ценное: листки из ее дневника и фотографию в папиросной бумаге. Я забрал у Алисы листки из дневника, фотографию, и книжку Хармса тоже забрал. Не хотел, чтобы они у нее были. Она предатель. Предала Энен. Всадила в нее нож из-за угла.

В мой первый рабочий день на Фонтанке я подумал о ней: «Вот гадина!» Но было незаметно, что она еще и подлец. Иногда смотришь на человека и видишь, что он плохой, а иногда смотришь на человека и не видишь, что он плохой. Это хуже.

Вот такие они люди, Роман и Алиса. Похожи друг на друга: совсем без нравственности. Как будто в них вообще не развилась какая-то часть организма, которая отвечает за понимание других людей. Есть ли такая часть организма и где она находится?

Роман будет как победитель на белом коне, а Алиса — худая как палка, как будто это не она, а другой человек. Роман больше не сможет кричать: «Ты, жирная!» Хорошо бы он не нашел в ней что-то другое, к чему можно прицепиться, например: «Ты, рыжая!»

Но вообще странно: Роман кричал ей «жирная, уродка!», просил «не жри как не в себя», приносил яблоки, Гербалайф, предлагал диеты, и что — и ничего… Чем громче орал «жирная, жирная!», тем Алиса больше ела. А потом вдруг начала худеть. Жрала как слон и худела. Начала худеть после того, как предала Энен!.. Может, она переживала, что предала? Энен ведь даже в голову не могло прийти такое, она ничего не подозревала, а Алиса как будто подожгла дом со спящим человеком и убежала. Может, она хотела стать другим человеком, и вот, похудела без диет? Может, у нее все-таки есть какая-то небольшая совесть?

Пошел на Аничков мост к своему коню, приложил руку к копыту и загадал: пусть Энен выздоровеет или хотя бы сможет ходить и говорить, как раньше. Или хотя бы хорошо говорить по-французски.

Дома рассказал про Энен.

— Я тоже сочувствую ей, но… — сказал папа.

— Но она все-таки чужой человек, — сказала мама.

— У тебя еще будет много учителей… — сказал папа.

— И ты же не собираешься ухаживать за каждым… — сказала мама.

Мама сказала: «Как я рада, что ты опять с нами разговариваешь… А как прошла твоя командировка? А мы тут собираемся, прикидываем, что взять, что оставить…»

Если сразу не рассказал о чем-то для тебя важном, потом уже никогда не захочешь. Думаю, так люди и становятся чужими.

А я-то надеялся: вдруг за то время, пока меня не было, наша эмиграция в Германию закончилась. Но нет. Обсуждают, что брать с собой. Вытащили чемоданы в прихожую, как будто ехать завтра.

КАКИЕ СТРАННЫЕ ДОЩЕЧКИ

Статья «Как жить нашим детям?», на которую случайно наткнулась Энен, перелистывая журнал «для цилиндра с полями», была написана нашим журналистом Юрким Юрочкой — из тех, бродивших по квартире.

Статья начиналась с фразы: «Алисе 16, и она не знает, как ей жить. С болью и недоумением пишет Алиса о своей дружбе с дамой, приятной во всех отношениях, искусствоведом одного из наших главных музеев, назовем ее NN. Материал печатается по желанию Алисы, но давайте сегодня обойдемся без имен... Вот что пишет Алиса: "Я так ей доверяла, рассказывала ей о себе, и она откровенно рассказывала мне о своей жизни... И я вдруг поняла: она проговорилась. Рассказала, что она виновата в аресте Мандельштама"».

Авторский текст шел вперемежку с письмом Алисы, так, вдвоем, Юркий Юрочка с Алисой рассказывали историю, — Алиса страдала: «Как мне жить, зная, что, возможно, она виновна в страшной судьбе Мандельштама», Юркий Юрочка комментировал: «Из Алисиных слов ясно: женщина, *возможно*, причастная к аресту Мандельштама, жива и прекрасно себя чувствует». Юркий Юрочка осторожно, со всеми «возможно, вероятно, предположительно» сокрушался: «Со слов Алисы, в архивах КГБ имеется доказательство причастности искусствоведа NN к этой организации... В мире петербургской Алисы нет ясности, она живет в мире со множеством запертых дверей, за каждой дверью тайны, недоговоренности. Как Алисе жить в море собственных слез?.. Мы сейчас не обвиняем никого конкретно, а поднимаем морально-этическую проблему: как относиться нашим детям к такого рода историям». Юркий Юрочка рассуждал на тему забыть и простить или докопаться до правды, на тему, можно ли покаяться в чужих грехах, — это была умная модная статья, все звучало в меру пафосно, в меру с болью и было подлым враньем.

Неизвестно, что ударило Энен больней, подлость Алисы или мысль: что скажут люди *ее круга*? Надеюсь, она не успела подумать, что ее опозорили на века, что людям некогда и лень считать, сопоставлять, они будут пожимать плечами, говорить друг другу: «Она причастна к аресту Мандельштама?.. Ну, я не знаю... Возможно, нет, но может быть, да...», надеюсь, ее мозг подумал быстрей, чем она, и принял решение отключиться.

Взрослые знают, что, если человека оболгали, можно попытаться его спасти. Но мне тогда казалось: все, что написано в газетах, *уже написано,* — как снег, выпал и лежит, и нельзя отменить. Я пришел в редакцию журнала и пообещал принести им паспорт Энен, чтобы они убедились: к моменту ареста Мандельштама в тридцать четвертом году искусствоведу NN было четыре года...

Что еще я мог сказать? Что искусствовед NN завралась, *сочинила* знакомство с Мандельштамом, роман с

306

Хармсом, и мы поверили, как поверили бы в ее дружбу с Пушкиным? Что подлец Алиса хотела наказать Энен, сделать гадость, *проучить*, можно сказать, что у нее были не идейные мотивы, а бытовые: ревность, самолюбие, гормоны... Вряд ли Алиса всерьез обдумывала свое преступление, лежала на диване и злоумышляла: ее не интересовали эти давние истории. Она просто свалила в кучу все: «смешную историю» о вызове на Литейный, рассказ о влюбленной в Мандельштама красавице, подписавшей в конце 20-ых *какую-то чушь*, — но части пазла не совпадают, все это *искаженная реальность*.

— В суд идти не с чем. Это жиртрест промсарделька попросила меня ее прищучить... А твоей NN все равно — она рехнулась в семьдесят первом году. Почему в семьдесят первом? Я тогда родился, — сказал Юркий Юрочка, он имел в виду, что ей, такой старой, уже все равно.

КАК ЭТО БЫЛО

25 июня 1995 года

Я собираюсь пойти в больницу к Энен. Когда я был у нее неделю назад, она уже сидела на кровати (правда, я ей помог сесть). Но не могла говорить. Она пока не умеет говорить по-русски, только по-французски. Я, естественно, ничего не понимаю.

В соседней палате лежит учительница французского, я привез ее к нам в кресле. Она сказала, что Энен говорит короткими фразами, как ребенок. Она переводила Энен.

Энен сказала: «Как твои экзамены, мой дорогой мальчик?»

Я сказал: «Нормально, осталось еще два экзамена, и будет выпускной вечер».

Энен сказала: «Ты будешь танцевать в белом платье?» Я думаю, что это ошибка переводчика. Я уверен, что Энен в сознании и просто пошутила.

Она же любит шутить, смеяться. Она шутила, что, как профессор Хиггинс, создала новую личность. Но «Пигмалион» и мы — совсем разные истории. Профессора Хиггинса интересовал эксперимент, а не сама

Элиза, вот Элиза и взбунтовалась, показала, что у нее есть чувства и достоинство. Энен, наоборот, думала, что у Алисы есть чувства и человеческое достоинство, а Алиса взбунтовалась и показала, что у нее нет чувств и человеческого достоинства, уничтожила Энен.

Я пойду к Энен завтра.

Ларка зовет меня пойти вместе с ней в Лучшую Компанию. Говорит, что девочка-тень точно будет.

26 июня 1995 года

Девочка-тень была!!!

Люди в Лучшей Компании смешные и хотят выпить повсюду. Сначала в ларьке пиво и портвейн, потом в баре текилу. Все это весело, потому что это не про алкоголь, а про приключения. Мерило популярности не кто сколько может выпить, а в какие приключения потом попадает. Самое модное — попасть в вытрезвитель, после этого ты звезда компании. Мы были в одном баре, потом в другом, двенадцать человек набились в машину, как сельди в бочке, и поехали из одного бара в другой. Там тоже было весело.

Девочка-тень оказалась еще лучше, чем в окне!!!

Завтра пойду в больницу к Энен.

27 июня 1995 года

Я пришел в больницу, а ее вчера выписали, — куда?

Я побежал на Фонтанку спросить у Романа ее адрес и телефон.

Но там никого не было. Только Материя по-прежнему сидела в будке.

Материя сказала: там делают ремонт другие люди. Роман Алексеевич, говорят, то ли на машине разбился, то ли что... Квартиру забрали за долги, детей раздали.

— Кому раздали?

— По матерям раздали. Есть же у них матери... Так ему и надо, миллионеру. Тоже мне, честно заработал миллион долларов... Бизнесхрен. — Подумала и добавила: — Это историческая справедливость.

Значит, Роман все-таки не победил.

Значит, Алису и Скотину раздали. Бедный Скотина.

А вот Алису не жалко, хотя между нами было и хорошее: мы сидели и разговаривали, как Хайдеггер с Ханной Арендт.

Я спросил:

— Вы считаете, когда у человека отнимают бизнес и выгоняют детей из квартиры, это справедливо?

И тут Материя начала медленно подниматься, как будто вырастала из своей будки, и закричала страшным шепотом:

— Да? А я?! Я, учитель с тридцатилетним стажем, сижу тут в собачьей будке — это справедливо?!

Я ушел. Долго стоял на Аничковом мосту. Энен, Скотина, Алиса, мне не найти их? Они как будто с неба упали в мою жизнь. Как с неба упали, так и исчезли.

И НЕПОНЯТНЫЕ КРЮЧКИ

Я искал ее. Найти человека легко. Я обзвонил дома престарелых, — нет ли у них такой, беспомощной, интеллигентной, говорит по-французски... Потом сообразил, что в отделе кадров Русского музея должен быть ее адрес. В Русском музее сохранился ее адрес — Некрасова, 22, но оказалось, она жила там до семьдесят девятого года, а свой новый адрес по небрежности не сообщила. В Русском музее мне дали адреса ее коллег-приятельниц, но одна к этому времени умерла, другая жила за границей, третья... и так далее. Найти человека легко, ищи не хочу.

Было лето, мы собирались в Германию, и я поступал *на всякий случай, пока мы еще тут,* в педагогический имени Герцена. Но споры были, как будто не *на всякий случай,* не *пока.* Отец сказал: «Учитель?.. Ты всегда будешь нищим», Ларка сказала: «Фу, не престижно, и вообще жальче мужчины-учителя никого нет», мама сказала: «Может, хотя бы журналистом, тут и престиж, и заработок...», но я уперся: журналистом — нет. Мама тайком отнесла мои документы к себе, на кафедру менеджмента, я забрал. Спал на своем школьном аттестате, чтобы мама еще раз не забрала его и не отнесла туда, где престиж и заработок. Не знаю, почему я так уперся, так хотел стать учителем литературы, — потому что мы с Энен *не успели литературу* и где-то в Америке рос недовоспитанный мной Скотина?

Осенью я опять предпринял попытку найти Энен, но был первый курс, девочка-тень (как ее звали?), никогда еще не было такой яркой осени, никогда. Ну, в общем, все как у всех: искал, не нашел, иногда думал: Алиса предала ее из детского интереса разломать куклу, это было Предательство, ну, а я?.. Я опоздал всего на день, я искал... но если я *не все* сделал, это тоже предательство, пусть мелкое, почти невидимое... Потом мысли о ней приходили ко мне все реже и реже, потом забыл.

О Романе я ничего не знал, не слышал. Нет, не так: я много раз о нем *слышал*. Разбился самолет «Аэрофлота», из расшифровки черного ящика понятно, что пилот дал находившемуся на борту бизнесмену порулить, и он, резко повернув штурвал, сбил систему автопилота, — это Роман хотел порулить... Новости начинаются с фразы: «Громкое убийство бизнесмена, по предварительной версии экспертов, стреляли из...» — это в него стреляли... А вот *тихое* убийство — кого-то нашли на Синявинских болотах, а вот и ироническое — «некий бизнесмен бесследно исчез с большим кредитом»... О Романе я ничего не знал. Отец как-то сказал: «Ну, и где же он? И кто же теперь неудачник, он или я?..» Значит, не так все было просто. Внутри каждого из нас, как говорил Скотина, много интересных Аладдинов.

...Осенью 2014 года, стоя у картины Малевича в корпусе Бенуа, я вдруг услышал голос со знакомой интонацией: «Очень жаль, что Малевича считают исключительно художником супрематизма, что Малевич ассоциируется лишь с “Черным квадратом”, вы взгляните на этот замечательный крестьянский цикл — вы рассмотрите, рассмотрите!..»

Я оглянулся. Алиса, золотоволосая, красивая-худая, между крупными яркими бусами бейдж Русского музея. Говорит с интонацией Энен. Алиса, которая ни за что не хотела знать, только *упоминать*, — экскурсовод?.. Группа была — подростки лет шестнадцати.

— А теперь посмотрите сами, подумайте у каждой картины, помните, что я вам говорила: Малевич — художник-интеллектуал, в отличие от... от других художников, — сказала Алиса группе, а мне: — Я *хороший* экскурсовод, это я при тебе... застеснялась.

За несколько минут, что группа самостоятельно рассматривала картины, Алиса сказала мне главное — она чувствует, что папа жив.

— Я пришел, а вас нет, ты уже уехала в Москву...

— В Москву? Нет. Я забрала Энен из больницы и...

— Ты забрала Энен?.. Ты забрала Энен из больницы. Ты не уехала в Москву, — глупо повторял я. — И что?

— Что-что? — удивилась Алиса. — И стали жить... А куда мне было ее девать?..

— Стали жить... Ты жила с Энен... А она говорила? Она пришла в себя? К ней вернулась речь, она говорила?

— Только по-французски.

Понятно. Значит, нет. Не пришла в себя. ...Алиса взяла Энен. Лекарства. Уход. Алисе было шестнадцать. Они с Энен переехали в старую квартиру Романа *на проспекте Большевиков.*

Пока я обзванивал дома престарелых, Энен была в соседнем доме, *мы годами жили рядом,* мы с Алисой могли столкнуться на троллейбусной остановке. Невозможно было так, второпях, посреди толпы, спросить, почему Алиса взяла Энен, — чувствовала свою вину, мучилась? И я только промямлил:

— Ну, ты... молодец.

— Да я просто... хотела французский выучить... — засмеялась Алиса. — ...Ну, и вообще... хотелось все-таки стать интеллигентным человеком.

Алиса была великолепна, как всякий человек, не желающий говорить о себе пафосно, она была великолепна.

— А как там Скотина, в Америке? Знаешь что-нибудь о нем?

— Знаю. Он мне всю кровь выпил, скотина такая, у него, видите ли, переходный возраст...

— Погоди, я не понимаю? Ты что, Скотину взяла?! Ты взяла Скотину?! И что?

— Что-что? — удивилась Алиса. — Стали жить втроем. А куда мне было его девать?..

— ...А почему у него переходный возраст?.. Двадцать лет назад он ходил в первый класс... почему у него сейчас переходный возраст?

— Потому что он — скотина. У него переходный возраст из юношеского во взрослый. ...Ну, а ты-то как? Ты в Германии живешь?.. Я помню, как ты говорил, что бабушка не хочет эмигрировать, на нее вся надежда.

...Бабуля не хотела эмигрировать. Она, как ружье на стене в первом действии, в третьем выстрелила: оказалось, что у нее болезнь Альцгеймера, мы тогда даже слова такого не знали, — из-за ее болезни отъезд не получился. Мама, в отчаянии напомнившая отцу о его еврейской крови, всегда чего-то главного не учитывала — и не учла, что Бабулю, ее русскую маму, нельзя было взять с собой. Они, как всегда, чего-то недоузнали... Так что это вспенилось, пошуршало и как-то забылось, как все планы... Да никто всерьез и не собирался. А я переживал так, будто кончалась жизнь.

— Ты взяла Энен и Скотину, не могу поверить... — Увидев, как Алиса сморщилась, я постарался изменить тон. — ...Значит, ты все-таки стала интеллигентным человеком, о Малевиче рассказываешь... Слушай, а ты с Малевичем знакома?

— А то, — ответила Алиса и высоко подняла руку, собирая свою группу, — у меня с ним в начале тридцатых был роман.

А ведь я все эти годы высокомерно думал, что Алисина *нехорошесть* была предопределена: история жизни, собственные склонности, все вело ее к тому, чтобы стать *плохой*, чтобы и дальше приносить людям вред. И что же — именно предательство развернуло ее к *прекрасному*? Как будто чем ниже провалишься, тем выше подпрыгнешь. Как будто другим путем ей *до прекрасного* было не доехать — не допрыгать? Кажется, это еще одна высокомерная мысль, кажется, я идиот.

Группа подтянулась к Алисе, дети смотрели на нее, как экскурсанты всегда смотрят на хорошего экскурсовода, — немного как на маму.

— Ну что, все собрались? Взгляните на эту картину... здесь определенно что-то джойсовское проглядывает... согласны? — невинно сказала Алиса, группа закивала: согласны, проглядывает, джойсовское, но один мальчик все же спросил: «А что это — "джойсовское?"», и Алиса сказала «я тебе расскажу», это прозвучало довольно хищно — похоже, ей хотелось вцепиться в мальчика и *рассказать*.

Алиса повела детей в следующий зал, растворилась в толпе, я не пошел за ней. Это самый хороший конец истории из всех, что могли быть.

Люди обыкновенно вспоминают о первой молодости, о тогдашних печалях и радостях... Сейчас не вспомню точную цитату... Люди обыкновенно вспоминают о первой молодости, о тогдашних печалях и радостях немного с улыбкой снисхождения, как будто хотят, жеманясь, сказать «ребячество». Словно они стали лучше после, сильнее чувствуют или больше. ...Два-три года юности — самая полная, самая наша часть жизни, самая важная, — определяет все будущее... Как-то так. Сто пятьдесят лет назад Герцен написал это про меня: словно мы стали лучше *после*, сильнее чувствуем или больше. ...А не сказать ли мне на уроке, что Герцен сказал это *мне*: я ведь дружил с Герценом.

Примечания

Алиса Порет. Воспоминания о Данииле Хармсе / Предисловие В. Глоцера // Панорама искусств. Вып. 3. М.: Сов. худож., 1980.

Далее использованы фрагменты книг: К. Чуковский «Дневник», Н. Мандельштам «Вторая книга», Э. Герштейн «Мемуары», Г. Иванов «Мемуары», Лиля Брик «Из воспоминаний».

Литературно-художественное издание

Серия «Нежности и метафизика. Проза Елены Колиной»

Елена Колина

ВОСПИТАНИЕ ЧУВСТВ: БЕТА ВЕРСИЯ

Роман

Редакционно-издательская группа «Жанровая литература»

Зав. группой *М. С. Сергеева*
Ответственный за выпуск *Т. Н. Захарова*
Технический редактор *Н. И. Духанина*
Компьютерная верстка *Е. М. Илюшиной*

ООО «Издательство АСТ»
129085, г. Москва, Звездный бульвар, д. 21, строение 3, комната 5
Наш электронный адрес: **www.ast.ru**
E-mail: **astpub@aha.ru**

«Баспа Аста» деген ООО
129085, г. Мәскеу, жұлдызды гүлзар, д. 21, 3 құрылым, 5 бөлме
Біздің электрондық мекенжайымыз: www.ast.ru
E-mail: astpub@aha.ru

Қазақстан Республикасында дистрибьютор
және өнім бойынша арыз-талаптарды қабылдаушының
өкілі «РДЦ-Алматы» ЖШС, Алматы қ., Домбровский көш., 3«а», литер Б, офис 1.
Тел.: 8(727) 2 51 59 89,90,91,92
Факс: 8 (727) 251 58 12, вн. 107; E-mail: RDC-Almaty@eksmo.kz
Өнімнің жарамдылық мерзімі шектелмеген.

Өндірген мемлекет: Ресей
Сертификация қарастырылмаған

Подписано в печать 30.07.2015 г. Формат 84х108 $^1/_{32}$.
Усл. печ. л.16,8. Тираж 4000 экз. Заказ № 5515.

Отпечатано с готовых файлов заказчика
в АО «Первая Образцовая типография»,
филиал «УЛЬЯНОВСКИЙ ДОМ ПЕЧАТИ»
432980, г. Ульяновск, ул. Гончарова, 14